S0-BZI-214

NEW ENERGY REVOLUTION
THE POWER TO CHANGE CHINA AND THE WORLD

中国领先一把

第三次工业革命在中国

李河君◎著

中信出版社 · CHINACITICPRESS · 北京 ·

图书在版编目（CIP）数据

中国领先一把 / 李河君著. —北京：中信出版社，2014.1
ISBN 978-7-5086-4244-4
I. ①中… II. ①李… III. ①中国经济 – 经济发展模式 – 研究 IV. ①F120.3
中国版本图书馆 CIP 数据核字（2013）第 225481 号

中国领先一把

著　　者：李河君
策划推广：中信出版社（China CITIC Press）
出版发行：中信出版集团股份有限公司
（北京市朝阳区惠新东街甲 4 号富盛大厦 2 座　邮编　100029）
（CITIC Publishing Group）
承 印 者：北京通州皇家印刷厂

开　　本：787mm × 1092mm　1/16　　彩　　插：16
印　　张：23.75　　字　　数：260 千字
版　　次：2014 年 1 月第 1 版　　印　　次：2014 年 3 月第 2 次印刷
广告经营许可证：京朝工商广字第 8087 号
书　　号：ISBN 978-7-5086-4244-4 / F · 3019
定　　价：119.00 元

目录

第三章
为什么是中国：中国光伏产业的优势地位

第四章
国策：中国光伏产业的正途

第五章
光伏：未来的展望

我确信这个判断

本书有一个判断：在新能源革命中，中国可以领先世界一把。

这是一个大胆的、具有重要意义的判断，不能不引起我们的深切关注。

判断不是现实。当某些事情已成为现实的时候，人们就不需要判断了。判断的重要性在于它的正确性和前瞻性。判断是做事的方向，也是做事的动力。

作者的判断能够变成现实吗？读者也许会带着这个最大的悬念阅读本书。中国读者更是如此。

在我的印象中，李河君是一个善于做判断的人。“我有一个判断”是他的常用语。值得注意的是，迄今为止，李河君之前的几个判断都被现实证明是正确的。在筹建金安桥水电站的时候，他实际上有一个判断：国家将准许民营企业进入能源领域。在进入光伏产业的时候，他也有一个判断：眼下不如晶硅火爆的薄膜技术很快就会赶上来，因此应该选择薄膜。2011年年初光伏风波还没到来的时候，他有一个判断：2012~2013年，中国乃至世界的光伏产业将有一次大“洗牌”。这些判断一一应验。这些判断使汉能实际上只用了21世纪初这十几年的时间，便成了“两个最大”：中国最大的民营清洁能源企业，世界最大的薄膜太阳能企业。

现在，作者提出了一个更大胆、更宏观的判断：在新能源革命中，中国将领先世界一把。这个判断是否能得到现实的证实呢？

我坚信作者的这个判断。这不仅和他以前几个判断都得到证实有关，更重要的是，本书内容极具说服力。

作者主要从三个层面论述新能源革命。

第一个层面是世界大趋势。化石能源体系已经出现危机，新能源已经具备替代条件，既有需求又有条件，新能源革命自然势不可当。

第二个层面是中国国情。在可持续发展中，最难克服的障碍是化石能源形成的“能源瓶颈”，而中国在自然资源、经济发展、本土市场、光伏产业、经济体制等方面拥有进行新能源替代的优势，领先世界是完全有可能的。

第三个层面是对光伏产业的分析。作者从新能源革命的角度，介绍了世界的走势和国外的经验教训，梳理了光伏技术和光伏产业的发展历史，澄清了对光伏产业的模糊认识，从中国现状和需要解决的问题出发，提出了推行新能源革命的战略、策略、政策等方面的一系列见解，可被称作“光伏战略小百科”。

作者的论述具有事实和逻辑的双重力量，由不得你不相信他的判断。

当然，即使是正确的判断也只是可能性，还需要大家的努力才能变成现实。这正是本书提出这个判断的最终归宿点。我相信，只要大家齐心协力，作者的判断一定会很快成为现实！

艾丰

《经济日报》前总编

品牌中国创始人

前 言

2012年之于中国光伏业，既是多事之秋，又是涅槃之年。

在这一年里，坏消息很多：

比如，由于一味追求产量，产业发展呈恶性循环之势，而受中国巨大产能（2009~2011年翻了两番）的推动，全世界多晶硅太阳能组件产能暴涨，价格却直线下跌。

比如，美国公布“双反”（反倾销和反补贴）调查终裁结果，宣布征收反倾销税；欧盟对华反倾销调查立案，印度也跟风提出反倾销调查。

比如，在全球经济衰退的浪潮中，欧洲各国政府对光伏的补贴降低，光伏组件制造商的销售收入大幅减少，国内银行停贷，国内多家光伏企业遭遇“破产门”。

比如，原尚德电力控股有限公司（以下简称“尚德电力”）董事长兼首席执行官施正荣退居二线，赛维LDK太阳能高科技有限公司（以下简称“赛维”）创始人辞任首席执行官，多家光伏企业领导人有意或无意地选择“退隐”，光伏业界人心惶惶……

然而如果细心考察，这一年中的好消息其实也不少：

比如，虽然晶硅行业一直亏损，美国第一太阳能公司仍然在2012年的第三季度实现了8 790万美元的净营收，虽然远远低于2011年同期的1.965亿美元，但延续了第二季度1.109亿美元的强劲势头。

比如，在中国，《太阳能光伏产业“十二五”发展规划》正式发布，分布式光伏发电项目免费并网措施正式实施。

比如，作为国内规模最大的民营清洁能源发电企业，汉能控股集团（以下简称“汉能”）开始了对海外光伏企业的并购……

产业兴衰本就存在生命周期。问题是，此次危机出现在了曾被视为“一出生就风华正茂”的中国光伏业。“光伏末日论”站得住脚吗？大浪袭来，有进有退，如果中国光伏业面临的是群体性危机，为何有的企业急剧衰退，而有的企业却能大踏步前进？

辩证法告诉我们，世界上没有绝对的“危”，也没有绝对的“机”。如果辩证地思考2012年中国光伏业的众多顺向、逆向事件，结论恐怕会大为不同。

从“逆向事件”看，2012年的中国光伏业内外交困，确实经历了一场“生死劫”。

2012年3月，美国商务部宣布对中国输美的太阳能电池征收反补贴税；5月17日，美国商务部又宣布对中国企业出口到美国的光伏产品征收反倾销税；11月7日，美国贸易仲裁委员会裁决，对中国晶体硅光伏电池片等产品征收18.32%~249.96%的反倾销税、14.78%~15.97%的反补贴税。

欧洲也“不甘落后”。2012 年 7 月 24 日，欧洲光伏制造商针对从中国进口的光伏产品向欧盟提起反倾销申请，欧盟于 9 月 6 日立案调查。欧盟是中国光伏产品出口的主要市场，此案涉及的金额高达 200 亿美元[1]。

中国的多晶硅光伏组件有 90% 销往海外，故而欧美“双反”来袭时尤为恐怖。中国光伏组件龙头企业——英利、尚德电力、天合光能、阿特斯等在 2012 年没有一家赢利。更糟糕的是，多家光伏企业陷入产品积压、产能过剩、巨额债务压顶等困境。

2012 年 8 月，美国投资机构美新集团发布的一组数据显示，中国最大的 10 家光伏企业的债务累计高达 175 亿美元。光伏企业总体负债率已超过 70%，负债率之高令人触目惊心。

与此同时，悲观情绪也成为主流媒体的基调。“光伏产能过剩”的观点迅速传遍全国，并且带来了两个直接影响。

第一个直接影响是，金融机构断然停止了对光伏产业的信贷支持。银行一停贷，部分光伏企业就被逼上了“绝路”。据媒体报道，尚德电力负债 35.87 亿美元，负债率高达 81.8%，企业股价从 2008 年的 80 美元/股跌至 2012 年 8 月初的 0.94 美元/股。由于无力偿还债务，以至于 2013 年 3 月，尚德电力的可换股债券出现违约，不得不申请破产。

第二个直接影响是，在“双反”压力下，在 2013 年第一季度，中国制造的光伏电池片基本退出了美国市场。光伏企业不得不寻求转型，从加工制造光伏电池片转向在欧美开展光伏电站的短期投资和运营业务，以期延长光伏企业的价值链。

由于我们过去只把光伏电池作为一种出口产品，而没有将其放到新能源革命的高度来认识，没有在国内扩大应用，我们用本土的高能耗和出口的低价位支持了欧洲的能源变革，结果却换来了当头一闷棍。当欧美“双反”来袭时，我们又不懂得光伏电池有晶硅和薄膜这两代产品的区别，做出“光伏产能过剩”这一以偏概全的判断，导致金融机构一刀切地给光伏产业“断奶”。这就等于别人打伤了我们的左手，我们又自捆右臂。

从“顺向事件”看，中国光伏企业正向第二代光伏技术领域大举进军，同时并购海外知名的光伏企业。

2012年6月5日，汉能与德国知名太阳能公司Q-Cells签署协议，收购Q-Cells子公司Solibro（索力比亚）的股权。这是汉能海外并购的第一单。在Solibro生产的薄膜太阳能电池（以下简称薄膜电池）中，小尺寸冠军电池已实现铜铟镓硒（CIGS）全球最高的转化率——18.7%。“薄膜太阳能之父” 拉尔斯·斯托特是Solibro的创始人、首席技术官（CTO），如今是汉能的高级管理人员。

2013年1月9日，汉能又宣布完成对美国MiaSole（米亚索能）公司的并购。这家公司名气不小，在过去的10年里，世界最具传奇色彩的风险投资家约翰·杜尔等“风投巨子”对MiaSole公司的投资超过5亿美元。

MiaSole公司是美国硅谷光伏企业的典型代表，其薄膜光伏组件量产转化率已达15.5%，研发转化率最高已达17.6%，已赶上目前晶硅组件的转化率，预计在两年内，其生产成本将降至0.5美元/瓦。

约翰·杜尔的绿色梦想也许将由汉能代其实现。

值得一提的是，Solibro与MiaSole拥有各自的薄膜技术，之前由于商业原则而互相保密，现在由于同属汉能而少了商业上的顾虑，因此可以在技术上互通有无，共同进步。

路透社则认为：“此番收购成功之后，汉能将与全球最大的薄膜电池厂商——美国第一太阳能公司展开竞争。”这一评价可谓是一语中的。

2013年7月25日，汉能又完成了对美国Global Solar Energy（全球太阳能）公司的并购。

汉能在一年内完成的这3次收购引起了海内外媒体的广泛关注。海外媒体对此事的评价是，“光伏产业‘退潮期’为中国企业捡拾珍珠提供了机会”，是“美国光伏初创企业被规模更大的亚洲工业企业挽救于水火的最新案例”。

让我们用数据说话：截至2012年年底，汉能已经拥有7项薄膜技术，成功建成9个薄膜电池生产基地，产能达到3GW[2]，超过美国第一太阳能公司的2.8GW，成为全球最大的薄膜太阳能企业。

从逆向事件看，中国光伏业的确面临巨大危机，似乎是对以往中国光伏业发展的技术、路径和模式的否定；但从顺向事件看，汉能的案例又是对“光伏末日论”的否定与反击，这意味着中国光伏企业或许已经找到了新的技术、路径和模式，正朝着领先世界、升级传统的方向发展。

要想准确地认识中国和世界的光伏产业发展状况，我们需要拥有更独特的视角和更开阔的视野。

享有国际声誉的美国未来学家杰里米·里夫金所著的《第三次工业革命》一书，给我们提供了有力的思考坐标。

在这本书中，杰里米·里夫金做出了这样的判断：人类历史上的每一次工业革命都将使世界发生翻天覆地的变化。如今，我们正处于第二次工业革命和石油世纪的最后阶段，第三次工业革命已经来临，这一次，新的通信技术和新的能源系统将再次结合，数以亿计的人们将在自己的家里、办公室里、工厂里生产出自己的绿色能源，并在“能源互联网”上与大家分享，人类的生活和工作将从根本上发生改变……

作者深邃的洞察力深深地触动了我。反观我近20年的新能源领域的从业经验，尤其是近年来在光伏领域的企业实践与理论探索，杰里米·里夫金的判断着实令人信服。

2013年9月，本书作者与杰里米·里夫金在北京会面

在每一次工业革命的浪潮中，能源革命都是其中强有力的助推器之一：在第一次工业革命中，煤炭代替木柴，推动了蒸汽机的广泛使用；在第二次工业革命中，能源革命的核心是以石油代替煤炭（两者都是化石能源）；而在第三次工业革命中，将是以新能源代替化石能源，其中，太阳能的利用将是新能源革命的重中之重。

与前两次工业革命一样，第三次工业革命也必将带来生产方式、组织结构的深刻变革，彻底重构国家竞争力的基础、全球产业竞争格局，促成新的大国崛起。而错过了第一次工业革命、仅赶上第二次工业革命末班车的中国，如果能够抓住第三次工业革命的发展机遇，“中国梦”的实现将不再遥远。

这些使我对自身所从事的光伏行业的前景、对光伏行业之于国家的战略意义有了更深刻的认识、更坚定的信心。

从产业角度看，我相信我们的选择是正确的：第一，从发展趋势上看，以汉能和第一太阳能公司为代表的光伏企业，选择将薄膜太阳能作为新能源发展的方向，这意味着在第三次工业革命到来之际，越来越多的企业准确地把握住了能源革命的方向；第二，从技术路线上看，以汉能与第一太阳能公司为代表的光伏企业，正在推动从一代光伏（晶硅模式）向二代光伏（薄膜模式）的升级，并且已经掌握了最有前景的技术。

从国家战略层面看，国内有识之士也已经看到了加快发展光伏产业的重大战略意义，这一点可以从国家在2012~2013年连续出台的一系列扶持政策中看出来：

2012年5月23日，国务院常务会议提出“支持自给式太阳能新能源产品进入公共设施和家庭”；

2012年9月12日，国家发布《太阳能发电发展“十二五”规划》，把光伏发电装机容量从21GW上调到30~40GW；

2012年9月14日，国家能源局印发《关于申报分布式光伏发电规模化应用示范区的通知》；

2012年10月26日，国家电网发布《关于做好分布式光伏发电并网服务工作的意见》；

2012年11月9日，财政部、科技部、住房和城乡建设部、国家能源局联合下发通知，决定启动年内第二批金太阳和太阳能光电建筑应用示范项目；

2012年12月19日，时任国务院总理温家宝主持召开国务院常务会议，研究确定促进光伏产业健康发展的政策措施；

2013年7月15日，国务院发布《关于促进光伏产业健康发展的若干意见》；

2013年7月31日，财政部发布通知，确定了分布式光伏发电项目按电量补贴实施办法；

……

中国光伏企业海外并购、国家出台扶持政策等利好因素是否意味着我们找到了发展光伏产业的更好的、世界领先的模式？我们是否应该站在国家战略的角度认识和理解光伏产业的发展？光伏产业与国家崛起的关系是否应该纳入第三次工业革命的理论体系？

"光伏末日论"、"光伏产业群体性恐慌"等消极因素是否意味着我们对光伏产业有所误读，即并非光伏产业没有前途，而是我们之前的路径需要调整？这是否意味着光伏产业必须在技术、模式上寻求新突破？

这正是本书想与大家分享的问题——作为一名光伏企业的管理者，作为一名新能源领域的践行者，作为一名实现民族梦想的积极助力者，本人思考的层面不仅仅限于光伏产业本身，更希望对国家崛起、民族梦想有所裨益。

本书的基本逻辑是：光伏革命之于新能源革命的意义是什么？新能源革命之于第三次工业革命的意义是什么？第三次工业革命之于中国实现大国崛起的意义又是什么？这些问题归结起来就是：以光伏革命为核心的新能源革命将如何推动“中国梦”的实现？

希望我们能够带着以下问题，一起踏上思考的旅程。

第一，在全球层面，我们应该思考如下问题：

- 前两次工业革命带来的最根本的变革是什么？
- 如何看待第三次工业革命的大趋势？
- 第三次工业革命的核心是不是新能源革命？为什么？
- 新能源革命的核心是不是“光伏革命”？
- 为什么说光伏革命为中国领先世界提供了机遇？
- 美国、欧盟和日韩在这场光伏革命中都在做些什么？

第二，在国家层面，我们应该思考如下问题：

- 中国发展光伏产业的优势是什么？
- 在光伏革命中，中国应该如何自我定位？
- 如何用战略、规划和政策推动光伏革命？
- 光伏革命会给中国带来什么改变？

第三，在产业层面，我们应该思考如下问题：

- 薄膜战略是光伏产业的未来吗？为什么？

- “产能过剩”能够准确概括我国光伏产业的问题吗？
- 如何把扩大光电的“内需”提上日程？
- 如何全面看待和分析光电的“平价上网”？
- 如何建设分布式供电系统？

……

这些问题层次不同、角度不同，却相互交织成一棵“问题树”。在大趋势这一树干上，企业的命运、产业的发展、国家的战略纵横交错，有着千丝万缕的内在联系。一旦我们对某个问题认识不清，都会影响到大局。

我将这棵“问题树”命名为“光伏革命”。与当下的主流悲观看法不同，我认为，光伏产业已经找到了新方向，光伏革命将成为新能源革命的核心引擎，并将在第三次工业革命中扮演至关重要的角色，进而深刻地影响人类社会的生产和生活。在此过程中，中国有充分的理由领先一把，使光伏革命成为助力中国崛起的发动机。

我坚信，未来人类使用的主要能源将不再是煤炭、石油或天然气，而是太阳能。我们将生活在一个个装有太阳能电池板的屋顶下，享受清洁能源带给我们的蓝天白云和清新空气，享受前所未有的美好生活。

这是中国人的光伏梦，也必将照亮中国梦。

第一章

新能源革命：中国的选择

导 读

为什么张择端笔下的《清明上河图》没有从开封延续到北京，使乾隆皇帝的“天朝上国”永远繁荣？为什么爱迪生发明的电灯能够从美国照亮世界？

人类已经经历了两次工业革命，目前正在迎来第三次工业革命的浪潮。

每一次工业革命的原动力看似是科技发明，实则是能源革命。在第一次工业革命中，英国人成功地用煤炭代替了木柴，成就了大国崛起的梦想；在第二次工业革命中，美国人用石油代替了煤炭，创造了领先世界的辉煌。

在第三次工业革命中，能源革命的主题又是什么？光伏革命已经向我们展示了某种可能。以太阳能为代表的新能源的核心竞争方式与传统能源相反，即不是资源竞争，而是核心技术竞争，谁掌握了核心技术，谁就掌握了能源。

21 世纪是中国崛起的世纪，中国的光伏产业已经领先世界。这一次，中国能不能把握住能源革命的机遇，让“光伏梦”照亮“中国梦”呢？

能源替代：工业革命的“核心动力”

> 我们已经经历了两次波澜壮阔的工业革命，第一次的推动力看似是蒸汽机，实则是煤炭；第二次的推动力看似是电力，实则是石油。从木柴到煤炭再到石油，人类的历史被化石能源改变，人类的未来则系于可再生能源。
>
> 可再生能源如何替代化石能源？未来又会发生什么？

里夫金的“五大支柱说”

2011 年 5 月 24 日，《第三次工业革命》一书的作者、享有国际声誉的美国未来学家杰里米 · 里夫金出现在了经济合作与发展组织（OECD，简称“经合组织”）第 50 届部长级周年会议的开幕式现场。在开幕式上，他向参会的首脑和政府部长们提出了一个至关重要的规划：第三次工业革命五大支柱经济计划。

在过去的 20 年里，这位目光如炬的宾夕法尼亚大学沃顿商学院教授，几乎颠覆了前人关于“第三次工业革命”的理论体系和重要观点。

在里夫金之前，“第三次工业革命”的定义已经有了一个世界通用的版本，甚至还被写进了高中课本：它是人类文明史上继蒸汽技术革命（第一次工业革命）和电力技术革命（第二次工业革命）之后科技领域里的又一次重大飞跃，是以原子能、电子计算机、空间技术和生物工程的发明和应用为主要标志，涉及信息技术、新能源技术、新材料技术、生物技术、空间技术和海洋技术等诸多领域的一场信息控制技术革命。

对此，里夫金的回答是：“高中课本里的概念大错特错。”在他看来，真正的工业革命包含两个同时存在、互相影响的因素：能源革命和信息传播方式的革命。照此推理，前两次工业革命的本质其实是：第一次工业革命时期（18 世纪 60 年代~19 世纪 40 年代），通信技术发生了革命性变化，即从手工印刷到蒸汽机动力印刷，后者可以实现低成本大量印制并传播信息，类似于今天的互联网所带来的变化，人们利用新的通信系统管理以煤炭为基础的新的能源系统；第二次工业革命时期（19 世纪 70 年代~20 世纪初），通信与能源再度携手，集中的电力、电话以及后来的无线电可以管理更复杂的石油管道网、公路网，进而为城市文明的兴起提供了可能性。

20 世纪 90 年代，在长期研究的基础上，里夫金彻底颠覆了前人对第三次工业革命的理解，提出了新定义：这是一场能源互联网与可再生能源相结合而催生的人类社会、经济的重大变革。

以前的经济学家在研究第三次工业革命时，有的目光只集中在能源上，有的把重点放在通信上，里夫金则创造性地将两者结合起来，并自信地得出结论：通信是社会有机体的神经系统，能源则是血液。如今，分布式的信息和通信技术正与分布式的可再生能源“强强联合”，共同孕育真正的第三次工业革命。

为了传播自己的“颠覆性”结论，里夫金撰写了大量论文，发表在国际著名的《经济学人》、《世界金融评论》等刊物上，并陆续出版了一系列著作——《工作的终结》、《生物技术的世纪》、《路径时代》等，每本书都被翻译成 15 种以上的语言。《第三次工业革命》则是其理论的集大成者。

除了在沃顿商学院的讲台上和书斋中激扬文字外，里夫金还是个社会活动家。从 2000 年开始，他一直穿梭于大西洋两岸，讲学、担任顾问、组织基金会，奔走游说，身体力行，将自己 2/5 的时间留在了欧盟国家。

里夫金成功地使“第三次工业革命”这一概念成为欧盟各国首脑口中的政治名词。2006 年，里夫金开始与欧洲议会的高级官员共同起草第三次工业革命的经济发展计划。2007 年 5 月，欧洲议会发布了一份正式书面声明，宣布把第三次工业革命作为长远的经济规划以及欧盟发展的路线图。目前，欧洲委员会的诸多机构及其成员国正在执行第三次工业革命路线图。

在 2011 年 5 月那个开幕式现场，里夫金展示了自己的最新研究成果——第三次工业革命五大支柱经济计划：（1）向可再生能源转型；（2）将每一大洲的建筑转化为微型发电厂，以便就地收集可再生能源；（3）在每一栋建筑物以及基础设施中使用氢和其他存储技术，以存储间歇式能源；（4）利用互联网技术将每一大洲的电力网转化为能源共享网络，调剂余缺，合理配置；（5）运输工具转向插电式电动车，所需电源来自上述电网。

这五大支柱经济计划中的核心词汇无一不与新能源有关，例如可再生能源、微型发电厂、存储技术、能源共享网络、电池动力车……也就是说，第三次工业革命与新能源的关系终于被提上了议事日程。

从木柴到煤炭再到石油

让我们沿着里夫金的理论体系，回顾一下前两次工业革命与能源革命的关系。

在古代，人类的主要能源来自木柴，中间虽然也有对煤炭和石油的利用，但这些利用仅限于零星的生活燃料和金属冶炼，对人类文明的推动作用十分有限。因此，这一时代可以被称作“植物能源时代”。

人类社会从植物能源时代跨越到化石能源时代的转折发生在 18 世纪 60 年代的英国。从 16 世纪末到 17 世纪后期，英国的采矿业，特别是煤矿，已具备一定的规模，仅凭人力、畜力已难以满足排除矿井地下水的需求，而现场又有丰富而廉价的煤炭作为燃料。现实的需要促使人们致力于寻找新的、更强大的动力来源。1698 年，英国德文郡的托马斯 · 塞维利发明了世界上第一台蒸汽机。1712 年，托马斯 · 纽科门对其进行改进，制造出“纽科门式蒸汽机”。1769 年，苏格兰发明家詹姆斯 · 瓦特在前人发明成果的基础上，改良了蒸汽机的一系列技术设计，制造出了第一台现代意义上的蒸汽机。

在前人的论述中，“瓦特式蒸汽机”的意义主要集中在技术革命方面——它所采用的汽缸、活塞、飞轮、飞锤调速器、阀门和密封件等均是构成多种现代机械的基本元件，这一系列技术催生了现代机械制造业；随后，现代热力学和机械学兴起，为汽轮机和内燃机的发展奠定了基础；它还推动了机械工业的发展，解决了大机器生产中最关键的问题，推动了交通运输的巨大进步……

在我看来，发明蒸汽机更重要的意义在于，它让人们告别了过去以木柴为主的植物能源时代，进入到以煤炭为主的化石能源时代。

蒸汽机促使人们从手工劳动向动力机器大规模转向，纺织工业迅猛发展，植物能源时代所依托的土地、森林、有限的粮食等已经无法支撑大工业的发展与商业运输的需求。随着机械制造业、钢铁行业的发展，人类也不得不面对这样的问题：即使砍光地球上所有的森林，也无法满足人们对铁矿石冶炼的需求。那么，能否找到足量的能源为蒸汽机提供充足的能量呢？

于是，人们不得不求助于煤炭。1709 年，亚伯拉罕 · 达比尝试在高炉炼铁中用廉价的焦炭代替当时在英国已开始匮乏的木炭，取得了成功。亚伯拉罕家族的铁厂也成为 18 世纪英国最成功的炼铁及铸造企业。随着亚伯拉罕的成功，已经废弃的古代炼铁场——科尔布鲁克戴尔逐渐成为钢铁冶炼中心，最后发展为工业重镇。

1738 年，煤炭已被视为“英国制造业的灵魂”。一向热衷于航海和经商的盎格鲁–撒克逊民族由此开始引领世界的工业化进程。

1800 年，英国生产的煤和铁比世界其他地区合在一起的产量还多。英国的煤产量从 1770 年的 600 万吨上升到 1800 年的 1 200 万吨，进而上升到 1861 年的 5 700 万吨。同样，英国的铁产量从 1770 年的 5 万吨增长到 1800 年的 13 万吨，进而增长到 1861 年的 380 万吨。至此，人类不仅进入了蒸汽时代、钢铁时代，同时也进入了煤炭时代。

这就是人类历史上的“第一次工业革命”，从能源的角度理解，完成的是煤炭对木柴的替代。

化石能源的一大缺陷就是，采用之后会减少且不可再生。1820年之后的100年间，以煤炭为主要能源的国家都面临着煤炭资源逐渐枯竭的现实。

英国在1861年产煤5 700万吨，到1865年时就达到1亿吨量级。1900年，英国的产煤量已经达到2.25亿吨，比1820年增加了13倍之多，比1865年增加了将近1.3倍。“一战”前夕，英国的产煤量达到2.7亿吨的最高峰，1929年前后又下降到2.4亿吨。1950年前后，英国的产煤量仅为2亿吨多一点。2010年左右，英国的产煤量仅为2 000万吨左右，但煤炭使用量已经累计达到近200亿吨，整个国家剩余的煤炭资源已不足1/3。

19世纪中叶，英国面临严重的“能源危机”和“能源安全”问题。于是，第二次工业革命顺势走上历史舞台，这一次能源替代的主角是石油。

传统观点认为，“第二次工业革命”的首要内容就是电力的广泛应用：1831年，英国科学家法拉第发现电磁感应现象；1866年，德国人西门子制成发电机；1870年，比利时人格拉姆发明电动机。电力工业和电器制造业迅速发展，人类跨入了“电气时代”。

传统观点还认为，第二次工业革命还应该包括三方面的内容：内燃机和新交通工具的创制、新通信手段的发明、化学工业的建立。

我认为，用以上三个方面总结“第二次工业革命”的主要内容当然正确，但还不够深刻。这样的总结还是偏向技术革命，而忽略了背后隐藏的共同推动因素——能源革命。

我们从内燃机的发明讲起。

1876 年，德国人奥托制成了第一台四冲程内燃机，以煤气为燃料。19 世纪 80 年代中期，德国发明家卡尔 · 本茨和他的同事成功研制出了以汽油为燃料的轻内燃发动机。19 世纪 90 年代，德国工程师狄塞尔设计了一种效率较高的内燃发动机，由于它以柴油为燃料，故被称作柴油机。

内燃机的发明解决了交通工具的发动机问题。19 世纪晚期，新型的交通工具——汽车出现了。19 世纪 80 年代，卡尔 · 本茨成功地制成了第一辆由汽油内燃机驱动的汽车，并由此成立了全球著名的奔驰汽车公司；1896 年，美国人亨利 · 福特制造出他的第一辆四轮汽车，随后成立了福特汽车公司，并创造了工业界沿用至今、号称“福特主义”的工业生产模式。

随后，以内燃机为动力的内燃机车、远洋轮船、飞机等不断涌现。1903 年，美国莱特兄弟制造的飞机试飞成功，实现了人类在天空中翱翔的梦想，预示着交通运输新纪元的到来。另一方面，内燃机的发明推动了石油开采业的发展，石油化学工业也应运而生。

简言之，由于以石油作为能源基础的电力补充和取代了蒸汽动力，人类才得以跨入“电气时代”；由于石油逐渐成为最基本的燃料来源，人类才得以开启交通新纪元；同样，石油业的发展催生了现代工业。

与煤炭相比，石油的物理性能更优越：同质量、同体积的石油产生的能量是煤炭的 2 倍，直接使用效果则达到 3 倍左右；石油极易汽化，可以实现连续性燃烧。因此，在第二次工业革命中，全世界的石油开采量越来越大，石油的重要地位也日益突出。

从产量的增加看，1870 年，全球石油产量只有 80 万吨，1900 年猛增至 2 000 万吨，1940 年达到 2.78 亿吨，1950 年达到 5.19 亿吨。

从石油与煤炭的比重看，以美国为例，1900 年美国的石油产量为 870 万吨，相当于其煤炭产量的 6.3%；1913 年达到 0.34 亿吨，相当于其煤炭产量的 10.7%；1920 年为 0.61 亿吨，相当于其煤炭产量的 18.5%；1950 年为 2.69 亿吨，相当于其煤炭产量的 96%。

不仅如此，石油时代也是美国主导的时代。1920 年，美国的石油产量约占全球的 10%；1940 年，美国的石油产量为 1.91 亿吨，占全球产量的 68.7%；1950 年，美国的石油产量为 2.69 亿吨，占全球产量的 51.8%。

由此，我可以大胆地得出结论：第二次工业革命最核心的内容其实是能源革命，其本质内容是石油取代煤炭成为人类的第一大能源。主导这场变革的国家是美国。

回顾了从木柴到煤炭再到石油的发展史后，我们可以从能源更迭的角度将前两次工业革命归纳如下：自 1820 年前后开始的 100 多年是化石能源时代的第一阶段——煤炭时代。在这个阶段，人类建立了煤炭能源经济体系。到 20 世纪早期，煤炭的主导地位开始被石油取代，此时人类进入化石能源时代的第二阶段——石油时代，建立了石油能源经济体系。换言之，人类的工业革命史既是一部技术经济递进史，又是一部能源替代史。

人类社会以往的两次工业革命都以“能源替代”为内容和标志，第三次工业革命当然也不例外。

新替代正在发生

20 世纪后半叶，新一轮工业革命的概念开始在美国萌芽。从 20 世纪 70 年代开始，美国学者就开始了对“第三次工业革命”的探讨，赫尔夫戈特、格林伍德、莫厄里等学者注意到了新技术（尤其是信息技术）在企业中的地位、对产业研发结构等的影响，进而推断新的工业革命即将发生。

随着 21 世纪的到来，石油和其他化石能源的枯竭态势日渐明显，随之而来的全球气候变化给人类的持续生存构成了威胁。同时，化石燃料驱动的原有工业经济模式难以支撑全球的可持续发展，这就需要寻求一种能使人类进入“后碳”时代的新模式。于是，“第三次工业革命”的理论被正式提出。

进入 21 世纪，“第三次工业革命”理论的代表性人物共有两位，一位是杰里米 · 里夫金，另一位是保罗 · 马基利。

保罗 · 马基利长期关注制造业技术和数字制造的发展。他认为，第三次工业革命这一数字化革命将带来制造模式的重大变革，大规模流水线制造模式将宣告终结，人们可以完全按照自己的意愿来设计、制造。第三次工业革命甚至还可能带来反城市化浪潮，取代城市生活的将是一种分散式的、自给自足的（农村）生活方式。

如前所述，里夫金的观点与保罗 · 马基利的理论有一定的差别，他提出互联网、绿色电力和 3D（三维）打印技术正引导资本主义进入可持续、分布式发展的第三次工业革命时代，而所谓的第三次工业革命，就是能源互联网与可再生能源结合导致人类生产生活、社会经济发生重大变革。

同样是“能源替代”，第三次工业革命与以往的工业革命有两个根本不同：

第一，内容不同。前两次工业革命是用一种化石能源替代另一种化石能源或木柴，而第三次工业革命则是用性质完全不同的新能源（即可再生能源）替代化石能源。将来也不会有更新的能源来替代可再生能源，所以这次替代可以被称作“终极替代”。

第二，宗旨不同。第三次工业革命的能源替代不再以单纯追求财富为终极目标，而是把改善人类生存质量和促进社会文明可持续发展放在主导地位。

抛开学术上的差别不谈，我们将围绕里夫金强调的可再生能源，展开对于“第三次工业革命”的展望。

可再生能源是一个与新能源紧密相关的概念。1980 年召开的“联合国新能源和可再生能源会议”对新能源的解释是：以新技术和新材料为基础，使传统的可再生能源得到现代化的开发和利用，用取之不尽、周而复始的可再生能源取代资源有限、对环境有污染的化石能源，重点开发太阳能、风能、生物质能、潮汐能、地热能、氢能和核能。

简单地说，所谓新能源就是非常规能源，是一个与传统能源、常规能源相对应的概念。这一概念绝大多数时候与可再生能源重合，但有时又会有所区别，比如，水能是可再生能源，但是因为水电的开发利用已经有一段历史，按照目前的能源分类标准，往往被视为传统能源。

化石能源越来越不适应社会进步的需求。它具有高碳排放的弊端，使得环境污染日益严重。所以，以环保和可再生为特质的新能源越来越受各国重视。

2003 年 8 月 14 日，北美地区发生有史以来最严重的大面积断电事故，波及美国 1/4 的地区。据美林公司首席经济学家戴维 · 罗森伯格估计，整体经济损失大概为 250 亿~300 亿美元。这场事故给现代工业文明带来了极大冲击——连这个发明电灯电话、百年前就把帝国大厦点亮的强国，电网安全形势同样不容乐观。

2004 年 9 月，第 19 届世界能源大会在悉尼举行，来自全球的 2 500 名官员、业界领袖及学者参加了大会。大会的主题正是“实现可持续性：能源工业的机遇和挑战”。在这次大会上，专家们普遍认为，21 世纪的油价高涨可能成为长期趋势。

的确如此。石油时代的巅峰时期是 1950~1980 年，当时石油价格低廉，供应充足。而经过长达 60 余年的巨量消费，全球石油供应已进入战略枯竭期，石油价格飙升。

由于石油价格的飞速上涨，目前全球有 1/3 的人享受不到现代能源服务。而且，从以往案例来看，现有的以石油为主导的能源体系无法保证能源安全，也无法满足环境保护的需求。

表 1–1　1970 年以来的原油价格变迁

时间	价格变化
1970 年	沙特原油官方价格为 1.8 美元/桶
1974 年（第一次石油危机）	原油价格首次突破 10 美元/桶
1979 年（第二次石油危机）	原油价格首次突破 20 美元/桶

（续）

时间	价格变化
1980 年	原油价格首次突破 30 美元/桶
1981 年年初	国际原油价格最高达到 39 美元/桶
2004 年 9 月	受伊拉克战争影响，国际原油价格再次突破 40 美元/桶，之后继续上涨并首次突破 50 美元/桶
2005 年 6 月	国际原油价格首次突破 60 美元/桶
2005 年 8 月	墨西哥遭遇“卡特里”飓风，国际原油价格首次突破 70 美元/桶
2007 年 9 月 12 日	国际原油价格首次突破 80 美元/桶，随后继续加速上扬
2007 年 10 月 18 日	国际原油价格首次突破 90 美元/桶，并在年底直逼 100 美元/桶
2008 年 7 月 14 日	国际原油价格飙升，纽约商品交易所原油期货价格创造 147.27 美元/桶的历史最高点
2009 年 1 月 21 日	受金融危机冲击，国际油价大幅回落，纽约商品交易所原油期货价格跌至 33.20 美元/桶，为 2004 年 4 月以来新低
2011 年 4 月 29 日	纽约商品交易所原油期货价格升至 114.83 美元/桶

资料来源：新浪财经

2013 年 1 月，中国华北、华中大片地区连续出现了严重的雾霾天气，北京尤为严重。一个月里只有 4 天是好天气，其余的日子都笼罩在昏暗的雾霾之中。造成如此严重雾霾天气的罪魁祸首就是以化石能源消费为主的人为污染。

不单单是中国，世界各地的科学报告都对地球面临的日益严重的环境危机提出了警告。科学界的一个激进观点是，假如二氧化碳浓度无法从 2008 年的 430ppm（1ppm 为百万分之一）回落，地球冰盖的局部融化将导致洪水泛滥，除非人类设法将 2050 年的二氧化碳排放量减至 50 亿~100 亿吨，否则人类将面临灭顶之灾。

能源危机意味着整个时代呼吁能源替换。正是基于化石能源导致的资源价格飙升、能源枯竭、安全与环境等种种无可回避的问题，无论从安全的角度还是可持续发展的角度出发，整个人类社会都迫切需要建立新能源体系。正如杰里米·里夫金在《第三次工业革命》一书中描述的那样，在不远的将来，每个建筑都是小型发电厂，人人都是绿色能源的自主生产者。除此之外，人们可以将生产出的多余能量上传至电网，这就是我经常说的“自发自用，多余上网”。

不管人们承认与否，人类都即将步入“低碳”时代，互联网信息技术与可再生能源的融合将带来一场全新的工业革命。

伴随着第三次工业革命的进程，新能源不是补充而是替代化石能源。到 2035 年，清洁能源将占全球一次能源利用总量的 50%，新能源大规模替代化石能源的时代已经来临！

在这场革命中，可再生能源将是关键所在。每一次工业革命的本质要素之一——能源替代极有可能再次上演，新能源将替代传统能源。

传统能源的代表是煤炭和石油，那么谁能成为新能源的主要代表呢？

光伏革命：新能源革命的“主打歌”

> 为什么法国的农场主愿意投资2 000万欧元[1]建造太阳能发电大棚？为什么“沪上太阳能屋顶发电第一人”赵春江愿意等待7年，最终将自己发的剩余电力并入国家电网？

“太阳能，量无限，面无边，照无时，盖无偏，取无价，用无染。”在第三次工业革命中，光伏将是可再生能源的最佳选择。光伏技术经过三代的发展之后，目前大规模发展的三大条件已经具备。

好戏正在上演

2008年，在法国东部的孚日山脉，一家原本以种植、养殖为主的农场吸引了其他农民和不少投资者的目光——这家农场的主人韦斯特法尔在自家的5座大棚屋顶上建造起了面积达3.6万平方米、装机容量达4.5MW的巨型太阳能发电装置。

韦斯特法尔的工程预算为2 000万欧元，完工后可为4 000户家庭供电，有望实现年创收200万欧元。由于获得了法国人民银行集团和农业信贷银行的贷款，他又与政府签订了20年的供电合同。韦斯特法尔的创收新途径让其他农场主羡慕不已。在这一年里，由于农作物价格下跌、农业成本上涨，法国农场的平均收入下跌了15%。

在中国，这样的故事也时有发生。2012年12月26日，青岛市的徐鹏飞实现了自建家用分布式光伏系统的想法，装机总容量为2KW，并网电压为380/220V，采用电量自发自用、余量上网方式并入电网。这套2KW的光伏系统总投资仅2万多元，在并网的当天就发电8.5度[2]，一年发电量预计超过3 000度。

对比徐鹏飞，上海电力学院太阳能研究所所长、“沪上太阳能屋顶发电第一人”赵春江的胜利显得来之不易。从2006年年底开始，赵春江自掏腰包建起了家庭式太阳能屋顶电站，连续运行近7年，日均发电近9度，除供家庭用电外，剩余的1/3电量一直无法并入国家电网。2013年7月的最后一天，赵春江终于迎来了上海市南电力公司的工作人员，并与之签订了购电协议：自给自足后的余电上传至电网，电力部门暂时按照0.477元/度的电价进行收购。

泰兴市农民张长旗花2万元在自家屋顶建成了一个小型光伏发电站，可满足2~4户的家庭用电，并向泰州供电公司提交了并入国家电网的申请。

武汉市居民高松自建由18块太阳能电池板组成的小型电站，目前已正式并网发电，预计一年能节约电费近2 000元。

这样的例子会越来越多，家庭电站在国内不再是“能源孤岛”。

这种故事也许会进一步验证可再生能源的未来商业模式。正如杰里米·里夫金所说，“第三次工业革命”的第二个经济支柱就是，将世界上每个大洲的建筑都转化为微型发电厂，以便就地收集可再生能源。

“发迹”于石油危机

继第一次工业革命用煤炭替代木柴、第二次工业革命用石油替代煤炭之后，在已经降临的第三次工业革命中，必然会有一种新能源来替代石油。

> **所谓“新能源革命”，不能理解为“新”的“能源革命”，更确切的理解应该是“新能源”的“革命”。必须引入“新能源”的概念，这样才不会出现偏差。抓住这个实质，我们对第三次工业革命的认识和理解才算到位，否则，说得再多也还是不得要领。**

那么，替代石油的主角会是谁呢？

太阳能是可再生能源中最具优势的选择。为了说明太阳能的好处，我编了几句顺口溜：“太阳能，量无限，面无边，照无时，盖无偏，取无价，用无染。”

首先，从能量的角度看，太阳普照大地，不同种族、不同国籍、不同宗教的人都能够沐浴在太阳光之中。每秒钟到达地面的太阳能相当于燃烧500万吨煤释放的热量。这意味着只需一个小时，到达地球的太阳能就能为地球提供一年所需的能量。其次，从“无污染”的角度看，在各种新能源中，太阳能的优势非常明显。更重要的是，太阳能没有安全隐患，不存在分布不均衡的问题，而且不受其他资源的制约。所以，无论是从自然禀赋来看，还是从实际利用来看，新能源的代表者和主体、替代化石能源的主力军只能是太阳能。

和任何一种新能源一样，太阳能的利用也经历了一个颇为漫长的过程。这个过程也是受石油兴衰刺激的过程，其发展因石油价格下跌而停滞，因石油价格上涨而加速。

人类利用太阳能的历史已经有 3 000 多年，而人类将太阳能视为一种能源和动力的历史只有 300 多年。1615 年，法国工程师所罗门 · 德 · 考克斯发明了世界上第一台由太阳能驱动的发动机。其工作原理是采用聚光方式采集阳光，利用太阳能加热空气使其膨胀做功来抽水。

太阳能利用取得突破性进展则集中在 20 世纪以后。1900~1945 年，太阳能的研究进展缓慢，主要是因为化石燃料大量开发，石油廉价且丰富；在“二战”结束后的 20 年里，有识之士觉察到石油与天然气的消耗量剧增，存量有枯竭之势，于是呼吁推动太阳能研究。而此时，光伏发电大规模应用的基础——实用型硅太阳能电池于 1945 年由美国贝尔实验室研制成功；10 年后，伊斯雷尔 · 塔尔沃特等人在第一次国际太阳热科学会议上提出选择性涂层的基础理论，并研制出实用的黑镍等选择性涂层，为高效集热器的发展创造了条件。

太阳能利用在 1973 年的石油危机之后才真正得到重视。石油输出国组织采取减产、提价等办法支持中东人民以斗争维护本国利益，这使得依靠从中东地区大量进口廉价石油的国家的经济遭到重创。这使各国意识到，石油已成为左右经济发展甚至决定一个国家生死存亡的关键因素，而且是一个极其不稳定的因素，现有的能源结构必须改变。

从那时起，人们才真正将太阳能视为"近期急需的补充能源"、"未来能源结构的基础"，太阳能研究与发展由此进入快车道。

1973 年，美国制订了联邦阳光发电计划，大幅提高太阳能研究经费，并且成立太阳能开发银行，促进太阳能产品的商业化。1974 年，日本公布了政府制订的"阳光计划"，其中，太阳能的研究开发项目包括太阳房、工业太阳能系统、太阳热发电、太阳电池生产系统、分散型和大型光伏发电系统等。在我国，"全国第一次太阳能利用工作经验交流大会" 于 1975 年在河南安阳召开，启动了太阳能事业。这段时间，CPC（复合抛物面聚光器）、真空集热管、非晶硅太阳能电池、光解水制氢、太阳能热发电等新技术装备纷纷研制成功。

不过，在 1980~1992 年，太阳能热潮再度遇冷，原因是石油价格大幅回落，而太阳能产品的价格居高不下，技术上也没有重大突破。直到 1992 年联合国在巴西召开"世界环境与发展大会"，并通过了《里约热内卢环境与发展宣言》、《21 世纪议程》和《联合国气候变化框架公约》等一系列重要文件，确立了可持续发展的模式，并将环境与发展纳入统一的框架，太阳能才再度受到高度重视。

1996 年，联合国在津巴布韦召开"世界太阳能高峰会议"，会上讨论了《世界太阳能 10 年行动计划》（1996~2005 年）、《国际太阳能公约》、《世界太阳能战略规划》等重要文件，会后发表了《哈拉雷太阳能与持续发展宣言》。这次会议进一步表明了联合国和世界各国开发太阳能的坚定决心，要求全球共同行动，广泛利用太阳能。

三大条件已具备

进入 21 世纪，太阳能时代终于到来。虽然我们现在也无法充分利用太阳光，但人类已经掌握的技术完全可以实现合理成本下的太阳能应用。

现阶段，太阳能的利用方式主要有两种。一种是利用太阳能辐射所产生的热能发电，即“光热模式”，简称“光热”。光热发电的基本原理是，使用汇聚的太阳光将集热器中的介质（液体或气体）加热，然后将热能转化为机械能，再将机械能转化为电能的一种发电方式。

另外一种形式是“光电模式”，全称是太阳能光伏发电系统，简称“光伏”（PV）。这是一种利用太阳能电池半导体材料的光伏效应，将太阳光辐射能直接转换为电能的一种新型发电系统。其中，单块太阳能光伏电池的发电量较少，但将很多电池串联或并联起来就可以组成能够输出较大功率的太阳能电池方阵。

光热发电与光伏发电各有优劣。光热发电目前面临的主要问题是，其成本必须借助于规模效应才能迅速下降，而且运营难度大。这种规模效应决定了光热发电将主要应用于大规模的发电站建设，其能量可储存的优势和类似火电的发电原理使得电网更能接受其电量。

光伏发电的规模不受限制，既可以建设大型地面电站，也可以建设分布式电站，例如在没有大量空地可建设大规模太阳能发电站的地方，就可以依附于既有建筑物建设离网或并网的光伏发电系统。

在中国乃至全球太阳能发电市场越来越大的背景下，这两种技术路线都有其市场。但从里夫金对第三次工业革命的描述来看，光伏发电无疑更适合未来的能源独立式、分散式生产。

光伏发电的全部光电转化都已经被完整地包含在一个系统当中，功能独立，因此非常适合分布式发电。光伏发电的集中式发电也是基于对数目众多的太阳能电池系统的叠加效应，是对单块电池的拼装和连接。

当然，光伏发电的大规模应用需要三个基本因素：转化效率、平价上网和储存，目前这些因素都已具备。

转化效率是指“光电转化率”，即单位光能通过光伏电池转化为电能的比率。光电转化率不仅是技术指标，而且在很大程度上决定着光伏利用的经济指标。转化率越高，单位电能的生产成本就越低，光伏发电的利用也就越广泛。

自 1969 年法国第一个太阳能电站建成以来，光伏发电的推进并没有像人们预想中的那样迅速，原因就是在相当长时间内都受到转化率低、成本高的制约。一提及光伏，有些人立刻就会产生“成本高”的反应。

但是，事物是不断变化的。人们往往高估了 1~2 年的变化，而低估 5~10 年的变化，这样根本没法看清事物发展的趋势。一两年的变化还处在量变状态，5~10 年量变的累积则可能发生质变，摩尔定律正在光伏产业上演。

10 年前，光电转化率大约在 10%以下。那时，人们认为超过 10%、达到 11%~12%就相当了不起了，这个跨越需要很长时间。但实际情况很快就超出了这个预期，目前薄膜光电转化率已经达到 17%以上，而且提升的速度还在加快。过去，转化率每提升 1%至少需要两年时间，但现在情况完全不同了。MiaSole 公司在 2012 年 5 月到 2012 年 9 月不足 5 个月的时间里，就把转化率从 13.4%提升到了 15.5%。目前，研发转化率最高已达 17.6%。

光伏大规模应用的上网条件也成熟了很多。逆变器生产已经成为光伏产业的重要组成部分。逆变器可以把光伏发出的直流电转换为交流电，技术难关已经突破。把现在的“统一发电，统一供电”的电网改造成“自发自用，多余上网”的分布式电站，从技术上讲早已不是问题，而光伏从业者思考的更多的是商业模式和政策问题。

与此同时，智能电网时代即将来临。所谓的智能电网就是电网的智能化，也被称为“电网 2.0”，它是建立在集成的、高速双向通信网络的基础之上，通过先进的传感和测量技术、设备技术、控制方法以及决策支持系统技术的应用，实现电网可靠、安全、经济、高效、环境友好的目标。

欧洲在 2005 年建立了“未来电网欧洲技术联盟”，其目的就是研究如何把电网转换成一个用户和运营者互动的服务网，以提高欧洲输配电系统的效率、安全性和可靠性，并为分布式和可再生能源大规模整合扫除障碍。2009 年，智能电表首先在德、法、意、西等国得到应用。欧盟还有一个超级智能电网计划，其目标是把高压输电和智能电网结合起来。

就储存条件而言，目前也已经不是什么难题。由于太阳能发电具有波动性（白天阳光充足，发电量大；夜间没有阳光，不能发电），这就需要使用储电电池把电能储存起来，以调节波动。现在，小容量的储电电池已经得到广泛应用，而且还在不断改进。太阳能城市照明、电动汽车使用的电池都已经投入实际应用。家庭小型太阳能电站所需的储电设备也不存在什么障碍。虽然眼下可重复使用的大容量储能技术还没有突破性进展，但这并不会从根本上影响光电上网。

目前，电网最大的调峰是白天用电量大和夜间用电量小之间的调峰。工业企业大多是白天用电，其太阳能电站的发电高峰正好与用电高峰重合，这就自然地减轻了储能压力，同时降低了使用外电的比重，实际上也有助于电网缓解调峰压力。

从长远看，电力储存不仅能够更好地解决电力系统的“调峰”问题，还可以更好地解决电能移动利用的问题。这不仅是光伏产业的课题，也是整个电力产业和科学技术界的课题，需要全社会一起努力攻关。

杰里米·里夫金指出的第三次工业革命五大经济支柱的第三点，即在每一栋建筑物以及基础设施中使用氢和其他存储技术，以存储间歇式能源，在未来是完全可以实现的。

三代技术已来临

太阳能发电的广泛应用还有一个技术优势，即太阳能的发电成本已迅速逼近传统电能的发电成本。

> **太阳能光伏产业是最具发展前景的清洁能源产业，薄膜化、柔性化是全球太阳能发展的总趋势和方向。我认为，0.5元/度的光伏发电成本可谓是新能源发展的里程碑。因为火电发电成本（包括环境成本）已超过0.5元/度，而且还在不断上升，所以，新能源，特别是以太阳能为代表的新能源大规模替代传统能源的时代已经来临。**

太阳能光伏发电技术主要体现在太阳能电池方面。这种电池又叫作“太阳能芯片”或“光伏电池”，是一种利用太阳光直接发电的光电半导体薄片。它只要被太阳光照射到，瞬间就可输出电流。

1883年，光伏电池被美国发明家查尔斯·弗里茨首次制备成功。他的方法是在硒表面镀上薄薄的一层金，这种电池的最高光电效率还不到

1%。然而，在短短几十年时间里，太阳能电池技术已历经三代：第一代为多晶硅、单晶硅太阳能电池，第二代为非晶硅低成本薄膜电池和高效、低成本、高转化率、可大规模工业化的铜铟镓硒薄膜电池，第三代主要是指有机薄膜和染料敏化电池及其他新兴电池技术。

值得一提的是薄膜电池。它最大的优势在于成本，在面积相同的情况下，晶体硅太阳能电池的厚度是 0.2 毫米左右，而薄膜电池的厚度只有它的 1%，材料用量节约至极，在硅原料的使用上，薄膜电池的单位成本要远远低于晶硅电池的单位成本。

如今，太阳能电池的切片已经达到 0.1 毫米量级，而薄膜电池的研发转化率最高已经达到 18.7%，单晶硅市场上已有转化率为 19%~20%的电池片，多晶硅市场也有转化率达到 18%左右的电池片。

如今，由于新技术以及规模经济等因素的影响，光伏发电成本以每年 8%左右的速度下降，越发受到各国重视。这也与世界各国都在实施“上网电价补贴”政策有关。

随着光伏发电技术的广泛应用、各国政府的政策支持，当千千万万小型光伏能源生产者被纳入智能电网，这就意味着里夫金所说的新能源与新技术的融合已经实现，全新的社会变革也会由此开始。

大国崛起，中国不再错过

200 年前，第一次工业革命兴起，煤炭替代木柴，英国实现大国崛起，身处“康乾盛世”的中国无动于衷，丧失了引领世界的机遇；100 年前，第二次工业革命爆发，石油替代煤炭，美国借力实现大国崛起，战事频仍的中国陷入了“被动挨打”的困境。

21 世纪，第三次工业革命的机遇摆在我们面前，可再生能源将代替化石能源。这一次，中国能否把握住机遇，让太阳能照亮“中国世纪”呢？

从开封到纽约

2005 年 5 月 22 日，《纽约时报》在评论版中罕见地以中文标题发表了一篇评论文章——《从开封到纽约——辉煌如过眼烟云》。该文作者尼古

拉斯 · 克里斯托夫是个中国通，曾作为《纽约时报》记者常驻中国。

2012 年 5 月，他再次来到中国，十分惊讶于中国的发展速度。在工作期间，尼古拉斯 · 克里斯托夫发表了一系列中国主题的专栏文章，其中就包括这篇以开封和纽约这一旧一新两大世界之都为中心的文章。

此文的用意是想提醒美国人：中国正在复兴，在未来的十几年里，中国将超过美国成为世界最大的经济体，美国人应该居安思危。

进入 21 世纪，美国已经是世界上唯一的超级大国，纽约是全世界最重要的城市之一。但在 1 000 年前，世界的“首都”可是北宋时的国都东京，即现今的开封。开封的繁华在北宋画家张择端的《清明上河图》中可见一斑。鼎盛时期，开封的常住人口超过 100 万，而那时伦敦的人口只有 15 000 左右，纽约当时甚至还不存在。

尼古拉斯 · 克里斯托夫在文中说：“我们如果回顾历史，会发现一个国家的辉煌盛世如过眼烟云，转瞬即逝，城市的繁华光景尤其如此。”

经过 1 000 年的历史变迁，开封和纽约的地位发生了翻天覆地的变化。是什么使得开封从一个世界级都市的位置上渐趋衰落？又是什么使中国这个经济总量曾达到世界经济总量 1/3 的世界最大经济体落后于人？答案是：工业革命。

与“第一次工业革命”失之交臂

18 世纪中期，木材匮乏引发能源危机，这使得英国人毅然决然地在热能和机械能领域实现转轨，通过调整能源结构实现了国家整体性的产业变迁，完成了经济史上的重大转折，由此引发了第一次工业革命。

如果我们可以穿越时空隧道来到18世纪初的英国，会看到一条条清澈的河流、林立的纺织工厂，看到水流推动旧式纺车缓缓转动，听到纺车吱呀吱呀的声音。

1764年，纺织工人哈格里夫斯发明了珍妮纺纱机，实现了多锭纺纱，大大提高了工作效率。于是，我们可以看到英国约克郡布匹交易大厅里摩肩接踵，一匹匹纱布薄似蝉翼——由于骡机和自动纺纱机的发明，纺纱产品的质量实现了飞跃。

1782年，联动式蒸汽机问世。从18世纪下半叶开始，蒸汽机广泛应用于生产领域。与其说这是瓦特的功劳，不如说是煤炭的贡献，因为正是后者方便运输、热效率更高的特有属性，使这种新设备得以被任何一家工厂或矿山采用，而不是必须把厂址选在木材产地附近或河边。

机器大工业的发展离不开煤炭和钢铁，煤炭是近代工业的首要能源，钢铁是制造机器的材料。英国正是因为这两种基础原材料丰富，才得以在称霸世界的道路上走得飞快。

蒸汽机还带给英国人开拓世界航线的信心，他们驾着以煤炭为燃料的大船，在全球广泛建立殖民地，最终扩张为日不落的大不列颠帝国。

谁拥有资源，谁就能抢先一步。

虽然早在9世纪就有过英格兰修道士燃煤取暖的记录，但大部分英国人在17世纪之前对煤炭还是无动于衷，因为英国拥有广袤的森林，足以满足英国人冶铁与取暖的需求。15世纪流行于英国的鼓风炉就是以木炭为燃料的，一家炼铁厂每年要消耗1 036平方公里以上的森林。

按照金融投资家约翰 · 内夫的说法，在伊丽莎白时期的伦敦，2 000货车的木头仅相当于酿酒业一年的燃料。到了詹姆斯一世时期，一个玻璃作坊一年就需要 4 000 车木头。另外，“海军同样需要木材制造军舰”，而且用料讲究，用量巨大。

森林的大量砍伐使英国人民的生产和生活都受制于能源供给。1500~1630 年，劈柴价格上涨了 7 倍，而同期物价只不过上涨了 3 倍。17 世纪，城市人口的迅速增加使建筑、取暖和手工业等各领域的木材需求激增。欧洲“小冰期”的降临又使得英国的冬季格外寒冷和漫长。英国人不得不积极寻找木材的代替品。于是，煤炭被大量开采。资料显示，到 1700 年，英国的煤产量已经有 250 万~300 万吨之多，相当于世界其他地区产煤量总和的 5 倍。

由于英国、法国的加来海峡地区和德国鲁尔地区的煤矿不断被开发，1850~1869 年，法国的产煤量由 440 万吨上升到 1 330 万吨，德国的产煤量由 420 万吨上升到 2 370 万吨，整个世界煤炭消耗量占整个能源消耗量的比重从 1830 年的不足 30%，迅速上升至 1888 年的 48%。1920 年，煤炭消费比重高达 62%。

从 13 世纪也就是中国的宋代开始，全世界依次进入“煤炭时代”。

当整个欧洲拉开全方位变革的序幕时，中国正在经历什么？

彼时的中国仍然处于农耕文明向近代文明的过渡期，仍然以土地为依托，最大的变化可能是粮食产量的大幅增加，而这还是因为美洲开发产生的全球辐射效应为中国引进了玉米与红薯等高产作物。

不过，彼时的中国仍旧是世界经济第一大国。1800 年，中国的经济总量约为全球的 30%，约为英国的 6 倍，在全球制造业总产出中所占的比重高达 33%，人口急剧增长。

第一次工业革命发生时，大清帝国正值鼎盛时期。乾隆四十二年

(1777年)，清廷重申不许武科改用鸟枪，依然比试刀剑。而5年后，英国人瓦特成功地改良了蒸汽机。

1793年，乾隆在避暑山庄接见英国使臣马戛尔尼，声称“天朝物产丰盈，无所不有，原不藉外夷货物，以通有无”。英国使团的目的是要中国开放市场，为英国的资本开拓远东市场，实现其利益最大化。

马戛尔尼使团的中国之行以失败告终，中英之间的贸易不平衡问题没有得到解决。英国商人后来用鸦片开路，进而引发了第一次鸦片战争。

“康乾盛世”后期的中国不仅缺少必要的世界眼光，更无心留意西方社会发生了什么。因为“天朝上国”的傲慢，因为闭关锁国的政策，因为陆续经历了一系列内忧外患，中国错失了参与第一次工业革命的机会。

彼时，受第一次工业革命的影响，人口较少、工人数量也相应较少的国家得以首次显著提升其在全球制造业产出中的比重。

于是，我们可以看到中国与英国在制造业比重上的变化。在1840年以前的数百年间，中国一直占据着全球制造业第一的位置。到了1840年前后，第一次工业革命使得英国工厂的生产力显著提升，全球制造业第一的位置被英国夺去。

重伦理不重科技、重农业不重工商业、自我封闭而不重世界交流，以木柴为动力的中国，与第一次工业革命的历史机遇失之交臂，终于没有赛过以煤炭为动力的英国。

痛失“第二次工业革命”机遇

从煤炭时代向石油时代的过渡也是化石能源从第一阶段向第二阶段的

进步。由于电能的应用、内燃机的发明、新交通工具的研发、新通信手段的进步，逐渐形成了以电力、钢铁、石油化工、汽车制造为代表的四大支柱产业，确立了工业在国民经济中的主导地位。

可以说，200 年前的第一次工业革命催生了世界市场的雏形，100 年前的第二次工业革命使世界市场最终形成。

工业革命带来的动力革命和冶炼技术、电力、通信技术的提高，辅之以动力强大的机器，使人们的足迹遍布全球各个角落。由此，殖民地的拓展与战争成为世界新兴强国的主题，最终引爆了“一战”和“二战”。

第一次工业革命是美国内战的推动力之一，美国内战为其进行第二次工业革命准备了条件。此外，“二战”的辉煌战绩以及被保护的本国工业、科技和教育体系使美国超越英国成为新帝国。

1894 年，美国的工业总产值跃居世界之首，成为世界第一经济强国。这一年，距离这个新国家的诞生仅仅 118 年，距离这片新大陆被发现也只有 400 年。

从 19 世纪末开始，中国又经历了什么？

彼时，中国还没能推翻封建统治，旧政治体制依旧严重地束缚着生产关系和生产力，中国不仅没能进入电力时代、石油时代，更没有完成第一次工业革命的任务。甲午中日战争、戊戌变法、义和团运动、八国联军侵华战争、辛亥革命、军阀混战……中国始终处于动荡之中。

尽管中国后来也曾有过所谓的“黄金十年”，但当时中国所引进的工业，如苏南地区缫丝工业的兴盛，都是发达国家第一次工业革命的剩余产物。中国并没有建立起一套完整的、适用于第二次工业革命的产业体系，农业国的性质没有得到根本性的转变。随后，日本入侵又打断了中国工业化的进程。

封闭与战乱使中国错过了第二次工业革命的机遇。其直接结果是：曾经领先世界的中国，到了1950年，其经济总量降至世界的1/20。

1820~1913年，全球经济总量约增长了4倍。其中，西欧增长了近6倍，英国增长了6倍还多，而由于帝国主义的侵略及掠夺，中国前50年是负增长，后50年有所增长，但总量基本保持不变。

这就是中国错失第二次工业革命的过程。与错失第一次工业革命机遇相比，这一次的错失不仅仅是被人赶超，而且使中国人感受到了切肤之痛，也深刻地体会了“落后就要挨打”的硬道理。

我们一直认为工业革命的核心是技术革命，然而再深究一步就会发现，人类社会以往两次工业革命的驱动和核心其实都是“能源替代”。大国的兴衰完全可以从能源替代方面寻找到注脚。

过去的一个世纪是美国世纪，也是石油世纪。

早在19世纪末，美国就已经赶上并超过了英国。1871年，英国的钢铁产量为660万吨，美国为170万吨；1900年，英国的钢铁产量为910万吨，美国则猛增到1 400万吨。1850年，英国工业产值占世界的39%，而美国只占15%；到了1913年，英国的工业产值只占世界的14%，而美国却占36%。1870~1913年，美国工业生产增长了81倍，而同一时期英国只增长13倍；1913年，美国工业产值跃居世界第一位，英国则下滑至世界第三位。

在此基础上，美国经济在20世纪80年代达到全球巅峰。杰里

米 · 里夫金认为，这背后的“功臣”是充足且廉价的石油、汽车和民众消费，而前者是后两者的基础。

如今，中国与其他各国站在进行第三次工业革命的同一起跑线上。新能源产业的发展速度已经超出我们所有人的想象。对中国来说，这是一次难得的机遇，如果能够抓住这次机遇，将会重新确立中国在世界的强国地位。

“石油世纪”还能持续多久？

可以说，在第二次工业革命时期，各国发展的最根本规律就是经济高速发展与化石能源消费高速增长同步。

1950~1973 年，全球经济增长达到有史以来的最高速度，23 年的平均增长速度为 4.91%，接近 1870~1913 年煤炭黄金时代增长速度的 2.5 倍，全球经济总量实现了 3 倍的增长。其中，日本 23 年的平均经济增长速度达到惊人的 9.29%，整个经济总量大约增长了 8 倍；而美国平均经济增长速度为 4.8%，是过去 100 年增长速度的 2.2 倍左右，经济总量也实现了 3 倍的增长。高速增长背后的能源推动力正是量足价廉的石油——到 1973 年，石油产量占整个能源产量的 43% 左右，一个全面依赖石油的经济体系与文明体系基本形成。

在《第三次工业革命》中，杰里米 · 里夫金在开篇不久就给出了一个让普通人相当震惊的论断：2008 年 7 月爆发于美国的国际金融危机可以看作是全球化的巅峰期，在一个依赖石油和其他化石燃料的经济体系中，我们已经竭尽全力却又无能为力。不管我们接受与否，我们正处于第二次工业革命和石油世纪的最后阶段。

作为新能源领域的企业管理者，我在读到这一论断时并没有十分震惊，而是有一种巧遇知音般的欣喜。在我看来，石油退出历史舞台的速度要比普通人的想象快得多，如果中国能够把握住第三次工业革命的机遇，美国主导的石油体系极有可能被中国主导的太阳能体系代替。

那么，石油世纪还能维系多少年的辉煌呢?

首先，我们从石油探明储量角度讨论。从每年国际能源署（IEA）发布的石油探明储量数据中可以发现，1991~2011 年，全世界石油探明储量不断增加，特别是 2001~2011 年，平均每年增加 50 多亿吨。目前，全世界已探明的石油储藏量约有 16 520 亿桶。

接下来，我们再看一下石油产量。为荷兰皇家壳牌石油公司工作的地球物理学家金 · 哈伯特曾在 20 世纪 50 年代预测，大约在 2025~2035 年，全球石油产量将达到峰值（日产 7 000 万桶）。国际能源署发布的《2010 年世界能源展望报告》显示，这个峰值在 2006 年就已经达到，此后能源开采会日益困难、成本会不断提高，全球经济会出现震荡。事实上，世界石油产量在 2008 年已经实现日均 8 173 万桶（每 7 桶合 1 吨）。

再来看看石油的消费。目前，全世界每天消耗石油 8 000 万桶。在 1999 年~2006 年，全球消费量年均递增 1.68%。约 40% 的石油用于机动车，全球机动车使用量在 1999 年为 6.62 亿辆，2009 年增加到 8.47 亿辆，年均递增 2.49%。绝大多数国家的石油自给率在快速下降，石油资源主要集中在占全球人口比例不到 0.5% 的海湾六国手中……

尽管随着勘探技术的改进、勘探投入的增加以及统计方法的改变，石油探明储量的增长速度实际上比开采速度的增长更快，但是无论如何，石油总归是一种不可再生的资源，地球上的石油总量终究是一个定值，总有被耗尽的那一天。以目前的开采速度计算，地球上的石油储量只能再维持41年。[3]

石油资源的日益枯竭、分布的不平衡和利益集团的垄断，极有可能在石油世纪的最后阶段引发灾难，比如某些国家为了争夺石油资源而发动战争。

这在历次的石油危机中可见一斑：

1973年10月，第四次中东战争爆发，中东产油国对支持以色列的美国等国家采取减产、禁运、提价等措施，由此引发了第一次石油危机。其直接结果是催生了以美国为主的国际能源机构，该机构由最初与石油输出国组织对抗转变为对话和合作。

伊朗伊斯兰革命（1978年至1979年2月）及随后的两伊战争（1980年9月22日至1988年8月20日）造成国际油价暴涨，继而引发了第二次石油危机。其直接结果是，卡特政府颁布《能源法案》、《原油暴利税法案》等，节能、开发可替代能源等被提上议程。各国开始重视战略石油储备。

海湾危机（20世纪80年代）与海湾战争（1990年）造成油价上涨，引发第三次石油危机。其直接结果是美国国会通过了《能源政策法案》。苏联解体后，里海地区丰富的石油资源在国际上的地位日益凸显，并成为美国能源多元化战略的一个重要组成部分。

“中国世纪”大幕拉开

近年来，美国著名经济学家、地缘政治学家威廉·恩道尔继其畅销书《石油战争》之后，又撰写了一本《石油大棋局：下一个目标中国》，直指美国炮制石油枯竭谎言的目的在于控制石油，并利用手中的石油行使世界霸权。

至今，美国仍是世界上已探明石油储量最多的国家之一。或许如威廉·恩道尔所说，在未来的一段时间内，美国会利用石油继续行使世界霸权，但另一方面，由于大型能源企业影响着美国政府的能源发展决策，因此，美国也有可能受制于石油文明所形成的政治格局，丧失新一轮引领世界的机会。

在新能源领域，这一可能正逐渐演变为事实。奥巴马总统在第一个任期的上任之初，曾将新能源作为重点发展行业，给予一些能源企业以贷款担保。位于美国加利福尼亚州的太阳能电池板制造商索林德拉（Solyndra）就在受益之列：2009 年获得 5.35 亿美元的贷款。然而，该公司因经营不善于 2011 年 8 月底宣布破产，1 100 名员工全部失业。

该案例成为支持石油能源的共和党抨击奥巴马的论据——在 2012 年的新一届总统大选中，共和党指责奥巴马政府是出于政治动机而给该公司提供贷款担保，最终使纳税人蒙受巨大损失。这样的攻击使美国政府在支持清洁能源发展方面变得畏首畏尾。

> **在以往两次工业革命中，中国是一个落伍者。在这场光伏革命中，“中国应该领先一把”。中国应该为世界清洁能源的发展做出贡献，如果做到了，就相当于我们为中华民族的伟大复兴以及世界的和平与发展贡献了一份力量。**

与美国不同的是，中国促进清洁能源发展的决策是坚定的，政策是连续的。中国政府在 2009 年推出了“太阳能屋顶计划”和“金太阳工程”，随后，在光伏业一片哀嚎的 2012 年，毅然出台了一系列扶持、补贴太阳能光伏产业的利好政策，扶持光伏产业的态度非常坚定。

2013 年上半年，财政部发布《关于分布式光伏发电实行按照电量补贴政策等有关问题的通知》，明确按照发电量给予补贴；此外，光伏电站项目增值税即征即退 50%的优惠政策也于 9 月份出台。光伏电站运营企业的增值税由 17%下调至 8.5%，这就相当于提高上网电价，电站回报率将因此上升，这对光伏电站运营企业来说绝对是利好消息。

我认为，中国政府的选择是正确的。正如之前所论述的，将来可能是多种新能源并存的时代，但只有太阳能可以挑大梁。

能源替代的关键时刻也是中国可持续发展的关键时刻。问题在于，中国将以何种姿态出现？是新能源革命的追随者还是领导者？

种种数据显示，中国将后来居上。比如，中国的国内生产总值 30 多年来一直以年均 9%以上的速度增长，是历史上增长速度最快的经济体；2011 年，中国国内生产总值为 7.3 万亿美元，出口总量占全球出口总量的 10%，进口总量占全球进口总量的 10%；中国是世界第三大科技强国，如今大约有 92.6 万名研究人员……我国在许多领域已经达到世界先进水平。

据中科院国情分析研究小组预测，2020~2030 年，中国的经济总量将位居世界第一；2040~2050 年，人均国内生产总值将达到目前发达国家的水平；21 世纪末，人均国内生产总值和人均社会发展水平两项重要指标均可达到发达国家水平。

这意味着“中国世纪”的到来。那么，在如此快的发展速度下，中国凭借目前的能源、资源与环境容量能否支撑起一个中国的世纪？关于这个问题，我认为只有一个解决方案，即中国要做绿色崛起的代表，以最小的环境代价和最合理的资源消耗获得最大的经济效益和社会效益。

照此推理，“中国世纪”必须是“太阳能世纪”。

“终极替代”，谁领风骚？

在我们赖以生存的地球上，人类已经繁衍出了第70亿名成员，她的名字叫丹妮卡·卡马乔。如何使以卡马乔为代表的人类后代过上绿色、和平、可持续的新能源生活？化石能源有三大死穴——“质、量、分布”，使其无法支撑世界文明的可持续发展，而风能、核能、潮汐能等新能源也各有各的局限，唯一可靠的能源替代将是太阳能替代煤炭和石油。

这是一次“终极替代”，我已经越来越真切地感受到它的气息。

化石能源三大“死穴”

2011年10月31日，菲律宾马尼拉一个名叫丹妮卡·卡马乔的女孩一出生就被载入史册，因为她是这个地球上的第70亿个居民。

丹妮卡·卡马乔并不知道，她的诞生是人口数量的一个新的里程碑，同时也令远在中国北京的我忧心忡忡：世界人口已经达到70亿，人口的增长必然带来能耗的增长，要满足人类能耗需要，作为一名致力于推动绿色能源的企业管理者，我能做些什么？

于是我想到，应该尽快让大家理解可再生能源替代传统化石能源的必然性和必要性，并通过自己的努力加快这一替代过程的实现。

所以，我要向全世界大声呼吁：太阳能时代已经到来，化石能源正在加速退出历史舞台，这是一个不可抗拒的历史潮流，也是一个不可逆转的过程，太阳能才是人类未来的希望所在！

我之所以认定新能源革命的必然性，基本根据就是两条：一是以化石能源为主体的传统能源体系将难以为继；二是依托可再生能源优越禀赋形成的新能源体系将逐渐成为替代者。一个难以为继，一个可以替代，革命当然就要发生了。

那么，为什么说以化石能源为主体的传统能源体系难以为继？这是因为化石能源在数量、质量、分布三个方面存在的硬制约和由此产生的不可克服的弊端。这是它的三个“死穴”。

第一，化石能源存在“数量”上的硬制约。全球化石能源的储量是一个定数，探明储量和开采量的增加只是利用层次的改变，并不是储量的增加。作为一种既定数量的资源，它只会越消耗越少。

储量是固定的，而人口却是不断增加的，经济也是不断增长的。随着工业化和生活水平的提高，人类对于化石能源的消耗量迅速增加。更重要的是，能耗并不是与人口数量同比例增长，而是超出其几倍。

2007年，美国能源信息署预测，2010年世界能源需求量为105.99亿吨油当量，2020年将达到128.89亿吨油当量，2025年将达到136.50亿吨油当量。事实上，我们所消耗的能源远远超出原先的预测。

第二，化石能源存在“质量”上的硬制约。化石能源主要是碳氢化合物或其衍生物，通过化学反应达到能源利用，在此过程中，可能导致严重的环境污染和生态破坏。相关研究表明，大气中主要有五种污染物：氮氧化物（如一氧化氮与二氧化氮）、硫氧化物（如二氧化硫）、碳的氧化物（主要是一氧化碳）、碳氢化合物（如甲烷）以及各种悬浮颗粒物，它们基本上都来源于化石能源的使用。

使用化石能源的主要后果包括酸雨、臭氧层破坏等。近20年来，随着经济的快速发展，环境污染已经成为威胁人类生存与健康的重大因素，尤以空气污染最为突出。地球将越来越不适宜人类和其他生物生存。

第三，化石能源存在“分布”上的硬制约。化石能源深埋于地下，它的分布是固定的，而且在世界各国的分布是不均衡的。其不均衡体现在：第一，数量上的不均衡，有的国家多，有的国家少，有的基本没有；第二，品种上的不均衡，有的国家石油多，有的国家煤炭多，有的国家天然气多。

除储量、品种分布的不均衡外，供需状态也不平衡。在一国范围内看，能源储量和能源消费不对称。有的国家储量多，而消费少；有的国家消费多，而储量少。比如，中东地区石油储量很大，约占世界总储量的65%，但人口总数少，消耗量也少；欧美等工业发达地区石油消耗量很大，而储量相对不足，这就需要从国外进口。

对任何一个国家而言，能源都是其生存和发展的最重要的资源，保证能源供应都是头等大事。在资源分布不均衡的情况下，解决供应和消费不平衡的问题必然会催生国与国之间的各种纷争，可能引发一系列连锁反应，直接影响到诸多国家的战略决策，关乎人类的生存和人类文明的延续。

该是哪一种?

我们可以用什么来替代化石能源？我认为，对中国来说，太阳能是最好的选择。

我们先讨论风能。风能除蕴藏量丰富外，还具有可再生、永不枯竭、清洁无污染等诸多优点。风是一种自然现象，由太阳辐射热引起。太阳光照射到地球表面，地球表面各处受热不均，产生温差，从而引起大气的对流运动，风由此形成。虽然到达地球的太阳能中只有2%能够转化为风能，但其总量仍十分可观。据估算，地球上的风能资源是水能资源的10倍，高达53万亿度/年。即使2020年全球的电力需求增长至25万亿~30万亿度，从纯技术的角度讲，只需利用地球上50%的风能就能够满足全球的电力需求。

风力发电成本逐年下降，目前达到每度0.5~0.6元，是眼下最具成本优势的可再生能源。风能资源丰富地区的风力发电成本与燃油发电或燃气发电的成本相比，已经具备成本竞争力。

中国初步探明的风能资源在陆地上约为2.53亿千瓦，沿海约为7.5亿千瓦，总计约为10亿千瓦，但这一风能资源只是10米低空范围内的风能，如果扩展到50~60米以上的高空，这一数字将至少再增加一倍，即

20亿~25亿千瓦的风能资源。如果其中的2/3被开发，将可达到水能资源的4倍以上，开发前景十分广阔。

但从我国风能资源的分布看，分布不均衡的问题比较突出。资源丰富的地区集中在东北、内蒙古、新疆、西藏和沿海地区，西南地区和中部的风能资源相对贫乏。由于地形的影响，风力的地区差异非常明显。在邻近的区域，有利地形处的风力往往是不利地形处的几倍甚至几十倍。

风能也具有密度低、风力不稳定等缺点。此外，其发电能力仅相当于传统化石能源的1/3左右，其远距离输送成本也颇高，若将此成本计算在内，则其成本优势并不明显。

虽然海上风能资源更丰富，但海上风能的建设、开发和运行远比陆地上复杂得多。比如，中国海洋功能区域划分不是很明晰，海上风电开发牵涉到海洋局、海事、军事、交通、渔业等多个部门的利益。风电场项目距离海岸较近时，较易和渔业、生态保护等发生冲突；距离海岸较远时，又会影响航道。

在风机运营过程中，维护成本高企也成为制约其发展的重要因素。由于远离海岸，维护工作需要特殊的设备和运输工具，并网均需要进行额外投入，而且配套零部件以进口为主。目前，无论是建设成本还是运行成本，海上风电场都要高于陆上风电场。

接下来，我们再来讨论水能。中国能源探明总储量的构成为原煤85.1%、水能11.9%、原油12.7%、天然气0.3%，能源剩余可采总储量的构成为原煤51.4%、水能44.6%、原油2.9%、天然气1.1%。可见，我国传统能源以煤炭和水能为主，水能仅次于煤炭，居于十分重要的地位。

然而，中国水资源虽然丰富但分布不均——西多东少，主要集中在西部和中部地区。根据汉能2006年的研究数据，在全国可开发水能资源中，东部的华东、东北、华北三大区域仅占6.8%，中南五大区域占15.5%，西北地区占9.9%，西南地区占67.8%。在西南地区，除西藏外，四川、云南、贵州三省占全国的50.7%。

此外，大型水电站比重大且分布集中。各省（区）单站装机10万千瓦以上的大型水电站有203座，其装机容量和年发电量占总数的80%左右；而且，70%以上的大型电站集中分布在西南四省。

更不均衡的是，中国气候受季风影响，降水和径流分配不均，夏秋季4~5个月的径流量占年径流量的60%~70%，而冬季的径流量却很少，因而水电站的季节性电能较多。

水能开发同样面临挑战。一方面，中国地少人多，修建水库往往受到淹没损失的限制，而在深山峡谷或河流中修建水库虽可减少淹没损失，但必须建高坝，工程比较艰巨。另一方面，中国大部分河流，特别是中下游，往往有防洪、灌溉、航运、供水、水产、旅游等综合利用要求。在水能开发时往往需要统筹规划，牵一发而动全身，需要综合考虑整个国民经济的最大经济效益和社会效益。

可再生能源团队中的其他成员，比如生物质能、潮汐能和地热能等，尚未得到规模化运用，且在“质量”与“数量”上各有各的缺憾。至于页岩气，在我看来，它并不属于可再生能源（下文会详细论述）。

幸运的是，我们还有太阳能。太阳是地球的主要能源供应者。太阳在其核反应过程中释放的能量是巨大无比的，其中只有二十二亿分之一的能量经过1.5亿公里的长途跋涉来到地球，30%的能量被大气层反射回宇宙，23%的能量被大气层吸收，最终，每秒到达地球表面的功率仍然高达80

万~85万千瓦，相当于每秒燃烧500万吨煤释放的能量。这些能量形成了水能、风能、潮汐能、地热能等。事实上，化石能源也是太阳能的转化物。因此，在新能源的替代中，太阳能理应成为最佳选择。

终极替代

经过对比我们得出结论：太阳能是最符合21世纪发展需求的新能源。那么，在适当的条件下，当我们实现太阳能发电的低成本、实现平价上网（太阳能发电成本与传统能源发电成本相当）时，分布式发电站就能够得到普遍认可与普及。届时，新能源将实现对化石能源的“终极替代”。

从目前的形势看，“终极替代”离我们越来越近。在我国，光伏电站项目越来越多，超过70%的光伏装机容量都来自大型光伏电站。在世界范围内，分布式占光伏累计总装机容量的68.9%，在美国超过83%，德国超过85%，日本更是高达90%以上。从2012年开始，欧美主流的“分布式”光伏发电也在中国悄然兴起。分布式光伏设备主要安装在住宅、工厂等屋顶上，自发自用，多余的电量再上传至电网。

2012年，在国家能源局的多份文件中，“分布式”取代大型地面电站成为政策关注的重点。在提法上，对大型地面电站的要求是“有序推进”，而对“分布式”的要求则是“大力推广”。

2012年10月26日上午，国家电网召开了一场新闻发布会，这标志着并网政策出现了转机。国家电网宣布，接受6MW以下的分布式光伏发电并网，并承诺为此类项目的接入提供便利，受理、制定接入电网方案，并网调试全过程均不收取任何费用。不仅如此，2012年12月19日召开的国务院常务会议更是明确提出，“积极开拓国内光伏应用市场，着力推进分布式光伏发电”。

对于刚刚经历过 2012 年欧美“双反”的光伏企业来说，如果国内的“分布式”市场能够顺利开启，无疑将成为消化光伏产能的一个新出口。

国家鼓励分布式光伏发电的政策已经得到响应。2013 年 7 月 30 日，中国航空工业集团公司（简称“中航工业集团”）400MW 分布式光伏发电示范项目首批 20MW 项目在石家庄中航通飞华北飞机工业有限公司开工建设。这是在 7 月 15 日国务院出台《关于促进光伏产业健康发展若干意见》后，我国首个启动的大型分布式光伏发电项目，中航工业集团也成为我国第一家利用自身的厂房屋顶建设分布式光伏项目的大型中央企业。

至于成本与普及问题，从目前来看，应该很快就能攻克。就成本而言，国内外的太阳能电池生产商都在努力，目前太阳能电池的发电成本越来越低。从 2011 年 6 月 10 日国家能源局与亚洲开发银行联合召开的太阳能发电规模化发展研讨会上传来的消息显示，光伏发电的成本比 3 年前降低了 50%；在不考虑土地成本的情况下，中国的太阳能发电价格已降至 1 元/度以下。按照这样的速度，也许在 3~5 年内，太阳能电池的发电成本可以接近火电。事实上，已有研究表明：火电等化石能源如果加上其对环境影响的成本，其综合成本已在 0.7 元/度以上。

关于普及问题，中国一直在努力解决商业模式问题，比如卖给电网的上网电价是多少；政府怎么补贴，又怎么退出补贴。毕竟，政府补贴的目的是为了将来不用补贴。这些政策性的问题是各国政府都在努力解决的。

2013 年 7 月 31 日，国家财政部发布通知，确定了分布式光伏发电项目按电量补贴的实施办法：国家对分布式光伏发电项目按电量给予补贴，补贴资金通过电网企业转付给分布式光伏发电项目所在的单位。

清洁能源将占 50%

根据多年的从业经验，我得出一个判断：到 2035 年，清洁能源将占全球一次能源利用总量的 50%。

> **有人可能会问，50% 是不是太乐观了？我的回答是，占比低于 50% 只能算作补充，不足以证明清洁能源是对化石能源的一种“替代”。我认为，很多人往往高估 1~2 年的变化，而低估 5~10 年的变化，更何况是 20 年以后！历史已经证明，能源结构上发生“替代”的时间间隔一次比一次短。**

目前，全世界包括太阳能在内的清洁能源在能源消费结构中仅占 13% 的份额，而化石能源占 87%，但新能源的开发与研究是大势所趋。美国总统奥巴马曾经预测，到 2025 年，可再生能源将占全球能源利用总量的 25%；联合国秘书长潘基文也曾预测，到 2030 年，可再生能源将占全球能源利用总量的 30%。

从世界能源结构演变历史看，煤炭代替木柴成为主要能源的第一次能源消费结构变革用了 100 多年；石油替代煤炭成为主要能源的第二次能源消费结构变革用了 60 年左右；目前，能源结构正朝着高效、清洁、低碳甚至无碳的方向发展。专家们预计，可再生能源有望在 2050 年全面替代化石能源。但我认为，替代有可能不需要那么长的时间，因为光伏产业技术更新换代的速度、光伏发电成本降低的速度超乎我们的想象。

或许很多人认为我说的事情虚无缥缈，认为清洁能源替代化石能源遥不可及，而作为身处一线的企业管理者，我有最直接的感悟和体会，我天天都能看见市场的硝烟，听见市场的炮声，而一线的实践表明，这一替代并不遥远。里夫金是清洁能源的积极倡导者，但在企业实践中，技术的发展速度之快仍然超乎他的想象。

从 2000 年开始，太阳能的发展在 5 年内实现了超过 40%的世界年均增长速度。20 世纪 90 年代初，全球太阳能电池的产量不足 100MW；到 20 世纪 90 年代末，全球太阳能电池的产量已经飙升至 287.7MW，年均增长 20%。2000~2006 年，这个数字增至 2.5GW。

2011 年，全球太阳能光伏电池产量为 37.2GW，相比 2010 年的 27.4GW 提升了 36%；2012 年第一季度，全球太阳能光伏电池产量同比增长率高达 120%。即便是受到欧盟“双反”的影响，中国 2012 年上半年的太阳能电池产量仍高达 11.3GW，占全球总产量的 63%左右。

除了产量的提升，太阳能技术的进步更是令人瞩目。汉能选择的方向是薄膜技术。我们依据电池材料，可以将薄膜电池分为三类：硅基薄膜电池、化合物薄膜电池和染料敏化太阳能电池。其中，只有非晶硅薄膜、碲化镉薄膜和铜铟镓硒薄膜实现了商业化。

资讯传媒OFweek行业研究中心出版的《2013~2015 年全球与中国薄膜电池行业市场研究及预测分析报告》显示，全球薄膜电池行业兴起于 2005 年，在短短 5 年内，薄膜电池产量就从 100MW 增长到 2009 年的 1 981MW。

该报告还预测，2013 年全球薄膜电池产量将比 2012 年增长 30%，而 2014~2016 年全球薄膜电池产量的年均增长率在 25%左右。预计到 2016

年，全球薄膜电池产量将达到12.5GW，行业产值将达到70亿美元。而且，薄膜电池的发电成本也在持续下降，MiaSole公司拥有世界上最先进的薄膜技术，其生产的铜铟镓硒薄膜光伏组件量产转化率已达15.5%，预计到2014年，生产成本将降至0.5美元/瓦。

光伏企业通过多种渠道，快速把太阳能引入人们的生活。

第一，各国纷纷出台“屋顶计划”，将太阳能发电系统安装在屋顶或住宅、办公室和公共建筑的外墙，与电网连接并向电网输电。

第二，在新建筑模式下，光伏企业与房屋开发商合作，以太阳能发电为设计特点，将电池整合在建筑物中，取代传统的建筑材料。这类建筑同样可以接入公共电网。

第三，将电池模块安装在系统上，太阳能发电系统通过充电控制器与蓄电池连接，生产的电力可以储存起来供日后使用。

第四，挖掘各种新市场，比如太阳能照明、太阳能汽车等。

第五，薄膜电池具有便携、可卷曲等特性，可以用来制造消费类电子产品和小型电器。

在这些利好因素的综合作用下，光伏产业的春天即将来临。

就我国而言，光伏应用市场已经打开，我国将由以前的光伏制造大国转变为应用方面的领先者。通过大规模的结构调整，广泛应用新的更好的光伏产品，大幅降低发电成本，最终实现平价上网。这一天并不遥远：2012年下半年，意大利已经实现平价上网，中国在两三年内也将实现。

一旦太阳能的发电成本等于或低于传统化石能源的发电成本，替代还会远吗？

“能源独立”非我莫属

> 在化石能源时代，煤炭是“工业的粮食”，石油是“工业的血液”。为了获得“粮食”和“血液”，西方列强不惜操纵地缘政治，发动世界大战和能源战争。
>
> 当今世界，能源政治的话语权牢牢地掌握在美国人手中，而中国已经是世界第二大能源进口国、消费国，石油的对外依存度高达61%。奉行“和平崛起”的中国该如何摆脱地缘政治的约束，实现能源独立并保证能源安全？
>
> 答案当然不是战争。在新一轮的能源革命中，世界会选择中国，中国会选择光伏。

摆脱“能源战争”

2013年1月18日，美国国务院在杜鲁门大楼一层西侧的新闻发布厅里召开了一场例行公事的新闻发布会。维多利亚·纽兰依然是美国国务院发言人，也是这场发布会的主角，几十名来自世界各国知名媒体机构的记者参加了发布会。

有记者问：请问你如何看待昨天的“德黑兰对话”？

纽兰答道：在双方16~17日于伊朗首都德黑兰举行的对话中，伊朗未能就核查“结构化方案”与国际原子能机构达成一致，美国对伊朗再次错失合作机会“深感失望”……

这样的场景已经在美国与伊朗之间上演了30多年，伊朗核问题也一直是当今世界最热点的政治话题之一——20世纪50年代，伊朗开始开发核能源，并且得到了美国及其他西方国家的支持；1980年美伊断交后，美国多次指责伊朗以“和平利用核能”为掩护秘密研制核武器，并对其采取“遏制”政策；国际原子能机构也多次就伊朗核问题做出决议，2010年6月，联合国安理会通过“史上最严厉”的制裁伊朗方案……

这样的场景也是当今世界能源格局的生动写照——从表面上看，美国是对伊朗是否开发核武器耿耿于怀，但其本质却是不放心中东地区的石油，更担心运输石油的要道——霍尔木兹海峡——被自己的死对头伊朗控制。

在化石能源时代，煤炭被称为“工业的粮食”，石油被称为“工业的血液”，没有“粮食”和“血液”，工业就无法正常发展。而化石能源存在分布不均衡和供需不平衡的问题，这成为左右世界政治秩序的重大因素，并由此产生了所谓的“地缘政治”问题，乃至恶化为国家间的纷争，比如普法战争。

1870年，普鲁士宰相俾斯麦故意挑起普法战争，占领了阿尔萨斯-洛林地区。该地区丰富的铁矿和德国的鲁尔煤田相结合，使德国一举成为欧洲最大的经济体，法国经济则从此一蹶不振。

普法战争催生了德国人文地理学家拉采尔的“地缘政治”理论，该理论认为土地才是国家间纷争乃至战争的重要诱因；1904年，英国地理学家麦金德提出了“陆权论”，指出矿藏资源是世界争夺的核心；同期，美国海军上校马汉又提出了系统的“海权论”，因为许多海峡成为输送石油的重要通道。

“地缘政治”、“陆权论”、“海权论”等一系列有关土地、资源、能源的概念将世界推向了殖民主义全球化扩张的轨道。正如麦金德在《历史的地理枢纽》中所说的那样：“谁统治了东欧平原，谁就控制了心脏地带；谁统治了心脏地带，谁就控制了世界岛；谁统治了世界岛，谁就控制了世界。”

普法战争与地缘政治

18世纪中叶，随着工业革命的兴起，以英国为代表的欧洲各国开始进入工业文明时期，帝国主义列强之间展开了争夺土地和矿产资源的竞赛，暴力瓜分全球稀缺矿物资源成为当时的主旋律，连欧洲内部也为此纷争不断。以法国和德意志为例，法国的阿尔萨斯–洛林地区拥有丰富的铁矿资源，它也是欧洲最大的铁矿生产区，而德意志的鲁尔盆地则拥有欧洲最丰富的煤炭资源，谁能通过战争得到对方的资源，谁就可以称霸一方。

1870年，普鲁士宰相俾斯麦故意激怒法国，借机挑起了普法战争。在色当战役中，法国拿破仑三世和麦克马洪元帅、39名将军、300名军官及8.6万名士兵成了俘虏，这是法国历史上最耻辱的一次战役。这次战役结束后，为法国经济发展提供资源保障的阿尔萨斯–洛林地区被德国占领，法国著名小说家都德的《最后一课》就是以此为背景的。

成功夺得阿尔萨斯–洛林地区的统治权为德国工业发展提供了矿产资源和工业基地。洛林铁矿与德国的鲁尔煤田相结合，使鲁尔地区成为强大的以采煤、钢铁、化学和机械工业为核心的重工业区。该区工业产值曾占德国的40%，钢产量也从1870年的14万吨猛增至1913年的2 050万吨，超过英国，仅次于美国而位居世界第二。同时，德国还一举成为欧洲最大的经济体，法国则由过去的繁荣跌至谷底。普法战争的本质是一场争夺土地、煤炭和钢铁资源的战争。

“地缘政治”观念贯穿了整个第二次工业革命的历史，远到普法战争、两次世界大战，近到两伊战争和海湾战争，近代的重要战争无一不是因能源而起。

“一战”后，英国和美国几乎控制了全世界75%以上的矿物原料，德国、意大利和日本这三个国家仅控制了11%。1929年，世界性经济危机爆发，全世界都陷入了经济衰退的泥沼中，通过发动战争抢夺资源成为德、日、意三国重振经济的重要手段。

“二战”前夕，希特勒曾向媒体宣扬自己的“石油经济学”：“如果我们能够占有乌拉尔无穷的原料宝藏和西伯利亚的森林，而且，乌克兰无际的麦田也展现在德国境内，那么我们的国家就可以优游自得了。”而日本将对中国的侵略战争扩展为太平洋战争，将战火推向美、英两国，其目的也是霸占资源——从中国的煤炭、黄金、粮食到印度尼西亚的石油。

“二战”后的国际纷争也多由石油引起，以两伊战争与海湾战争最为典型。在这些战争中，中东的伊斯兰国家第一次意识到石油还可以作为战略武器，以减产、提价、禁运、石油企业国有化等手段，搞得人心惶惶。此后，“石油动机论”逢战必出，在海湾战争中，美国政府官员甚至连媒体都直面石油因素，“出兵是为了石油”这样的论调开始见诸报刊。

两伊战争和海湾战争

中东地区是东西方交通的咽喉要道，战略地位十分突出。更重要的是，这里的石油资源极为丰富。调查显示，中东地区的石油储量高达全世界石油储量的65%。如果石油是工业发展的“血液”，那中东就是当之无愧的“血库”了，谁掌握了这座“血库”，谁就掌握了世界。伊拉克这个建立在石油上的国家，在萨达姆·侯赛因的领导下试图成为中东地区的霸主。

阿拉伯河位于伊朗和伊拉克边境，是两国向外输送石油的重要通道。1980年，为了控制阿拉伯河，进而控制整个中东地区的石油输出，萨达姆·侯赛因悍然向伊朗宣战，两伊战争打响。这是一场“马拉松”式的战役，前后持续7年又11个月，最后却无果而终。

1990年8月2日，萨达姆向科威特宣战，用很短的时间便占领了科威特全境，实现了萨达姆扩大伊拉克“石油版图”的梦想。联合国多次警告无效后，海湾战争于1991年1月17日全面爆发，以美国为首的34个国家对伊拉克实施了“外科手术”式的轰炸，伊拉克不得不从科威特全面撤退。

战争虽然结束了，但是石油资源丰富的中东地区却从来都没能摆脱战争的阴霾。在化石能源日趋稀缺的大背景下，美国虎视眈眈地注视着伊朗在这一地区的一举一动，希望通过控制这一关键区域进而控制整个世界。

对石油的争夺一直延续至高度文明的21世纪。2001年“9·11”恐怖袭击事件爆发后，美国以反恐与核安全为借口，于2003年发动伊拉克战争，实则为石油而战。现代社会的石油与战争是密不可分的双生子。

残酷的战争引起了人们的反思：人类该怎样消除“地缘政治”，告别“能源战争”呢？

鉴于两次世界大战的发源地和主战场都在欧洲，欧洲人对“地缘政治”的危害早有认识。1951年签订的《欧洲煤钢共同体条约》，用法、德两国煤炭、钢铁资源整合代替了长达数百年的对立和争夺。这一思想吸引了意大利、荷兰、比利时、卢森堡，它们成立了六国共同体，后来又发展为欧洲经济共同体，最后建立了欧盟。这也是欧洲在第三次工业革命和新能源革命中走在世界前列的重要原因。不过遗憾的是，它们只是试图在自己的圈子内消除“地缘政治”，对其他地区却仍然不同程度地奉行“地缘政治”政策。

至于美国，在“世界和平”这一人类的共同愿望面前，奉行的是“说一套、做一套”的双重原则。在过去的200多年里，美国是“地缘政治”的最大受益者。20世纪70年代以来，它一直是全球最大的石油净进口国，这决定着华盛顿对盛产石油的热点地区（如沙特阿拉伯、伊拉克、委内瑞拉、尼日利亚和里海地区）的外交政策，即一边扮演“世界警察”维持秩序，一边不停地挑起地域矛盾以保障自己的利益。

如何消除“地缘政治”，告别“能源战争”？从主导者来看，欧洲人投鼠忌器，美国人首鼠两端，只有奉行“和平崛起”的中国才有可能担当领导者的重任。

太阳能发电技术是人类能源史上的重大变革，并将改变全球的能源格局和地缘政治格局。大力发展太阳能对世界各国保障能源独立和能源安全都具有重大意义。

21 世纪中国经济的发展改变了石油的供需格局。2008 年金融危机爆发后，全球经济陷入衰退，中国成为世界经济发展的重要发动机。2009 年，沙特阿拉伯出口中国的原油已多于美国，中国目前已经成为超过美国的世界第一大石油净进口国。

中国所获得的石油进口份额并不是靠发动战争和对地缘政治的操纵，而更多来自于平等互利的外交、公平的贸易以及在石油生产国的大笔投资。为了和平利用非洲国家的石油，中国甚至对其开展了多笔无条件的高额经济援助。

在里夫金描绘的未来世界里，石油退居次要地位，分布式发电站将带来能源的民主化，削弱政治上的“统治”概念，代之以“合作”、“共享”。国家间共享信息和绿色能源，由于太阳的“公平”与“慷慨”，只要拥有相应的技术就能得到能源，而不需要掠夺他国的阳光。

发展太阳能将成为实现里夫金论断，告别地缘政治、石油战争的最有效的方式——用以太阳能为代表的新能源替代化石能源，减弱乃至消除化石能源带来的消极作用，可以给地缘政治、石油战争来个釜底抽薪，防止其再次兴风作浪。

如今，中国奉行的是“和平崛起”的理念，走的是“科学发展”的道路，要实现的是中华民族伟大复兴的“中国梦”，同时中国也具备了发展太阳能的领先优势。

告别“温室效应”

比债务危机、金融危机更严重的后果是，我们如今已经开始为前两次工业革命的繁华埋单——近200年来，煤炭、石油、天然气推动了人类的工业化进程，然而却向大气中排放了大量的二氧化碳，温室效应导致地球温度发生灾难性转变，继而威胁到人类的生存环境。

化石燃料对环境的影响主要表现在两个方面：一是二氧化碳过量排放引发温室效应，二是二氧化硫形成酸雨污染。

每年化石燃料燃烧排放的二氧化碳数量巨大。美国《国家科学院学报》2007年5月刊登的一项有关二氧化碳的研究成果显示，1980年全球二氧化碳排放量约为50亿吨，之后持续增加，至2004年已接近300亿吨。根据国际能源署发布的数据，2012年全球的二氧化碳排放量上升了1.4%，创下316亿吨的最高纪录。

目前，大气中的二氧化碳含量大约以每年1.5~1.8ppm的速度增加，照此发展，2030年将达到600ppm，全球气温将上升1.5℃ ~ 4.5℃，21世纪末将超过1 000ppm。这将对人类的居住环境造成灾难性的影响。

中国应对环境危机的任务更艰巨：一方面是因为中国原本在工业化的进程中不太注重环境保护，造成了环境破坏和污染；另一方面，中国目前的能源消费绝大部分属于化石能源消费。

让我们对比一下2012年世界一些重要国家（地区）在一次能源消费上的结构表现。从表1–2中可以看出，2012年消费一次能源最多的是中国

表 1–2　2012 年世界一次能源消费结构

国家	原油（%）	天然气（%）	原煤（%）	核能（%）	水力发电（%）	可再生能源（%）	总计（百万吨油当量）
美国	37.1	29.6	19.8	8.3	2.9	2.3	2 208.8
加拿大	31.7	27.6	6.7	6.6	26.2	1.3	328.8
墨西哥	49.3	40.1	4.7	1.1	3.8	1.1	187.7
北美洲合计	**37.3**	**30.1**	**17.2**	**7.6**	**5.7**	**2.1**	**2 725.4**
巴西	45.7	9.5	4.9	1.3	34.4	4.1	274.7
中南美洲合计	**45.4**	**22.3**	**4.2**	**0.8**	**24.9**	**2.4**	**665.3**
法国	33	15.6	4.6	39.2	5.4	2.2	245.4
德国	35.8	21.7	25.4	7.2	1.5	8.3	311.7
意大利	39.5	38	10	–	5.8	6.7	162.5
俄罗斯联邦	21.2	54	13.5	5.8	5.4	0.1	694.2
西班牙	44.2	19.5	13.4	9.6	3.2	10.2	144.3
土耳其	26.4	35	26.3	–	11	1.3	119.2
乌克兰	10.5	35.6	35.6	16.3	1.9	0.1	125.3
英国	33.6	34.6	19.2	7.8	0.6	4.1	203.6
欧洲和欧亚合计	**30**	**33.3**	**17.7**	**9.1**	**6.5**	**3.4**	**2 928.5**
伊朗	38.3	60	0.4	0.1	1.2	<0.05	234.2
沙特阿拉伯	58.4	41.6	–	–	–	–	222.2
中东合计	**49.3**	**48.7**	**1.3**	**0.1**	**0.6**	**0.1**	**761.5**
南非	21.8	2.8	72.8	2.5	0.3	–	123.3
非洲合计	**41.3**	**27.4**	**24.2**	**0.8**	**6**	**0.3**	**403.3**
澳大利亚	37.5	18.1	39.1	–	3.2	2.1	125.7
中国大陆	17.7	4.7	68.5	0.8	7.1	1.2	2 735.2
印度	30.4	8.7	52.9	1.4	4.6	1.9	563.5
印度尼西亚	44.9	20.2	31.6	–	1.8	1.4	159.4
日本	45.6	22	26	0.9	3.8	1.7	478.2
韩国	40.1	16.6	30.2	12.5	0.2	0.3	271.1
中国台湾	38.6	13.4	37.6	8.3	1.1	1	109.4
泰国	44.6	39.2	13.6	–	1.7	1	117.6
亚太地区合计	**27.8**	**11.3**	**52.3**	**1.6**	**5.8**	**1.3**	**4 992.2**
世界总计	**33.1**	**23.9**	**29.9**	**4.5**	**6.7**	**1.9**	**12 476.6**

资料来源：《BP 世界能源趋势报告》（2013 年）。

大陆和美国，分别占世界总量的21.9%和17.7%。在一次能源消费中，煤炭消费量最大的是中国大陆（68.5%）与南非（72.8%），而中国大陆的天然气消费量（4.7%）除了比南非（2.8%）略高以外，比任何一个国家（地区）都低。

可见，中国能源工业已经形成了以煤炭为主、多种能源互补的能源体系。要知道，大多数空气污染物（例如70%以上的二氧化硫排放和50%以上的烟尘）都与燃煤有关。形成PM2.5（颗粒物的一种分类）的化学前体物（如氮氧化物、氨化物）也与燃煤密切 相关。

要改变中国的能源消费结构，改善生态环境，可谓任重而道远。

中国环境科学研究院的《酸雨控制国家方案》研究表明，为了满足硫沉降临界负荷的要求，中国二氧化硫年排放总量应最终控制在1 620万吨左右。但是，根据预测，即使按照低发展方案的计算，二氧化硫的排放量在2020年将达到2 789万吨的水平；而按照高发展方案，二氧化硫排放量在2020年将达到3 945万吨，远远超过了环境目标容量。[4]

作为化石能源消费大国，中国在环境保护上的压力来自国际和国内两个方面。

从国际上讲，《联合国气候变化框架公约》、《京都议定书》、哥本哈根世界气候大会等一系列文件和国际会议，表明了世界各国对这一事关人类核心利益与发展前景的问题的关注。中国能耗巨大，必须承担起应尽的责任和义务。

中国化石能源消耗所带来的环境问题，已经成为一个日益迫切甚至非常尖锐的现实问题和社会问题。

中国一直在努力改善环境，也取得了一定的成效。2013年6月17日是中国首个“全国低碳日”，据国家发展改革委副主任解振华透露，

2006~2012 年，中国单位国内生产总值能耗下降了 23.6%，大约相当于少排放 18 亿吨二氧化碳。

我们一方面要控制碳排放，另一方面还要为经济发展提供能源动力支撑。这时候，可再生能源是最好的选择，尤其是最干净的太阳能——太阳能发电不需要消耗煤炭或石油等燃料，每发 1 度电，可以减少使用标准煤炭 0.33 千克，减少二氧化碳排放量 1 千克，减少二氧化硫排放量 0.009 千克。

据专家预计，中国光伏建筑一体化潜在的市场装机容量到 2020 年可达到 10 亿千瓦左右，可发电 1.25 万亿度，二氧化碳减排量每年约 13 亿吨。

此外，光伏分布式发电还能直接减少建筑耗能。中国建筑部门能耗占总能耗的 25%以上，城市建筑领域占城市能耗的百分比更高一些，大城市的建筑能耗要占 30%以上。建筑节能需要清洁能源供应。一般来说，建筑的终端能源消费主要是电力和热能（采暖、热水等），可再生能源大有用武之地。在提供电力方面，太阳能电池板和分布式太阳能电站以及小型风力机可以安装在公共建筑、商务楼和居民建筑上，薄膜电池可与建筑外墙、玻璃窗、玻璃幕墙等外立面结合起来，分布式太阳能电站能提供部分甚至全部电力需求，剩余的电力可直接售给电网公司。

可见，光伏发电就是空气污染的“终结者”。中国应将可再生能源尤其是优势明显的太阳能上升到一个战略高度，这关乎中国的能源独立与可持续发展。

实现“能源独立”

我曾在《纽约时报》上看到一幅让人难忘的政治漫画：一只肥胖的熊猫

躺在地上，抱着一大桶石油，拼命地往自己嘴里倒，满地都是空的石油桶。

这幅漫画的含义不言而喻，在西方人眼里，中国正在满世界寻找并巨量消费石油这种液体“黄金”。

自1993年开始，中国从原油净出口国转变为净进口国。2012年，中国的石油年消费量达到5亿吨，成为世界第二大石油消费国。同年，中国原油进口量达到2.7亿吨，同比增长6.8%，成为世界第二大石油进口国。石油消费的对外依存度已经从21世纪初的26%迅速上升到2012年的56%，预计2015年将达到61%！进口依存度如此高，我们不能不未雨绸缪。

中国为此付出了巨大的代价。2006~2012年，中东地区将石油出口到亚洲主要参考的基准价格（迪拜原油现货价格）由61.5美元/桶提高至109.1美元/桶。相应地，中国进口原油的均价也由约60美元/桶提高至110美元/桶左右。

2012年，国际原油期货均价创下历史最高纪录，WTI（西德州中级原油指标）原油均价为94.2美元/桶，布伦特原油均价为111.7美元/桶。有媒体报道称，2012年中国进口原油的成本达到110.31美元/桶，进口原油总成本高达1.38万亿元。原油成为中国最大的单项进口商品。

2012年，中国与美国在原油进口上的排名换位了。根据美国能源部情报局提供的临时数据，美国石油净进口于2012年12月下降至每天598万桶，为1992年2月以来的最低水平。但据中国海关透露，2012年12月，中国石油净进口猛增至每天612万桶。单纯从数字看，中国已经超过美国成为世界最大的石油净进口国。这一转变既意味着中国的强大，也隐藏着中国的危机。

尽管中美之间的换位可能是暂时的，但数字已经告诉我们，能源依赖程度越高，安全系数就越低。

中国石油消费量和进口量增加是一个确定的趋势。随着国际石油价格的不断攀升，我国在石油进口上花费了越来越多的外汇，大大降低了国际竞争力，更降低了我国的能源安全系数乃至国家安全系数。

目前我国仍处于工业化、信息化、城镇化和农业现代化快速发展的阶段，资源大量、快速消耗的态势在短期内难以改变。我认为，只要我们发展可再生能源，就能降低石油产品的对外依存度；也只有可再生能源才能改变油气的进口依赖现状，并最终实现能源自给。

以太阳能为代表的新能源是人类能源史上的重大变革。

1.太阳能发电大规模替代化石能源的时代已经来临，这是人类能源史上的重大变革，并将改变全球能源格局。

2.以太阳能为代表的新能源产业革命已经到来，它的意义比蒸汽机、电气化以及信息产业为代表的前几次革命都更加深远，可能是人类文明以来最重要的一次工业革命。

经济发展必然需要消耗大量能源，那么，我们就要选择用本国自有的清洁能源替代化石能源，当能源的上游（太阳能、风能、热能）都是自有的，当能源的中游（太阳能发电核心技术、风机等）都是自主的技术，当能源的下游（市场需求）也是自己的市场时，能源独立就可以成为现实。

每个国家选择的通往能源独立的路径可能不同，但共同点是采用可再生能源。

比如芬兰的“森林之路”。因为芬兰拥有丰富的森林资源，所以计划中超过50%的可再生能源来自于以木材为基础的原料，其次是风能，此外还有第二代生物质能。最终，芬兰政府计划使可再生资源在10~20年内取代煤炭，实现对煤炭的零使用。

比如丹麦的“风能之路”。丹麦已成为全球清洁能源技术的领跑者，风电设备出口占全球市场份额的1/3还多。丹麦能源署的统计数据显示，2010年丹麦风力发电总装机容量已达3.8GW，占全国发电总量的25%。

比如印度的可再生能源发电之路。印度政府早在2010年就宣布，计划将可再生能源的发电比重从目前的4%提高到2015年的10%，并在此基础上每年增加1%，最终于2020年达到15%。

比如日本从核能到太阳能的转变之路。2011年3月的“福岛核事故”发生前，日本经济产业省（METI）始终拒绝引入促进可再生能源发展的固定价格收购制度（FIT）。事故发生后，伴随着大多数核电站的暂时关闭以及2012年7月固定价格收购制度的实施，横跨日本的太阳能发电在很大程度上起航了。

美国也制订了可再生能源的发展计划，但目前仍希望通过页岩气革命实现能源独立。选择页岩气是因为美国在压裂技术上的领先地位。其次是计算机技术的应用，它可以使钻井设备钻入1 500多米的地下，深入到12米宽的气层核心。此外，全球72%的钻探设备在美国，而钻探设备正是开采页岩气所需要的。

2009~2012年，美国页岩气增加了1 000亿立方米的供气能力，相当于8 400万吨石油，这与美国现在从中东进口的石油量基本相当。再加上现有的石油储备，美国可以维持420天不从中东进口一滴油，这是它不害怕伊朗核问题引发石油危机的重要原因。

可是，页岩气终究不是可再生能源，总有用尽的一日，而且其开采过程有污染水资源的可能。再者，即使页岩气能实现美国的能源独立，最终也会在光伏革命的过程中被取代。

美国在能源独立的后续道路上走偏了，这或许是因为美国仍然在迷信石油霸权，不希望在可预期的时间内接受新能源革命所形成的世界新格局。

总之，在告别石油政治、实现能源安全与能源独立的道路上，历史应该会选择中国，中国应该选择太阳能光伏。

光伏革命：中国必然要选择的道路

工业革命呼唤中国

2012 年 11 月 8 日上午，中国共产党第十八次全国代表大会在人民大会堂召开。同所有普通的中国老百姓一样，我对此次大会的召开异常关注，因为这意味着，我们国家的执政党将通过这次大会选出新一届的中央领导集体，同时对国家下一阶段的大政方针做出战略部署，“中国崛起”的蓝图将变得越来越清晰、越来越具体。

作为全国工商联新能源商会会长，我对这次大会的关注点又同其他人不一样：在这次大会上，“科学发展观”被当作中国共产党的重要指导思想写进了党章，而科学发展观的核心内容是“以人为本，全面、协调、可持续发展”。那么，太阳能光伏应当如何拥抱这一战略思想呢？

基于近 20 年的新能源领域的产业探索、企业实践，联系此次关系国家民族命运的大会精神，我的信心越来越坚定：在新的世界政治经济格局中，在正在到来的第三次工业革命的大潮中，世界越来越需要中国，中国越来越需要光伏。

第一，石油进口依存度过高导致能源安全隐患重重，中国需要更安全的能源战略。虽然从2012年开始，中国已成为世界第二大能源消费国，国内生产总值也超越日本成为世界第二大经济体，但中国人均能耗水平相当于世界的平均水平，而人均国内生产总值水平却只相当于世界平均水平的一半。换句话说，中国人均国内生产总值能耗是世界平均水平的两倍，是世界发达国家的3~6倍，甚至高于印度。

能源消费涉及两方面的问题：消费总量和利用水平。也就是说，中国的能源消费总量极高，而利用水平相对较低。退一步讲，假设我们能够提高利用水平，降低单位能耗，这个过程也需要较长时间。而在这个过程中，经济总体规模还会继续扩大，社会生活水平还会不断提高，能源消费总量还是会增加。国务院要求，到2015年，我国年能源消费总量要控制在40亿吨标准煤。根据预测，2020年，我国的年能源消费总量将达到55亿吨标准煤，2030年将达到75亿吨标准煤。也就是说，能源消费总量逐步增加的趋势是不可改变的。

要应对能源消费总量不断增加的问题，只有两个解决方案：第一，继续开采、购买现有的化石能源；第二，寻找可替代的清洁能源。

关于前者，国内的开采量远远不能满足供应。2012年，中国的石油开采量在2亿吨左右，而石油的年消费量却达到5亿吨，同年进口原油2.7亿吨，石油消费的对外依存度为56%。

在过去的30年里，我国因处于“搭安全便车”地位，可以通过美国主宰的安全能源通道和庞大的海外市场获得来自中东的油气供应。那么，随着美国发展页岩气，调整中东战略，不再把更多的财力、物力用于维护全球能源通道安全上，我国能源外部供应的风险将被放大。如果再考虑因海洋油气开发而涉及的海疆主权和能源政治化因素，我国的能源外部供应环境面临的挑战就更大。

可见，石油、天然气等解决方案不够安全，也即中国现有的能源战略消费结构不够安全。这就把中国推到了第二个解决方案——寻找替代能源。

第二，中国是世界上最大的碳排放国，出于减排压力，转向清洁能源也是必由之路。根据中国社科院发布的《中国低碳经济发展报告(2012)》，中国是世界第一大碳排放国，也是世界最大的碳减排国。在2005~2010年的5年间，中国的单位国内生产总值能耗降低19.1%，相当于节省6.3亿吨标准煤，换算成碳排放就是15亿吨！

不论是作为世界上最大的碳排放国还是世界上最大的碳减排国，中国注定会成为能源革命的最大推动力。

目前，世界各国都在打造低碳城市，中国也迈出了实质性的一步。2010年，国家发改委指定5省8市作为低碳经济与低碳产业发展试点；上海在国家的指导和世界自然基金的支持下，开始规划建设“崇明低碳生态区”、“虹桥低碳商务区”和“临港新城低碳发展示范区”等；陕西省推出了“国家主体功能区规划”，成立了国家级生态田园新城“西咸新区”；湖北省利用低碳能源研究的优势，提出“生态湖北”的口号，在大型企业大力推广低碳技术；江苏省积极打造“南京低碳示范城”和扬州“低碳产业城”……

顾名思义，低碳城市应以新能源开发、低碳技术创新、智能电网和电力等循环、有效利用为主。

第三，我们还需要注意，因为第三次工业革命的特点是新能源通过技术手段实现共有、自助与分享，所以生产和决策的分散化会是此次工业革命的一大特色。这些特性决定了这次能源革命的推动者不可能是一个带有霸权主义色彩的国家。

反思过去，化石能源时代的两次工业革命的爆发，都是因为走到了无法用和平手段、商业方法、技术方式解决国家难题的地步。然而，第三次工业革命可以让亿万人彼此联结、共存于能源互联网的社会空间，地球上的每个人都是自己所需能源的生产源泉，经济真正实现自由发展，个性化生产成为可能……凡此种种都会削弱一个国家称霸世界的基础。

国家都有利己主义的一面，正如煤炭资源丰富的国家会侧重煤炭能源的使用，石油资源丰富的国家则会推崇以石油为基础的经济体系。美国之所以坚持以页岩气来实现能源独立，不正是因为美国的页岩气储量丰富且开采技术成熟吗？

我认为，中国根本没有继续坚持以化石能源为主的必要，中国一向崇尚世界和平，更重要的是，经过改革开放30多年的发展，中国的经济结构必须调整与改革。那么，还有什么机会能比能源革命更合适？从历史的轨迹来看，每一次能源革命都会带来一波产业革命，假使小范围内的页岩气革命都可以给美国带来复兴制造业的机会，全球范围的光伏革命又会给我们带来怎样的惊喜呢？

不仅仅是中国需要第三次工业革命，第三次工业革命也需要中国。从经济总量、国际影响力、能源结构变革的急迫性等方面看，美国之外的其他国家均不如中国。

在《第三次工业革命》一书的中文版序言中，里夫金讲到对中国的看法：

如果说美国是20世纪世界经济发展的楷模，中国则有可能在21世纪担当这一角色……

在今后的几年中，中国需要就未来的经济发展方向做出重要的决定……

中国人需要关心的问题是20年后中国将处于什么样的位置，是身陷日薄西山的第二次工业革命之中继续依赖化石能源与技术，还是积极投身于第三次工业革命，大力开发可再生能源科技?

对中国而言，建立可持续发展社会的重要性，应该是目前的当务之急。

在这一点上，我与里夫金的看法不谋而合。

光伏战争已经打响

第三次工业革命将把光伏推上历史舞台，这也正是中国的舞台。不少企业已经身处光伏革命的大棋局之中，在最核心的技术储备上，中国的光伏企业已经跻身世界一流梯队。

从多晶硅提纯的角度讲，世界上普遍采用的“改良西门子工艺”虽然提纯纯度高但能耗大、不环保。在这个方面，中国早已实现了技术领先。中科院上海技术物理所高文秀团队另辟蹊径，发明了“物理法”。2007年7月16日，部分样品经日本方面测定，纯度高达5～6N（“N”代表小数点后“9”的数量，必须在4N以上），电耗和水耗分别只有“改良西门子工艺”的1/3和1/10。

随着薄膜技术的快速发展、转化率的进一步提升和柔性组件的逐步量产，其成本优势和应用优势将更加突出。

我多次提到薄膜技术，因为这是太阳能电池的未来发展方向和总趋势。公允地说，单晶硅、多晶硅和薄膜在应用上各具优劣，但由于薄膜电池，特别是铜铟镓硒电池具有更好的弱光性（光照不足时仍可发电）、温度不敏感性（对温度的变化不敏感，温度提高时，电池效能下降较小），所以在实际发电量上，薄膜电池的优势更为突出。

中国光伏在政策驱动上也占有优势。2007 年，我国就已经成为生产太阳能电池最多的国家。全国太阳能电池的产能在 2012 年就已经超过了 35GW；2012 年 2 月底公布的《太阳能光伏产业“十二五”发展规划》明确提出，支持我国光伏骨干企业做优做强，到 2015 年实现以下规模：多晶硅领先企业达到 5 万吨级，骨干企业达到万吨级水平；太阳能电池领先企业达到 5GW 级，骨干企业达到 1GW 级水平；1 家年销售收入过千亿元的光伏企业，3~5 家年销售收入过 500 亿元的光伏企业，3~4 家年销售收入过 10 亿元的光伏专用设备企业。

汉能对光伏产业极有信心。2013 年年中，汉能发布了《全球新能源发展报告》。该报告预计，2013 年中国、美国、日本共计占全球光伏需求量的 47%，而且中国将超过德国，成为全球最大的光伏市场。

在我看来，可再生能源不再只是辅助性产业，而是已经在全球范围内逐渐替代传统能源。在这个过程中，各国都试图抢占先机。为此，中国的光伏企业必须严阵以待，容不得一丝马虎。

从这个角度讲，欧盟、美国针对中国光伏产品的“双反”调查只能证明一点，即作为老牌的石油大国，欧盟成员国和美国不得不开始重视中国在光伏产业的领先地位，并且开始反击。

“双反”调查也能从侧面证明，薄膜太阳能的确是光伏产业未来的技术趋势——在“双反”的背后，欧盟的目的其实是通过对晶硅电池的限制，促使薄膜电池获得更大的市场份额，从而促进新兴的薄膜电池技术的提高，确保欧洲在新一代薄膜光伏领域的领导地位。

欧美国家发动“双反”之战，一是为了抬高市场准入门槛，二是为了抢夺薄膜电池的技术制高点。我认为，这就是第三次工业革命中新能源战争的主要模式——看不到硝烟的贸易之战，不动声色的技术之战。

这是一场争夺新能源技术领先优势的战争。可以说，谁在可再生能源技术方面先行一步，谁就能在能源领域的竞争中领先一步。

中国光伏企业的应对之策，一是要在技术上更新换代，二是要积极开拓中国本土市场。2013 年 7 月，被称为光伏“国八条”的《国务院关于促进光伏产业健康发展的若干意见》出台，直接开启了本土市场的无限商机。据媒体报道，央企中的“五大四小”发电企业获得了近 300 亿元无电人口区光伏独立供电建设项目；中国机械工业集团和中航工业集团也拿下了 2.9GW的光伏电站大单。

对政府来说，要做的就是把握好光伏产业的发展方向，推动市场形成低消耗、可循环、低排放、可持续的产业结构和消费模式。

光伏战略呼之欲出

每次工业革命都会出现世界大国“重新排队”的机会，谁抓住了机会，谁就能成为世界格局的“领头羊”，比如第一次工业革命中的英国、第二次工业革命中的美国。

历次工业革命的历史经验也告诉我们，新能源在大国崛起中的作用不容忽视，谁掌握了新能源，谁就能实现“大国崛起”的梦想，比如英国掌控了煤炭、美国掌控了石油。

面对已经到来的第三次工业革命，各主要经济体对光伏行业发展的认识日益趋同，即抓住经济调整的关键机遇，大力发展可再生能源产业，比如荷兰发展生物质能、德国发展光伏、日本发展核能。

在以上共识的基础上，我想谈谈自己的观点：

第一，历史经验告诉我们，经济周期调整一般会以某些新兴行业的崛起为标志，今天这一新兴行业一定会是太阳能；

第二，如今，发展太阳能光伏的天时、地利、人和等要素都已经具备。在“天时”方面，石油呈现战略型枯竭，光伏技术日趋成熟，是时候“改朝换代”了。在“地利”方面，世界各国都拥有极丰富的太阳能资源。在“人和”方面，政策的推动与市场的刺激显示出人们的共同需求。

由此推论，制定关于太阳能光伏发展的国家战略已经迫在眉睫。

目前，中国政府已经制定了宏伟的绿色能源发展目标，要在2020年将非化石能源占一次能源的消费比重提高到15%，这意味着非化石能源利用量将在2010年2.77亿吨标准煤的基础上，至少再增加4亿多吨标准煤的能源供应，在一定程度上缓解中国的能源紧缺。

在2010年9月发布的《国务院关于加快培育和发展战略性新兴产业的决定》中，新能源产业毫无悬念地成为未来重点培育的支柱性产业之一。其中，核能、太阳能、风能、生物质能将领衔新能源产业的发展。

2012年11月8日，在北京召开的中国共产党第十八次代表大会把科学发展观作为指导思想写进了党章，从“以人为本”、“可持续”等关键字眼来理解“科学发展观”，可再生能源会更受重视。

经历了2012年的风风雨雨，光伏企业在2013年终于看到了彩虹。2013年6月14日，国务院总理李克强主持召开国务院常务会议，部署大气污染防治十条措施，研究促进光伏产业健康发展。在促进光伏产业健康发展方面，会上提出的六项解决措施（又叫“国六条”）直指困扰光伏行业的发电量收购、补贴发放不到位、融资困难等问题，具有极强的针对性。

国务院提出的促进光伏产业健康发展的六项措施

一是加强规划和产业政策引导，促进合理布局，重点拓展分布式光伏发电应用；

二是电网企业要保障配套电网与光伏发电项目同步建设投产，优先安排光伏发电计划，全额收购所发电量；

三是完善光伏发电电价支持政策，制定光伏电站分区域上网标杆电价，扩大可再生能源基金规模，保障对分布式光伏发电按电量补贴的资金及时发放到位；

四是鼓励金融机构采取措施缓解光伏制造企业融资困难；

五是支持关键材料及设备的技术研发和产业化，加强光伏产业标准和规范建设；

六是鼓励企业兼并重组、做优做强，抑制产能盲目扩张。

这六条措施将光伏产业定义为战略性新兴产业，而不是一个加工贸易性质的定位，有着非常重要的意义。这意味着中国的光伏产业将真正结束“野蛮”生长时代，将从盲目混战回归正常轨道，彻底改变过去错误的发展思路，按照产业的发展规律而“重生”，成为真正意义上的战略性新兴产业。目前，太阳能发电在中国整个能源结构中依然显得“微不足道”。据统计，2012 年中国太阳能发电量为 35 亿度，仅占全国发电量的 0.07%。这是因为，已形成的三大能源供应体系（电力体系、石油供应系统、天然气供应网络）还没有给分布式光伏发电市场留出足够的空间。相关政策的明确将有助于光伏企业做出决策，同时也将快速推进国内分布式光伏发电市场的发展。

光伏产业“国六条”、“国八条”等政策的出台，说明中国已经开始建立里夫金所说的“五大支柱”，并且将光伏当作新经济体系的一个重要支撑点。

光伏照亮“中国梦”

在不远的将来，太阳能将融入人类生活的各个角落，犹如当年初登历史舞台的石油一样。

在不远的将来，每幢房子都是一个小型的发电站，屋内都是太阳能照明，碳排放量微乎其微；每户用不完的电量都可以通过智能电网传输到买家手里，实现智能化的网络交易；每个人都处于全球能源网络中，人人都可以生产电能、发布信息、提供能源；国家甚至大洲之间可以实现能源共享，处于黑夜的国家可将富余的能源通过网络传输到处于白昼的国家。

这些略带梦幻色彩的场景都可能在未来一一实现。就像我们在植物能源时代无法想象有蒸汽机，在煤炭能源时代无法想象人类能登上月球，在石油能源时代不敢想象可以开着一辆不需要汽油的汽车那样，虽然看似遥不可及，但最终都变成了现实。

能源的更迭只有融入并改变人们的生活，才能被时代真正接受。由于现实世界有着强大的需求，由于只有太阳能可以提供一个可扩展的、有效的方法来缓解能源贫乏，光伏梦正逐渐成为现实。

2007年，斯坦福大学商学院的两名毕业生内德·特津和萨姆·戈德曼创办了一家名为D.light Design的营利性的太阳能制造企业，致力于服务全球各地缺少稳定电力的地区。它设计制造出多种高效安全的太阳能照明产品，零售价低至每台10美元，以实现其在全球范围内取缔煤油灯的宏伟目标。

D.light Design的首席执行官唐·泰斯曾在美国密歇根大学学习，师从已故的著名管理学教授普哈拉。普哈拉在《金字塔底层的财富：用利润根除贫困》一书中提出，企业可以通过为日消费不足2.50美元或更少的30亿"金字塔底层"人群设计产品和服务来获利，这也是一项造福人类的工程。

对于泰斯来说，D.Light Design的成功验证了普哈拉理论的正确性。其产品的主要优势是，所有的电能都能以光的形式发挥出来，以热的形式浪费的能量很少。这类灯具诠释了众多技术融合的巨大威力。

在新能源与新技术交融的条件下，这类设计产品会越来越多，并逐渐覆盖人类生活的各个方面。

破解"能源瓶颈"、弥补"能源软肋"的唯一出路就是进行一场新能源革命，确切地说是一场光伏革命，实施新能源替代战略。这是中国经济持续发展的重要战略。

中国也在期待着太阳能带来的改变。毫不夸张地说，“光伏梦”承载着“中国梦”。

2012 年 11 月 29 日，新任中共中央总书记习近平在国家博物馆参观“复兴之路”展览时，第一次阐释了“中国梦”。他说：“现在，大家都在讨论中国梦，我以为，实现中华民族的伟大复兴，就是中华民族近代以来最伟大的梦想。”他还提到，到中国共产党成立 100 周年时，全面建成小康社会的目标一定能实现；到新中国成立 100 周年时，建成富强民主文明和谐的社会主义现代化国家的目标一定能实现，中华民族伟大复兴的梦想也一定能实现。

中华民族要实现伟大复兴，经济必须走可持续发展之路。只有成为经济强国和创新强国，才能为实现中华民族伟大复兴奠定雄厚的物质技术基础。目前看来，只有光伏革命才能保障能源安全，才能实现中国经济的可持续增长。作为一名太阳能行业的管理者，我从这个层面上得出的结论是，只有实现了“光伏梦”，“中国梦”才能有实现的物质基础和技术基础。

光伏革命引领全球未来

在现在和未来，人类能否发明一种技术，像植物利用阳光制造能量一样直接利用太阳能？答案是肯定的。这种技术就是具备多种优势的太阳能光伏技术。太阳能发电的竞争方式是核心技术竞争，谁掌握了核心技术，谁就掌握了能源。从中国政府制定的一系列政策来看，中国有望抢占先机。

“叶绿素式革命”

人类对光伏的追求可以总结为一句简单的话：人类要像叶绿素一样利用太阳能。

自然界一直有一套太阳光捕捉系统，从第一个绿色生命诞生算起，这套系统已经运转了 30 多亿年。这就是光合作用。

人们对光合作用的研究已经持续了 200 余年，颇有收获。1845 年，德国科学家迈尔首先发现植物有将太阳能转化为化学能的本领。1864 年，德国科学家萨克斯发现光合作用能够产生淀粉。1880 年，德国科学家恩吉尔发现了能够释放氧气的叶绿体。20 世纪初，德国化学家维尔斯泰特发现了叶绿素——在绿色植物中含量最丰富，被视为捕光复合物。这是一个具有典型正 20 面体对称结构的空心球体，其中布满了色素分子，以便吸收光能并进行传递。

奇妙的叶绿素和光合作用激发人们做延伸思考：在自己的经济活动、工业生产和日常生活中，人类能不能发明一种人工制造的叶绿素，进而直接利用太阳能呢？

虽然人类早在 19 世纪就已经发现了太阳光照射到材料上引发的“光起电力”效果并进行研究，进而发现了光生伏特效应，又尝试用金属-半导体结来制造太阳能电池，但太阳能电池技术的时代直到 20 世纪 50 年代才最终到来。这主要得益于人们对半导体物理性质的深入了解，而且加工技术也上了一个新台阶。

1954 年，第一个有实际应用价值的单晶硅太阳能电池在贝尔实验室诞生，其发明者是贝尔实验室的皮尔逊、富勒和蔡平。他们发现，若在硅中掺入一定的微量杂质，经过太阳光照射，其中会产生电流，而且从光能到电能的转化率达到 10%左右。

因为它能实现利用光电材料吸收光能后发生光电转化，人类获取太阳能的方式也因科技的发展而逐渐走向真正的“叶绿素式”的获取。

进入 21 世纪，科研人员对叶绿素的研究又有了新突破：为了应对弱光环境，有些植物还衍生出了吸收长波光线的色素。2010 年，研究人员在西澳大利亚鲨鱼湾的一个藻青菌菌落中偶然提取到这种叶绿素，将其命名为叶绿素f。它能够吸收红光和红外线，波长范围为0.7~0.8微米（红外线的波长是0.77~1 000微米）。

科学家们开始尝试利用光合作用原理研制电池。比如，将植物里的叶绿素提取出来，放到人工制备的膜里，从以叶绿素为主的捕光系统到光反应中心，再加上10种辅助因子（如锰、铁、镁等）的共同作用，光合作用这个复杂且精巧的系统先把光转化成电，再转化为固定状态的化学能。

如今，模拟光合作用原理的电池已经制造出来了，这就是染料敏化电池。染料敏化电池是用敏化剂类人工合成染料代替了植物中的叶绿素。2011年11月19日，国内首个新型染料敏化太阳能电池项目在青岛高新区胶州湾北部园区投产。

光合作用是自然界最伟大的化学反应之一，通过太阳能电池实现的光伏发电也是人类伟大的研究成果，它从根本上改变了人类利用能源的方式。

太阳能发电是对太阳能的直接利用，从根本上改变了人类利用能源的方式。终有一天，人类将能够像绿色植物一样，直接利用取之不尽、用之不竭的太阳能。现在，薄膜的光电转化率已经达到15%~20%，其产生的能量没有任何污染，而且几乎是零排放，这是人类能源利用的终极方式！

因而，光伏发电可称为“叶绿素式”的光伏革命，它将是世界上最伟大的能源革命之一。通过叶绿素式的能源革命，人类将回归最初的能源形态。

国家的态度

“叶绿素式革命”的颠覆性不仅表现在能源的利用方式上，而且表现在它可以突破传统能源利益格局的限制。

从国际层面上讲，这种限制就是美国的石油霸权以及石油带来的地缘政治格局。欧美对中国光伏产品实施“双反”调查主要有两大目的：一方面是增强新能源的技术和专利壁垒，比如美国在硅晶体太阳能、德国在精密机械太阳能方面的控制权；另一方面是压制中国的新能源发展。

中国的煤炭资源相当丰富，如果继续以煤炭为主要能源，倒也能维持多年。但是，《京都议定书》的限制、全球温室效应的压力都要求我们走可持续的新能源道路，然而，新能源的技术和专利都在他人手中。因此，我们摆脱困境的唯一出路就是抢占新能源和高科技的领先地位。

从国家层面上讲，就是要突破本国传统能源利益集团的障碍。在美国，这种障碍主要表现在国会里的政策之争，即以共和党为主体的石油集团、军工集团和以民主党为主体的硅谷半导体集团的对立。

为了突出自己在能源独立和绿色经济上的信心，奥巴马将 2009 年总统就职典礼的主色调由传统的红色改为绿色。那时候，奥巴马重点提到了未来美国的汽车和工厂可以“由太阳能和风能驱动”，并且认为可再生能源的前景“宽广而有潜力”。但是 2013 年 1 月 21 日，奥巴马在国会山发表第二任期的就职演讲时，近 20 分钟的演讲，只有一分钟是关于气候问题的，而对可再生能源的推广也只是泛泛地提到“道阻且长”。

在这种微妙的变化中，美国页岩气革命被提上了日程——虽然麻省理工学院的一项研究声称，页岩气只能算是向低碳未来前进的一个“暂时性”的过渡方案。夸大其价值可能会严重妨碍碳收集和碳封存等低排放科技的发展。

欧洲则由于传统化石能源供应问题，要么被俄罗斯掐住脖子，要么挨美国的拳头，因此对传统化石能源并没有那么眷恋。欧洲石油巨头（如英国石油公司、荷兰皇家壳牌石油公司、道达尔公司）的市场都遍布全球，因而欧洲各国没有受限于大牌传统能源公司的金钱目标。

但欧洲缺乏政治上的统一，目前尚难以对现有的以各个国家为基础的电力公司和能源网络进行有效整合。

在这方面，中国则具有较大的政治优势。第一，受制于环境压力和经济增长要求，中国对新能源的渴望比他国更强烈。在过去的20年里，中国一直在宣扬转向绿色能源的必要性。第二，中国领导人对第三次工业革命极为重视，而且十分关注新能源的战略规划。第三，中国传统化石能源企业几乎都是国有企业，中国政府在制定能源政策时，不存在美国政府面临的来自利益集团的巨大压力。

2012年9月12日，国家能源局印发《太阳能发电发展“十二五”规划》，提出的发展目标是：到2015年，中国太阳能发电装机容量达到21GW以上，其中，光伏分布式发电达到10GW。

2012年9月14日，国家能源局拟定了一个名为《关于申报分布式光伏发电规模化应用示范区的通知》的文件，并下发到中国各大光伏企业。该通知称将出台一个“一期为15GW总装机容量的分布式发电规划”，并要求各省区市能源主管部门在10月15日前上报实施方案，凸显国家扶持光伏企业、发展新能源的强烈意愿。

两相比较，后者比前者的要求更高——光伏分布式发电装机容量提升为15GW，较之前者加码50%。

据了解，国家能源局目前正在做光伏产业30年、50年的规划：到2015年中国的累计装机容量将达到35GW，到2020年将达到100GW；2020~2050年光伏装机容量还会大幅提高，平均每年新增装机容量30GW。

中国的实力

中国距离光伏革命只是咫尺而已。

第一，中国有技术实力。光伏科技进步迅速，中国也掌握了一定的先机。汉能早在数年前就已经转向薄膜电池技术。

> **2013年6月15日，全联新能源商会薄膜论坛及薄膜专委会发起成立仪式在北京举行，来自全球的200余名光伏行业人士、专家、媒体记者参加了论坛。我在致辞中强调，以太阳能为代表的新能源的核心竞争方式与传统能源相反，即不是资源竞争，而是核心技术竞争。谁掌握了核心技术，谁就掌握了能源。**

中国的《太阳能光伏产业“十二五”发展规划》提出，将重点布局晶硅电池技术、薄膜电池技术及新型电池技术研发。到2015年，力争使单晶硅电池的产业化转化率达到21%，多晶硅电池达到19%，非晶硅薄膜电池达到12%，碲化镉、铜铟镓硒薄膜电池实现产业化，初步实现用户侧并网光伏系统平价上网，公用电网侧并网光伏系统上网电价低于0.8元/度。

第二，中国政府不遗余力地推动清洁能源的投资。彭博新能源财经2013年7月的统计数据显示，2013年第二季度，中国的清洁能源投资额达138亿美元，环比上升63%，总额位居全球第一。同期，全球清洁能源投资额达到531亿美元，较第一季度增加了22%，显著高于第一季度的436亿美元，但不及2012年第二季度的631亿美元。中国第二季度的清洁能源投资额占全球同期清洁能源投资额的25.9%。

第三，中国有着广阔的本土市场。根据国家能源局的规划，在"十二五"期间，中国太阳能发电将进入多元化、大规模应用阶段。一是在西部太阳能资源丰富地区，主要包括西藏、内蒙古、甘肃、宁夏、青海、新疆、云南等地区，建成并网太阳能电站500万千瓦。二是大力推广城市屋顶太阳能分布式发电，重点在经济开发区、工业园区等建筑屋顶面积总量大的区域集中建设，鼓励用户自发自用。三是在国家组织实施的100个新能源示范城市和200个绿色能源示范县建设中，积极推广太阳能发电的应用，研究探索光伏发电和智能微电网系统的协调发展，为太阳能分布式发电建立技术和管理支撑体系。到2013年年底，我国太阳能发电累计容量将达到16.5GW左右。

"得光伏者得天下"

能源终极替代正在进行，以可再生能源为主的分布式发电将为世界带来一场新的能源革命，阳光将成为这场革命的主角。

我们已经论述过太阳能成为能源终极替代主角的必然性，让我们沿着这条路径设想一下未来。

人类会进入一个连接石油时代与光伏时代的“后石油时代”。在这个阶段，技术竞赛将成为核心。

既然我们能确认可再生能源将在未来引领风骚，而可再生能源的特点决定了必须通过现代装备制造技术，才能将地热、风力和太阳光等自然资源转化为可用及可控的能源，因此我们必须积极投入研发，抢夺先机。

从研发到产业化需要时间，各国必然拼尽全力争取自己在技术上的领先地位，具有能源霸权主义情结的国家会通过各种贸易战来打击、削弱对手。未来 10 年，贸易战还会升温。

不可不防的是，由于发达国家拥有技术、资本等先发优势，将更有可能成为新型装备、新材料的主要提供商。在“技术制高点”的优势下，发达国家有可能成为未来全球高附加值终端产品、主要新型装备产品和新材料的主要生产国和控制国，发达国家的实体经济将进一步增强。

在石油时代，“技术阴谋论”并不是什么新鲜事。比如，美国在半导体行业拥有很多优势和数十年经验，但为何选择晶体硅作为其太阳能的发展方向而不是薄膜？这与硅谷的一批半导体研发领军者的推动有关。这些人士大多在大规模集成电路、平板显示器、计算机硬盘等领域拥有非常丰富的经验。从工艺来看，从半导体到电池板只不过是产品变化，而很多技术和生产设备都可以通用。其核心就是美国人把持的两大技术核心——能源和半导体。第一次半导体革命带来了电脑和消费类电子产品，而第二次半导体革命就是半导体向能源的回归，把自己变成能源的来源。

其实在高科技革命之前，美国的半导体芯片和电路板就是在能源工业的电网和输电技术的基础上兴起的。半导体的处理器芯片则为人类带来了大规模生产的收音机、电视机、电脑和其他消费类电子产品。

美国把晶体硅的优势说得绝无仅有，吸引他国共同开发，实际上是把产业链里最低端、利润最薄的那一块给他国糊口，而自己则控制最关键的技术。

由此我们可以看出美国人的策略：把新能源的发展和国家对关键技术的控制紧密地联系在一起。通过对能源技术和半导体技术的合流主导世界的技术发展方向，并以此确保美国的国际竞争力。

因此，在技术上开辟出一条完全不同的新路，打破美国控制的局面，就是一个国家增强未来国际竞争力的良好途径。同理，要在“光伏时代”领先一步，只有一个办法：技术赶超，抢先进入光伏时代。

太阳能发电技术是我们抢先进入光伏时代的钥匙。目前中国已经领先一步，而凭借先进的技术优势、广阔的市场以及政府的战略布局，中国一定会赢得这场光伏革命。

新能源产业的发展是中国难得的机遇：

1. 实现我国太阳能产业从晶硅到薄膜的战略升级，保持我国在薄膜太阳能领域的领先地位，加快薄膜太阳能产业的发展，对于我国“稳增长、调结构和产业转型升级”具有重大的战略意义。

2. 新能源产业的发展已经超出我们所有人的想象。对中国来说，这是一个难得的机遇，抓住这次机遇，中国将实现能源独立和能源安全。

3. 这次新能源革命是以制造业为基础的，而制造业是我国

的传统优势行业，完全有可能由我们中国人主导！

4. 与美国、欧洲和日本相比，中国有发展太阳能产业的独特优势。太阳能产业需要资金、技术和市场，三者缺一不可。美国受到利益集团绑架，把发展新能源的主要精力放到页岩气上；欧洲有技术和市场，但是缺少资金；日本拥有资金和技术，但是缺少市场。只有中国三者兼备。

若中国抢先进入光伏时代，我们就可以与300年来的传统工业经济发展模式告别了，我们会建立起以更高效、更快速发展、共享为特点的全新的工业方式和工业体系——光伏工业体系。

届时，每个人都可以生产清洁能源，人们在家里就可以利用能源互联网，以各种高智能设备进行个性化制造，生产少量但多样化的产品。这会改变简单重复性的工厂流水线模式，模糊制造业与信息高科技等智能行业的界限，使发明和制造的过程结合得更加紧密，大大缩短从发明到制造的时间。

当中国进入光伏时代，我们会发现自己可以获得几近免费的、永不枯竭的能源，因为在能源互联网上，每一个微型电站生产的多余能源都可以跨洲传输和交易。

当中国进入光伏时代，我们就能摆脱“污染”、“有限”、“不可持续”等旧的经济发展模式，同时也能与压在全世界人民头上的“雾霾”、“温室效应”等环境问题告别。

当中国进入光伏时代，我们会发现能源供应的格局已完全改变，全面、可持续发展成为可能，中国也可以彻底掌握发展的主动权。随着国家间比较优势和产业结构的变化，世界经济地理格局也随之重构，原先以第二次工业革命为基础的国际经济分工会被改变。中国会在新一轮的产业分工与财富版图划分中赢得主动。

当中国进入光伏时代，我们会发现化石能源引发的地缘政治影响已不复存在。由于太阳照耀大地的“公平性”，国与国之间的冲突从能源战变成了技术战。数十亿人在一个跨越大洲的绿色电力互联网上分享各自的可再生能源，这将为全球经济和社会奠定和谐发展之基。

第二章

机遇与挑战：光伏产业新格局

导 读

错失了两次工业革命、两次能源革命机遇的中国，终于迎来了第三次工业革命。这一次，中国终于跟上了工业革命的步伐。在以光伏革命为主导的新能源革命中，中国和世界发达国家处在了同一条起跑线上。

透过欧盟的“双反”阴谋，我们既要检讨自己“两头在外、产能过剩”的晶硅模式，更要认清转型升级的方向：薄膜化、柔性化才是太阳能产业战略方向的正确选择。

世界光伏将选择中国，中国光伏将选择薄膜。

从必须到必然

通过纪录片《地球》所讲述的地球变迁故事，我们能够感受到告别化石能源、开展新能源革命的必然性。那么，谁将成为新能源革命的必然选择？不是风能、水能，不是核能、生物质能，也不是潮汐能和页岩气。这些能源或者不可持续，或者会造成新的环境问题，或者存在技术上的致命难题。唯一可行的方案是太阳能利用。太阳能取之不尽，技术进步和成本下降的速度超过很多人的想象，既可以替代传统化石能源，又不存在其他新能源的局限。因此，光伏革命不是备选项，而是必选项。

从美丽的地球说起

没有地球就没有人类的一切，这一章我们就从《地球》这部纪录片说起。

BBC（英国广播公司）制作了5年，使用了最先进的摄影设备，动用了最顶尖的摄影师和飞行员，完成了这一部美丽的影片。影片以不可思议的角度捕捉地球生命的律动。

画面讲述着地球千年不变的故事，你可能会被每个镜头带来的视觉享受震撼，但如今的地球早已面目全非，人类活动极大地破坏了动植物的生存环境。北冰洋的坚冰解冻得一年比一年早，而非洲荒原的旱情则愈加严重。

此片导演艾雷斯泰·法瑟吉尔曾悲观地说："我希望能拍到最美的地球景象，我知道我的孩子再也不能亲眼目睹这么美好的景象了，我的孩子的孩子就更不可能看到了。"

艾雷斯泰的悲观源于人类对大自然的过度索取，开发和使用石油、煤炭等化石能源给地球造成了不可逆转的破坏。大量的温室气体使全球开始变暖。当臭氧层被破坏而出现空洞时，紫外线则更加强烈地照射地球……

面对全球变暖，有人争论各国碳排放的指标分配问题，有人建议把时间、资金投入到页岩气开发上，还有人主张大力发展相对清洁的核能、沼气等。在我看来，花费太多精力讨论这些问题显得有些不负责任。很明显，寻求既清洁又可持续的替代能源才是正确道路，化石能源已经造成了危机，我们所剩的时间已经不多，所以应该尽快抓住新能源革命的良好契机，实现人类自身的主动突围。

目前我们所处的时代虽然仍是石油时代的延续或石油时代向新能源时代的过渡期，但是化石能源的枯竭和环境问题日益凸显，人类需要一场新能源革命。

进入21世纪，石油变得更加昂贵。爆发于2008年、至今还令世界惊魂未定的全球经济危机被认定与高油价密切相关，而这将会加速化石能源时代的终结：一是石油涨价导致所有经济要素基本上同步上涨；二是高油价持续时间长、上涨幅度大，这将直接导致一次全球财富再分配。对中国等高度依赖石油进口的国家而言，这种持续高价的结果相当于使一个国家的整体利润降低，因而成为阻碍经济持续、健康、快速发展的深层次根源。

前面我们也说过，人类社会历次最具历史意义的进步都建立在能源革命的基础上，而每一次历史性的衰退也总是与能源危机密不可分。人类社会要想真正地避免倒退、迎接进步，就必须进行新能源革命。

引领新能源革命

众所周知，能源、粮食和环境问题是 21 世纪人类面临的三大问题，其中能源问题排在首位。近年来，为迎接后化石能源时代向新能源时代的过渡，各国都积极研发各种新能源技术，同时利用各种补贴政策或优惠政策推动新能源发展。

关于新能源，目前国际上还没有形成统一的定义。按照我国的界定，新能源主要包括风能、太阳能、生物质能、海洋能、核能、地热能、非常规天然气（页岩气）等。世界各国基本上都是多种新能源并行发展。近 10 年来，我国在风能、太阳能、生物质能、核能、地热能等各个领域也都有一定的布局和积累。

但需要强调的是，根据多年积累的经验，并非每种新能源的发展都能称为“能源革命”。正如经济发展需要解决主次问题，能源替代路径也应分清主次：选择其中的一种作为战略发展方向，其他作为辅助。

那么，我们应该将哪种新能源作为主打呢？我们总结出如下三个选择标准：第一，为了避免资源枯竭的问题，这种新能源必须是取之不尽、用之不竭的，最起码是可循环利用的；第二，为了防止环境污染问题，这种新能源必须是无污染的（包括能源自身无污染、装备制造及工程施工过程无污染、消费过程无污染）；第三，利用这种新能源的技术必须是当前人类已经熟练掌握并且有很大改进空间的。

除太阳能外，其他能源都难以同时符合以上标准，而且实践也已经证明，其他能源各有缺陷，不能引领能源发展进入“革命性”进程。

在第一章我们已经详细论述过，并将新能源中的两种——风能和水能——排除在了“新能源革命”引领者的名单之外。

下面我们再来证明，为何生物质能、海洋能、核能和地热能不可能成为新能源革命的引领者。至于页岩气，因为比较复杂，我们留待后面的章节论述。

与风能相比，生物质能发展则更早地陷入了困境。

在几年前，生物质能曾被很多人认为是中国新能源发展中大有可为的一种，于是，诸多生物乙醇项目纷纷上马，而如今这些项目几乎全部陷入困境。原因在于原料短缺：我国人口多耕地少，根本没有那么多的土地资源可用以生产生物能源。

生物质能不仅与民争地，也与民争粮。根据相关研究数据，每生产1吨生物乙醇，需要3.3吨玉米或7吨木薯或10吨红薯或15~16吨甜高粱。

联合国曾预言，到21世纪中叶，全球的食物和燃料需求将是现在的两倍，并警告说，大力发展生物质能将导致食品供应减少、价格升高，尤其是在非洲等贫困地区。

要种植足够的植物以制造替代汽油的生物燃料，需要的土地数量令人震惊。美国每年需要 5 300 亿升汽油和 1 514 亿升柴油。即使把美国所有的大豆都拿来制造生物柴油，也只能满足 6%的需求。近几年，美国每年约有 40%的玉米被转换成酒精，但仅能替代 9%的汽油消耗。而减去玉米耕种、收割、运输，以及把它转换成燃料所消耗的能量，玉米酒精所减少的碳排放根本微不足道。考虑到付出巨大代价制造的生物燃料仅能减少 9%和能源有关的排放，经合组织曾呼吁终止对生物燃料行业的所有补贴。

地热能也不可能成为新能源革命的引领者。地热能是从地壳抽取的天然热能。这种能量来自地球内部的熔岩，以热力形式存在，是引起火山爆发及地震的能量。最简单、最合乎成本效益的方法就是直接取用这些热源，并抽取其能量，主要应用在地热发电上。在地热利用规模上，中国近年来一直居世界首位。

地热能也是一种可再生能源，但很多新能源研究专著并没有将其列入其中，美国甚至连续多年没把地热能研究基金列入政府财政年度预算中。虽称地热能是一种"成熟的技术"，显然，相比获得高额补贴的风能、太阳能，地热能并没有受到美国企业界的重视。

和其他可再生能源的起步阶段一样，地热能的发展也受制于技术和资金困境：地热产业属于资本密集型产业，从投资到收益的过程较为漫长，一般来说较难吸引到商业投资；地热能的技术规范和技术标准尚不健全，亟待完善。

除外在因素外，地热能自身的缺陷也非常明显：地热能虽然储量相当大，但不易开发，且受地质条件的限制；地热水直接排放容易造成地表水污染和土壤污染，超采还会造成地面沉降。所以，地热能难以担当新能源革命引领者的重任。

就核能而言，一般的新能源概念并没有将其列入其中，只有广义的新能源概念才将核能与风能、太阳能等并列。

自 2011 年 3 月 11 日东日本大地震引发福岛核电站事故后，世界核电再次陷入衰退期：包括德国在内的不少国家宣布将有计划地关闭所有核电站；中国也宣布，在新的核电安全标准出台前，暂停新的核电项目开发。虽然迄今为止，核电站只发生过包括切尔诺贝利在内的少数事故，但事故的代价太过高昂。目前，国内对上马新核电项目，特别是内陆核电项目一直存在很大争议，邻避效应正在核电领域蔓延。

核能之所以也能被列为新能源，主要与其不会排放污染物质和温室气体有关，但是它并不属于可再生能源，它所需的燃料也总有枯竭的一天，而且枯竭速度甚至比化石能源还快。核能是以放射性物质铀作为燃料，但铀的储量有限。有报道显示，以现在世界铀需求量与开采量计算，铀开采仅可持续 70 年左右。如果我们全部用核能替换化石燃料，那么铀将在 4 年内耗尽。

除此之外，核电站技术复杂，建设周期长，而且拆除费用比建造费用还高。停止运行并拆除一座大型核电站需要 2 亿~5 亿美元，而且核电站的放射性废料会伴随人类成千上万年，至今都没有令人满意的处置办法。因此，核电也无法引领新能源革命。

目前讨论得较多的还有一种可再生能源，即海洋能。海洋能指依附在海水中的可再生能源，海洋通过各种物理过程接收、储存和散发能量，这些能量以潮汐、波浪、温度差、盐度梯度、海流等形式大量存在于海洋中。然而，经过几十年的发展，很多海洋能至今没能被利用，主要原因包括经济效益差、成本高以及一些技术难题还没有攻克。另外，大型项目可能会破坏自然水流、潮汐和生态系统，所以其发展一直比较缓慢。

以利用较广泛的潮汐能为例，尽管世界海岸线足够长，但它仍深受地理因素制约。第一，潮汐的幅度必须大，至少需要几米；第二，海岸的地形必须能储蓄大量海水，并可开展土建工程。

就我国的地形地质而言，沿海主要为平原型和港湾型两类：以杭州湾为界，杭州湾以北，大部分为平原海岸，海岸线平直，地形平坦，由沙或淤泥组成，潮差较小，且缺乏较优越的发电坝址；杭州湾以南，港湾海岸较多，地势险峻，岸线曲折，坡陡水深，海湾、海岸潮差较大，且有较优越的发电坝址。但浙江、福建两省沿岸均为淤泥质港湾，虽有丰富的潮汐能资源，但开发难度颇大，必须解决水库的泥沙淤积问题。基于这些因素，海洋能注定难以在能源替代革命中发挥主要作用。

总而言之，风能、水能、生物质能、核能、潮汐能等都不具备引领新能源革命的资质。

光伏才是必然之选

综合分析比较风能、生物质能、地热能、核能、海洋能的特征及发展态势后，我们可以得出一个结论：上述各种新能源对现有能源结构仅能起到补充作用，而无法起到替代作用。并不是说它们现在占比很小，就不能在将来起到替代作用，而是在客观分析其利弊及发展空间后，看不到大规模应用及替代的可能性；同样，也不能用目前其在能源消费结构中的排名来看待新能源未来发展的排名，比如风能、核能目前在新能源的占比排名中较为靠前，但仍不能由此得出“新能源的未来在于风能、核能”的结论。

经过比较，太阳能显然能够在新能源革命中成为后起之秀，光伏革命将会主导新能源革命。

当然，这并不是说太阳能就没有缺点，而是说这些缺点的不良影响或多或少可以通过采取相应的技术和适当的措施加以避免或减轻。比如，光伏对环境的影响主要是占地面积大，1 座 10 万千瓦的太阳能光伏电站或太阳能热电站的占地面积达 1~3 平方公里。但目前世界光伏发电的主流趋势是光伏建筑一体化，将太阳能组件与建筑完美结合，即使在城市土地资源宝贵的情况下也可以发电，而大中型电站则可以安装在沙漠中，不占用耕地。

另外，太阳能虽然初始成本较高，但是它适应性强、基本不用维护，无任何污染排放。

> **太阳能是万能之本，我们现在使用的火电、核电、石油等所有传统能源都是对太阳能的间接利用，效率非常低，比如，100W的太阳能传送到地球，通过传统能源间接取得的能量，我们人类只能利用其中的 1%~2%，而且还必须通过燃烧才能取得，剩余的 98%~99% 都散发到空气中并带来污染。而太阳能发电是对太阳能的直接利用，从根本上改变了人类的能源利用方式。**

现在，薄膜电池光电转化率已经达到 10%~20%，是传统能源的十几倍，未来可以达到几十倍，太阳能大规模替代传统能源的时代已经来临。也许有一天，人类能源不但不会短缺，反而会过剩。

太阳能也是目前增长最快的清洁能源。尽管目前只提供了全球能源中很小的一部分，但如果地球上1%的陆地区域安装光电装置，就能满足全球当前所有的能源需求。在大约20年里，全球地表1%的面积上所产生的太阳能将等于所有已知的化石燃料储备的总能量。

美国总统奥巴马说，到2025年，可再生能源将占美国电力需求的25%；联合国秘书长潘基文也曾预测，到2030年，将有30%的传统能源被新能源替代。他们之所以如此乐观，是因为比起水电或其他能源利用方式，太阳能的建设速度可以很快。比如，金沙江的金安桥水电站300万千瓦的装机，花了整整8年才建成投产，而要实现300万千瓦太阳能发电装机规模，大概一年就能完工。其建设速度之快超出了很多人的想象，所以说太阳能是大趋势。

目前，美国、日本、中东等国家和地区在太阳能的研发上投入巨大。可以说，太阳能发电是人类能源史上的重大变革，并将改变全球的能源格局。而在这些变革当中，最根本的是技术。谁拥有了核心技术，谁就能立于不败之地，因为太阳能是共享而无法垄断的。

在太阳能技术方面，中国和欧美在同一起跑线上，而且各有千秋：在硅基薄膜技术方面，中国目前处于领先地位；但在铜铟镓硒薄膜技术方面，美国和欧盟更胜一筹。中国相关企业可以通过收购欧美企业来获得核心技术，包括知识产权。

页岩气是个伪命题?

能源大亨乔治·米切尔是得克萨斯州人，他几乎以一人之力开启了“页岩气革命”，被美国的研究机构授予终身成就奖，并跻身《福布斯》杂志富豪榜。

然而，页岩气毕竟属于传统化石能源的范畴，美国发动的这场疯狂“革命”的背后，从芝加哥期货交易所到华尔街的投资大鳄，再到华盛顿国会山的政客，到处可见操纵者的身影，使这看起来更像是一场骗局。从2005年美国发动“页岩气革命”开始，到2012年天然气价格崩盘，美国2/3的钻探公司被套牢，输得精光。

所以，我们要认清“页岩气革命”的本质，以免被欺骗。

一位老人和一场“革命”

2013 年 7 月 27 日，94 岁的乔治 · 米切尔离世，大量怀念这位得克萨斯州老人的文章问世。他是页岩气开发技术的创始人，并且，在很多人看来，他以一人之力开启了“页岩气革命”。

几年前，很多美国人根本不知道页岩气为何物，但今天，美国页岩气田林立，页岩气突然在地方经济中占据重要地位。“如果晚上开车经过油气田，抬眼望去，灯光闪闪的井架宛如一片圣诞树树林。”[1]

乔治 · 米切尔于 2010 年被美国天然气技术研究所授予终身成就奖。经过他改进的水力压裂技术开启了美国页岩气开采的大繁荣时代，美国有望在未来数年内实现真正的能源自给。人们盛赞米切尔为美国经济做出的贡献，而他本人也因为商业上的成功，在 2012 年位列《福布斯》杂志财富 400 强排行榜的第 239 位。

尽管页岩气的兴起被认为是一场革命，但它并没有离开天然气和传统化石能源的范畴。授予米切尔奖项的是美国天然气技术研究所，而页岩气的投资方基本上都是传统石油公司。

所以，页岩气是否属于新能源尚有待商榷，而把“页岩气革命”混同于“新能源革命”确实不妥。页岩气是一种非常规天然气，并不符合联合国环境署确定的“可再生、无污染”的新能源标准。此外，页岩气的开采成本比天然气还要高，而且开采起来需要消耗大量水资源，还会造成地下水污染。

然而，页岩气还是在美国掀起风潮，并迅速向世界各地弥漫，其中也包括中国。

人们有理由担心，所谓的"页岩气革命"将冲淡真正的新能源革命。媒体上还出现了许多蛊惑人心的说法，比如"这是一场真正的新能源革命"，"美国天然气大举出口，将实现能源独立"，"页岩气革命撼动了国际能源格局"等。

数据显示，美国2000年的页岩气产量不足天然气供应的1%，但今天已经占到30%，而且份额还在上升。由于页岩气的大规模开发，美国于2009年取代俄罗斯成为世界第一大天然气生产国，占世界天然气总产量的20%。2012年，美国天然气的销售量更达到7 160亿立方米，比2006年增加了30%。

全球不少国家也开始效仿美国，加大对页岩气的投资：墨西哥计划在未来两年投资20亿美元开发页岩气；40多家跨国石油公司在欧洲寻找页岩气；能源供应大国俄罗斯尽管具有超大规模的常规天然气储量，但还是做好了开采页岩气的准备……

中国也不例外，在短时间内就被卷入了这波页岩气浪潮之中。2012年1月，中国能源巨头中国石油化工集团公司（简称中石化）重金收购美国页岩气公司。紧接着，中石化和中国石油天然气集团公司（简称中石油）又分别以22亿美元和10亿美元收购美国5个页岩气田和荷兰皇家壳牌石油公司在加拿大的页岩气项目。

在2012年3月的"两会"上，"加快页岩气勘查、开发攻关"的字样出现在政府工作报告中。4个月后，页岩气被火速写进《"十二五"国家战略性新兴产业发展规划》，与太阳能、风能、核电、生物质能等新能源一同被列入七大战略性新兴产业名单。

2012 年 6 月，中国国土资源部拿出了四块区域的页岩气探矿权进行招标，打响了中国页岩气“革命”的第一枪。2012 年 11 月，财政部出台补贴政策：到 2015 年，每立方米页岩气补贴 0.4 元。这个时间距离中国第一口页岩气井产气只有 28 个月。相比之下，中国在 1958 年就制造出了第一块单晶硅，可是拿到补贴已经是 50 年之后了。

《页岩气发展规划（2011~2015 年）》制定了具体的规划目标，即在“十二五”期间，我国将探明页岩气地质储量 6 000 亿立方米，可采储量 2 000 亿立方米，2015 年页岩气产量达 65 亿立方米，力争 2020 年的产量达到 600 亿~1 000 亿立方米。如果这一目标得以实现，我国天然气自给率有望提升到 60%~70%，天然气在我国一次能源消耗中的占比将提升至 8% 左右。

表 2–1　中国页岩气发展规划（2011~2015 年）

探明页岩气地质储量	6 000 亿立方米
可采储量	2 000 亿立方米
2015 年产量	65 亿立方米
2020 年产量	600 亿~1 000 亿立方米
天然气自给率	60%~70%

资料来源：国家能源局发布的《页岩气发展规划（2011~2015 年）》。

这一目标很宏伟，但是我们在学习和模仿之前，似乎有必要先回答一个问题：页岩气属于非常规天然气，开采难度大于常规天然气，成本高于天然气，但开采出来之后都是天然气，价格一样，那么为什么放着天然气不去开采而先去开采页岩气？

换句话说，为什么不把开采难度小、成本更低的常规天然气开采完了之后再去开采难度更大、成本更高的页岩气？

另外，也不能单纯地从解决能源危机这一角度看待美国的“页岩气革命”，因为它并非纯粹的市场行为，背后还受到金融资本的操控。

疯狂背后

美国的页岩气故事有必要从2005年讲起。2005年3月11日，芝加哥期货交易所单方向增加了天然气合约做空交易者的交易保证金，其目的是鼓励市场做多。事实上，从2005年年初芝加哥期货交易所就开始做准备了，系统性地调整了天然气期货及其衍生金融工具的交易保证金，有针对性地调整远近期不同合约月份的交易杠杆，给出交易方向的提示。

简单地说，芝加哥期货交易所用无声的方式告诉大家：都来投资天然气吧，因为马上要涨价了。大笔资金就这样被吸引到天然气投资中来。“页岩气革命”就这样开始了，可谓盛况空前。钻探大军迅速奔赴美国48个州的页岩盆地，巴奈特岩区、法耶特威利岩区、海尼斯威利岩区、马塞勒斯岩区、沃福德岩区等中东部主要岩区无一不被“占领”。

当年，美国天然气的价格被金融系统操控在259美元/千立方米，而页岩气的量产成本是150美元/千立方米。也就是说，只要天然气从地下岩层升到地面，每千立方米就可以赚109美元。每口井年产量大约是1 000万千立方米，那么利润就是109万美元；如果你有10口井，那你的利润就可以达到1 000万美元以上。

当然，要想获取利润，你首先需要投入资本。一口井的成本在350万美元左右，10口井就需要3 500万美元。没有钱怎么办？不要紧，有人会借给你，金融资本造就了这个市场，就会想办法让你玩下去。仅2006年一年，美国本土就打出 4 万多口井。2005 年，美国的天然气产量刚从 2004 年的 5 264 亿立方米降至 5 111 亿立方米，但 2006 年又被拉升至 5 240 亿立方米，此后一路高歌猛进，到 2010 年甚至突破 6 000 亿立方米大关。

大量的产出影响了供需关系，必然导致价格下跌。2006 年的天然气井口价就跌至 225 美元/千立方米，2007 年继续跌至 220 美元/千立方米。但奇怪的是，2008 年的井口价猛然被推升到了十几年来的最高点——281 美元/千立方米，这使得更多的资金涌入页岩气，洛克菲勒的石油时代似乎又回来了。

不幸的是，这几乎成为最后的疯狂，惨痛的记忆总是与辉煌的传奇相伴而生，这就是市场的规律。

页岩气的大规模、无序开发很快就导致了产能过剩。价格坐上了过山车，从 2008 年的 281 美元/千立方米陡然降至 2009 年的 129 美元/千立方米，比成本价还低 21 美元。由于价格低于成本，井口数不再增长，一直维持在 2009 年的 5 万余口。

2012 年，也就是中国打响“页岩气革命”第一枪的这一年，美国的辉煌宣告结束，天然气以 79 美元/千立方米的价格崩盘。如果在 5 年前，每千立方米的页岩气可以赚 109 美元，现在同样的井，同样的页岩气，每开采一千立方米就亏损 61 美元，一年就亏损 61 万美元。如果很不幸拥有 10 口井，那每年将净亏 600 多万美元。

遗憾的是，华尔街推动的页岩气革命一旦启动就无法停止，除非爆发金融危机。因为在页岩气开采初期，进入者都是那些敢冒险的小型公司。它们只有钻头和技术，没有资金。然而投资公司已经为它们制订了融资计划——“买现卖期”。也就是说，投资者先支付一笔现款，然后承诺承担一部分钻探费用，回报是拥有部分未来收益。但有一个条件：即使在天然气价格下跌之时，也必须保证所有的气井满负荷运转，否则钻探公司将失去资产。投资者这么做是为了维持自身股票价格的坚挺。当天然气价格跌至成本线以下的时候，钻探公司被迫亏损着钻探，否则就一无所有，因为投资方提供的资金已经被全额支付给土地所有者了。

根据《纽约时报》的深入调查和报道，全美 2/3 的钻探公司都被套牢。美国实力雄厚的埃克森美孚公司也没能幸免：它在投资银行的怂恿下于 2010 年耗资 410 亿美元收购了天然气巨头克洛斯提柏石油公司，当时的气价几乎是如今的两倍。公司现任首席执行官雷克斯 · 蒂尔纳森再也坐不住了，对气井负责人大吼：停止钻探！关闭气井！在纽约召开的一次行业峰会上，他当着众人的面说："我们如今赔得连裤子都没了。我们根本不赚钱，所有人都在赔钱。"

实际上，有不少人对页岩气持批评态度。法国石油和天然气高峰研究协会负责人简 · 拉赫里曾表示，与其说页岩气扭转了乾坤，倒不如说它是一场"庞氏骗局"[2]。石油公司大肆捏造天然气储量，以美化它们在华尔街的资产负债表。

此外，一家名为后碳研究所的反化石燃料智库发表的一份报告指出，页岩气充其量也就是一种解燃眉之急的暂时替代品而已。这家智库甚至还把报告大纲放到了一个特殊的网站（shalebubble.org）上，该网址直译过来就是"页岩气泡沫"。

新闻界对页岩气的质疑声也不绝于耳。《纽约时报》在 2012 年也引述多封业界及地质学界的内部电子邮件，质疑石油公司高估页岩气盈利前景，夸大蕴藏量的动机。

《香港经济日报》也做了类似报道。相关文章称，石油公司一致鼓吹页岩气，刻意回避开采难度大和成本高昂的问题。虽然美国的确有不少活跃气井，但通常被大量产量较低、开采成本较高的气井包围，而且许多主要气井的产量跌幅也比想象中快。承建商认为页岩气“本质上无利可图”，没有利益关系的独立人士认为页岩气就是大型的“庞氏骗局”。[3]

部分质疑甚至来自石油公司内部，美国第二大天然气生产商切萨皮克能源公司的一名地质学家指出公司的生产预测不可靠，仅气井首年产量跌幅之快便足以令他起疑；康菲国际石油有限公司也有员工称，页岩气最后或将成为全球最不赚钱的领域。

不过，依旧有一些石油公司对页岩气的热情不减，不断说服投资者认可页岩气就是未来的石油。但不少业界人士并未被说服，因为页岩气开采属于新行业，只能以有限的数据及一定的猜测来推测储量。更有分析质疑说，有关储量是被故意夸大，质疑石油公司“欺骗华尔街”，只拿最好的油井数据来修饰业绩。

由此，我们是否也必须对国内的页岩气热潮打上一个问号？抛开“庞氏骗局”的阴谋论不谈，市场规律还是必须遵守的，而不能仅被所谓的“能源独立”左右。

中国页岩气目前仍处于起步阶段，所以还有机会重新考虑或调整页岩气的投资策略。应该说，作为天然气储备的另一个宝库，页岩气相关的技术储备是必需的，但不能像美国那样疯狂上马，而是需要经历一个谨慎论证的过程。

作为一种新兴的非常规能源，经验匮乏、技术不成熟等因素都会制约中国页岩气的发展，页岩气的大规模开发还有很长的路要走。

页岩气真相

页岩气是一种非常规天然气，原本是化石能源的一种。尽管它的发现和开发可能延续化石能源在能源结构中的核心地位，并延长化石能源被大规模替代的年限，但把“页岩气革命”视作“新能源革命”仍然是不科学的，因为它并不符合联合国环境署确定的新能源“可再生、无污染”的标准。新能源既要解决能源的需求问题，也要能解决人类的可持续发展问题。

目前，页岩气开采的核心技术是水平井钻井法和水力压裂法。美国超过一半的页岩气都是通过压裂法开采获得的。该方法会对环境和人类健康产生负面影响，其中包括污染空气、水源和土壤等。更何况，页岩气生产区往往是缺水区，而该产业又必须消耗大量水资源，这就出现了矛盾。

页岩气开采在钻井过程中要经过蓄水层，钻井使用的化学添加剂会对地下水形成污染。以美国为例，2010 年 5 月，主要输送重油的Keystone管道就曾发生两次重大泄漏事故，造成严重污染和生态破坏。正是因为存在诸多隐患，美国环保团体和农牧业团体强烈反对非常规油气资源开发，奥巴马政府也推迟Keystone管道延长项目的实施。

美国宾夕法尼亚州进行的一项研究也佐证了页岩气对饮用水的污染威胁。该研究显示，页岩气开采可能导致气井周围半径一公里范围内的饮用水被甲烷、乙烷或丙烷污染。

而出于对地质灾害的担心，美国纽约州和特拉华盆地也已叫停了该地区的页岩气项目。有媒体发出警告，页岩气开发使得美国再度兴起“廉价化石燃料之风”，但短期或中期的经济收益可能使该国陷入长期依赖化石能源的“陷阱”。

另外，这场美国“革命”能否在世界其他地区复制还是个未知数。中国工商银行城市金融研究所的报告显示，页岩气在全球范围开发还存在诸多障碍：第一，地质条件的极大差异会使页岩气开采受阻；第二，页岩气在使用过程中要消耗大量水资源，且开采过程中使用的化学品可能会对蓄水层造成污染；第三，天然气价格的持续低迷会打击企业的投资热情；第四，北美以外的市场普遍缺乏足够的储存、液化和传输非常规天然气的基础设施，这将大大限制其市场开发进程。

从各方数据看，中国的页岩气储量似乎并不比美国少，而且中国是仅次于美国的能源消费大国。但冷静下来会发现，页岩气开发对环境条件的“硬束缚”恐怕不是中国自身资源禀赋所能承受的。

中国人均土地占有量和水资源拥有量远远低于美国，生态环境也更脆弱。平均而言，一口页岩气井需要20万吨水，向页岩中注入的压裂液中含有大量化学成分，对地下水资源的影响存在很大不确定性。而中国的页岩气富集区域又往往处在水资源较为紧缺的内陆、盆地地区。[4]

在页岩气的“十二五”规划中，像华北地区、准噶尔盆地、吐哈盆地、鄂尔多斯盆地这样的缺水地区，即便资源潜力巨大，但要真正落实开采则需慎之又慎。有业内专家提醒，在辽宁、陕西和四川等地，页岩气的大规模开发很可能会出现与工业和农业“争水”的难题。

还需格外关注的是，中国目前的页岩气开采技术还不过关。如上所述，目前成熟的页岩气开采技术主要是基于美国特定区域和地质特点而长期积累形成的钻探工艺。我们在短时间内不可能从美国引进技术，即便能把技术拿来，它们是否适应中国特殊的地质特性和环境，也存在很大疑问，更不用说由此而增加的巨额开采成本了。

曾任石油部勘探司副司长的老专家查全衡就公开撰文称，如果中国不能找到一条比美国“更省地、省钱、省水，更环保”的开发方法，就不要过早谈什么“页岩气革命”，免得“被美国忽悠”。

抛开“骗局说”是否公允的讨论，仅从可持续的清洁能源角度来说，属于化石能源的页岩气不可能代表新能源革命的主流方向。从长远看，真正的能源“革命”必须伴随着跨时代的技术创新，所以我们认为，下一轮能源大变革将发生在技术获得持续改善、成本快速下降的太阳能领域，而非充满着各种不确定因素的页岩气。

对中国能源企业而言，应该在各种“革命”论中保持清醒的头脑。最大的挑战不在于追随某种“错综复杂的趋势”，而是明确能源开发的大方向，提前布局。

美国光伏歧途

“在国会山上扔块石头，准能砸倒两三个说客。”

这句话指代的是，代表传统能源的财团会派自己的说客前往华盛顿。为了自己的利益，他们甚至让自己的职员进入政府部门任职，实施“旋转门”式的政治操作。

正因如此，从40年前的尼克松总统到40年后的奥巴马总统，美国的新能源政策备受掣肘、摇摆不定，美国的太阳能发展也迅速被他国赶超，相比中国已经不具备优势。

尽管如此，美国的太阳能优势仍不容小觑：它不缺对太阳能感兴趣的投资家，而且拥有强大的科技创新能力。

三次政策起伏之后

在从威拉德饭店到华盛顿国会山那短短几百米的路上，总有人会把美国的议员拦下寒暄一番，告诉他们传统能源更需要联邦政府的资金和政策支持。

这些说客受雇于各行各业，而为美国化石能源公司服务的也不少，说服的议题自然包括国家不应把过多注意力放在新能源上。英国《经济学家》曾形容说："在国会山上扔块石头，准能砸倒两三个说客。"

代表传统能源的财团利用其强大的经济实力影响美国政府的决策，从这一点来看，美国光伏政策的摇摆不定也就不难理解了。美国曾非常关注太阳能革命，此前还推行过"百万屋顶计划"，奥巴马总统上任后也一度非常支持太阳能，走到哪儿都把第一太阳能公司挂在嘴边。但美国是财团掌控的国家，由于各种错综复杂的利益关系，再加上"页岩气"半路杀出，导致美国对大规模发展太阳能有所保留。美国太阳能的发展可谓一波三折。

第一次起伏发生在40年前。时任美国总统理查德·尼克松就对能源的多样性孜孜以求。卡特总统上任以后，为了摆脱对石油的过分依赖，曾经提议通过立法建立一家太阳能银行，帮助美国"实现在2000年电力的20%来自太阳能发电的关键性目标"，还在白宫屋顶上建设了太阳能发电站。但他的继任者里根总统对太阳能并没有太大兴趣，上任后不久就将白宫屋顶上的太阳能电池板全部拆除了，太阳能发展也陷入了停滞状态。

第二次起伏发生在20世纪90年代初。随着海湾战争打响，石油供应日益紧张，老布什总统重新将卡特总统的太阳能计划提上日程，将太阳能研究所提升为"国家可再生能源研究实验室"。但把萨达姆赶出科威特以后，石油价格再次回落，太阳能计划再次搁浅。

第三次起伏发生在1997年以后。当年6月26日，时任美国总统克林顿向国会做了关于环境和发展的报告并提出“百万屋顶计划”。这是美国面向21世纪的一项由政府倡导、推进的中长期计划，也是当时规模最大的太阳能项目计划。美国政府期望，到2010年为100万个屋顶安装上太阳能系统，这个系统包括光伏发电、热水和空气集热等多项功能。可惜的是，这个计划的实施效果并不理想，太阳能也未能被大规模开发和利用。2000年，美国的太阳能装机容量被德国超越。进入21世纪，小布什上台之初就宣布退出《京都议定书》，美国在利用太阳能方面被欧洲全面超越。

美国新能源此后的发展也并不顺利。2005年，美国出台《2005年国家能源政策法》，但该法案一直饱受批评：一方面是因为它对节能、提高能效和推动可再生能源发展的规定存在缺陷；另一方面，尽管全文有2 000多页，但未能对美国能源政策最核心的问题，即如何应对气候问题、如何解决美国能源安全问题提供有效的解决办法。此外，该法案还再一次把化石能源和核能发展置于优先位置，表明美国能源政策目前依然是“以化石能源为主”的模式。

2009年奥巴马上任以后，大力倡导新能源革命，美国人才重新开始重视光伏产业。他上任的第一年，美国的太阳能装机容量就从2008年的0.36GW提升到0.43GW。接下来，2010年达到0.87GW，2011年达到1.85GW，2012年达到3.6GW，呈直线上升趋势。太阳能发展势头良好，但万万没想到的是，半路杀出个“程咬金”——页岩气。

近几年，在减少石油进口、降低能源对外依存度和实现“能源独立”的口号下，美国掀起了一场轰轰烈烈的“页岩气革命”，其温度超过太阳能利用热潮。

从上述数据看，近几年美国太阳能似乎发展得还不错，但那仅仅是表面现象。2011 年前后，太阳能装机容量的快速增长事实上与即将到期的税收优惠政策密不可分。也就是说，2011 年的繁荣只不过是将未来的增长提前透支了而已。

表 2–2　2012 年全球光伏累计装机容量排名前五的国家

国家	2012 年累计装机容量（MW）
德国	32 420
意大利	16 250
中国	8 250
美国	7 583
日本	6 551

资料来源：《全球新能源发展报告》（2013 年）。

对美国光伏产业而言，2011 年年底是一个转折点。当时，以奥巴马绿色新政为基础的扶持措施相继到期，例如补贴及债务担保，2012 年仅剩传统的生产税收抵免（PTC）。在这种形势下，资金向海外转移及企业裁员的情况日益增多，“奥巴马政权的绿色新政并未产生效果”的论调也大行其道。

从表面上看，美国政府十分重视新能源开发，但从时断时续的政策支持中可以看出，美国并没有形成统一、持续且系统的新能源发展战略。根本原因在于，美国并不认为新能源能在可预见的未来实现较大突破。

美国能源部认为，太阳能电站建造成本唯有降至每瓦 1 美元，才能在政府取消补贴后具有市场竞争力。但截至 2011 年年底，美国太阳能电站的建造成本仍高达每瓦 4.08 美元，与每瓦 1 美元的目标相距甚远。

再加上近年来美国页岩气等非常规能源开发异军突起，使得规模与技术仍处于初期阶段的新能源开发遭遇层层阻力，页岩气的大规模开发尤其是页岩天然气产量的大幅提升导致价格下滑，这也使主要依靠政府补贴的新能源的产业竞争力进一步下降。

“旋转门”的影响

尽管遭遇起伏，但目前美国仍有许多投资家对太阳能市场充满兴趣，他们一直紧盯着太阳能市场，并积极寻求替代能源有利可图的证据。然而，他们也知道，他们的成功或者失败最终取决于政治家的态度和政策的走向。

遗憾的是，美国当前的游戏规则对新能源企业家极端不利。新能源企业家的竞争对手是传统能源寡头，胜算本来就很低，再加上政策摇摆不定，即便是最好的创意也难免遭遇失败。

他们十分羡慕半导体和互联网领域的发展，因为这一领域的革新家们能够获得公平的市场竞争机会，而他们却必须直接对抗强大的传统能源公司。

传统能源公司之所以强大，除体量的庞大外，还在于其影响力能够渗透到国家能源战略的制定过程。他们利用“说客”进行游说。统计数据显示，石油和天然气公司每年把大约6 000万美元用于院外活动[①]。按照美国国会政府问责局的说法，这些大公司每年能够因此获利60亿美元。对太阳能公司来说，6 000万美元可谓是一个大数目，但对化石能源集团来

① 院外活动是指在西方国家，为了某种特定利益而进行的、企图影响议会立法和政府决策的活动。

说，这只是九牛一毛，因为它还不足埃克森美孚公司一天的营业收入，更重要的是，它还能为这些利益集团带来巨额收益。[5]

除院外活动外，美国发展太阳能的政策始终摇摆不定还与美国的政治制度相关。美国的政治制度是两党制和总统共和制，势均力敌的共和党和民主党轮流执政，总统对他所在的政党负责，内阁对总统负责，其他小党派无法参与到总统竞选中来。这种政治制度的结果就是，哪个党派的候选人当选了总统，该党派所代表的利益集团就掌握了制定国家政策的权力，后任总统可以废除或更改前任总统制定的政策，政策的连贯性因此严重受损。

民主党代表了美国广大中产阶级的核心利益，改变环境质量、提高生活水平是中产阶级关心的问题，因此民主党总统卡特、克林顿和奥巴马十分支持太阳能政策。而太阳能的应用无疑会损害美国大企业主的利益，因此代表大企业主利益的共和党人里根、老布什、小布什对发展太阳能提不起什么兴趣也就不足为奇了。作为总统，他们在竞选时就已经接受了大量捐赠，这些捐赠来自他们所代表的利益阶层。

为了增强游说的力度，大公司还经常推荐自己的职员进入政府部门，这种企业管理人员与政府管理机构人员的角色转换被形象地称为“旋转门”。

即便是支持太阳能发展的奥巴马也难免会受到说客的影响。在奥巴马的第一个任期内，在美国不断增长的太阳能装机容量背后，化石能源企业的意图也非常明显。比如，美国重点发展的是大规模集中式电站，然后由传统能源集团通过一个超高压电网将这些电能从人烟稀少的地区输送到美国东部人口密集的地区。这种对可再生能源集中生产、统一分配的政策并没有得到东部各州州长和电力公司的认可。2010 年 7 月，新英格兰和中大西洋地区 11 个州的州长联名致信美国参议院多数党领袖里德和少数党领袖麦康纳尔，公开反对国家输电政策。州长们质疑在西部地区集中进行风力和太阳能发电“将会损害地区性可再生能源发电的努力，同时也不利于在本州创造清洁能源工作岗位”。14 家电力公司（其中很多家企业在这些地区的业务受到极大冲击）同中大西洋地区和东部的州长一道，要求国会允许每个地区单独进行可再生能源的开发。[6]

除此之外，美国太阳能政策的变化还与油价的高低有关。美国太阳能在高油价、高补贴的年代迅速繁荣，而在高油价消失、补贴取消时崩溃。

美国太阳能的发展历程证明了长期政策的重要性，这种长期政策不是要政府选定谁是赢家，而是在没有缺陷、没有隐性补贴的市场中，让市场选择谁是真正的胜出者。一个公平的竞技场——这正是这些风险资本家和技术革新家所需要的——不要求保障利润，但必须为他们提供足够的竞争机会。即使这样，许多人仍难以成功。他们称，“赌注高得几乎令人难以想象”。

仍然不容小觑

正如评论家所言，美国的绿色能源要发展，必须利用资本主义最基本的内在冲动（追求利润），用市场来解决发展问题。

美国的投资税收抵免政策虽然对太阳能发展具有促进作用，但从业者却认为它是一个破坏性武器，并不利于太阳能的长期发展。他们认为税收政策应该保持稳定，只有这样投资者才能制定长期投资策略。他们坚信调动资本市场是快速推广太阳能技术的最佳办法。

因此，仅凭一群环保主义者的努力难以使美国的太阳能规模化，而是需要大笔资金将煤炭和石油挤出去。正如《经济学人》记者维杰伊·瓦西斯瓦伦所说：“你把这项技术和资本联结起来，这才是现实可行的关键所在。”

加利福尼亚州由于阳光充足，在太阳能发展方面走在美国各州前列。该州用确定碳排放总量的法律通过之后发生的变化驳斥了那些质疑太阳能的组织，而最大的影响是使整个行业获得资本支持成为可能。有人可能会称之为泡沫，但我认为这是繁荣。2009 年 1 月 10 日，加利福尼亚州决定投入 32 亿美元，全面推动“百万太阳能屋顶计划”，计划到 2016 年在该州兴建 3GW 太阳能电力系统，同时将减少 300 万吨温室气体排放。

加利福尼亚州立法机关认为，适当的法律政策将释放大量的工作机会和福利增长，并使国际竞争力大幅提升，有效地反驳了碳立法将摧毁经济的主张。

而对于竞争市场的公平与完善，美国主张通过碳税和类似的税费征收，使化石能源反映其真实价格，“然后让市场做出选择”。

同时，在市场公平方面，他们还要求取消对传统能源的巨额补贴。尽管全球前十大企业中的七大企业都是石油公司，但是化石燃料仍然在享受美国纳税人的补贴。2010 年，美国政府对化石燃料的扶持达到 154 亿美元。投资机构 DBL Investors 的一篇报告称，美国联邦政府近 15 年给予石油和天然气的补贴是可再生能源补贴的 5 倍。

解决市场公平问题，使新能源投资家有利可图，美国光伏太阳能发展就已成功了一半，如果再加上其固有的产业优势和政策优势，美国在光伏产业的实力将不容小觑。

美国是世界光伏技术和光伏产业的发源地，一直位于世界光伏技术进步和商业化的前列。近年来，美国还制订并出台了美国国家光伏发展计划，这将对推进该国光伏产业的技术进步产生显著的促进作用。该计划是由美国能源部联合大学、实验室、产业风险投资机构发起，旨在通过合作为推动光伏产业的技术进步和应用制定短期、中期、长期的战略规划与目标，其长期目标是使美国光伏发电成本降到 6 美分/度。

技术的进步以及各项新能源计划的推出使美国光伏装机容量从 2012 年起恢复快速增长：美国光伏新增装机容量为 3.6GW，同比增长 92%，累计装机容量达到 7.6GW。美国各州《可再生能源配额标准》（RPS）的出台以及投资税减免政策的继续实施，确保了美国光伏市场的持续性增长。预计 2013 年美国新增光伏装机容量可达到 4GW 以上。

我们之所以非常重视美国光伏技术对竞争的影响，是因为谁拥有核心技术，谁就能够立于不败之地。当然，美国市场恢复快速增长对中国光伏产业来说并不是坏事。在许多光伏业内人士眼中，奥巴马的连任也意味着美国应用市场的进一步开放，这对于中国光伏企业来说仍不失为一个好征兆。美国虽然对中国光伏产品征收了反倾销税和反补贴税，但这只是针对晶硅电池而言，中国企业如果改作薄膜电池板，重返并占领美国市场并非不可能。

中国也的确到了需要认真对待薄膜太阳能的时候了。目前，全球主要发达国家（美国、德国、日本）都在利用薄膜技术生产光伏电池组件，中国的薄膜生产核心设备也大部分是从上述国家采购。尽管目前没有哪个国家在晶硅电池方面能像中国这样拥有成本低、规模大的独特优势，但薄膜太阳能在当前竞争态势下遭遇“双反”的可能性非常小。原因在于，虽然全球主流的几种薄膜技术路线在转化率、成本方面有一定的差别，但在同一种技术路线上不存在因不同国家的劳动力成本差别而产生较大价格差别的问题，也就没有通过大幅降价而倾销他国的空间，因而也就不存在“双反”问题。

同时，中国技术领先的薄膜设备生产线目前均来自国外，尚未完全实现国产化，如果现在对中国薄膜实施“双反”，相当于反他们自己。即使将来中国在技术上、规模上成为世界领先的薄膜电池生产国，我们完全可以走高技术、高品质、合理利润、合理价格的路线。

德国光伏怎么了

标志着德国“10万太阳能屋顶计划”的“向日葵屋”是怎样建成的？

从1991年的《强制购电法》、《可再生能源电力并网条例》到1999年的《生态税改革法》、2000年的《可再生能源法》，再到2010年默克尔极力要求关闭境内的17家核电站，“老大”的成就来自法律保障，也来自强人。

“世界上所有高市值的太阳能公司都是通过把其产品卖给德国实现的。”既然如此，为什么德国率先发动了针对中国光伏产品的“双反”调查？从表面上看，这是欧债危机所迫，德国太阳能政策性补贴的削减，实则是因为德国光伏业忽视了技术创新，发展速度放缓。

“向日葵屋”是怎样建成的

如果前往德国，你肯定能见到很多装有太阳能电池板的房屋，它们被形象地称为“向日葵屋”。作为世界光伏建筑一体化的先驱，德国总能吸引各国光伏界人士前往参观学习。

德国西南部弗赖堡市瓦邦社区的居民大多住在“向日葵屋”里。这些房屋高约4层，外观呈圆柱形，屋顶的太阳能电池板可以缓缓转动，自动以最大角度对准太阳，即使在光照较弱的冬季也能获得足够的能量。这些电能除居民自用外，还可以出售给电网，每年大约可以获利6 000欧元。

“向日葵屋”不仅能解决自家电力供应，还能赚钱，这得益于德国的补贴政策。德国是太阳能的积极推动者，也是目前全球太阳能应用规模最大的国家，但其发展趋势近年来也发生了一些变化。

自2012年开始，德国的光伏发展脚步开始放缓。一方面，政府大幅削减了光伏补贴；另一方面，本土光伏企业纷纷宣告破产。到底是本国政策的变化还是欧债危机迫使德国放缓了它在新能源革命中的步伐？

早在1990年年底，德国就宣布实施“1 000屋顶计划”，即准备在3年内，在居民屋顶安装1 000套1~5千瓦光伏发电系统，用以考察光伏并网发电系统的经济性、技术可行性和实现可能性。这一目标后来扩大到2 500套，德国的光伏产业从此进入快速发展的轨道。

1991年，德国通过了《强制购电法》。按照规定，风电、水电的上网价格为电力销售价格的90%。公共电力公司必须按照这个价格收购风电、水电等，即明确了“强制入网”、“全部收购”、“规定电价”三个原则。同年，政府还颁布了《可再生能源电力并网条例》：可再生能源发电必须并网，制定最低并网电价，在此后20年时间里每度电获得0.199马克（约合0.842元人民币）的补贴。

而1999年1月，德国政府开始实施范围更大的“10万太阳能屋顶计划”：到2003年，安装10万套光伏屋顶系统，总容量达到300万~500万千瓦。为了保障这个计划的顺利实施，德国联邦经济技术部提供了4.6亿欧元的财政预算，还在2000年颁布了首部《可再生能源法》，并在2004年8月、2009年1月和2011年分别进行了修订，实行购电补偿法，根据不同的太阳能发电形式，政府给予为期20年的每度电0.45~0.62欧元的补贴，补贴额度每年逐步递减5%~6.5%。

购电补偿法的推出是德国光伏市场增长的催化剂，在推出后的短短几年时间里，德国光伏市场迅速发展。德国许多公共建筑和私人住宅都装上了太阳能电池板。2004年，德国新增太阳能发电系统容量为36.3万千瓦，比2003年增长了2.35倍，不仅年增长率远远超过全球光伏市场的平均值（59%），还一举超过日本成为世界最大的光伏市场。2000~2005年，德国光伏市场每年约增长38%，行业的快速发展也催生了Q-Cells、太阳能世界公司（Solar World）等一批世界级的光伏企业。

除法律政策的保驾护航外，德国政府也在资金方面为可再生能源的发展提供支持。比如，德国政策性银行复兴信贷银行会为光伏产品等提供优惠贷款，其向可再生能源企业发放贷款的利率优惠程度一般在50%左右。2008年，德国复兴信贷银行在全球范围内为可再生能源企业融资3.4亿欧元（不包括大型水电站），成为全球最大的可再生能源融资机构。

此外，德国能源署也会为各种新能源项目提供咨询服务和资金支持。德国能源署并非政府部门，而是由德国政府、德国复兴信贷银行、安联股份公司、德意志银行和德国联邦银行共同控股的一家公司。德国能源署网站还提供欧盟和德国可再生能源政府行动信息。

地方政府也相继出台了在本州范围内适用的法规和政策，或者发起某一领域的可再生能源促进活动，以促进区域内新能源的发展。

一系列的政府支持使德国光伏装机容量迅猛增长。根据德国联邦统计局公布的报告，可再生能源已经超过核能成为该国的第二大电力来源。报告称，德国可再生能源占比从2010年的16.4%升至2012年的22.1%，而核能发电量占比从22.4%降至16.1%。

讨论德国可再生能源的发展，就不能不提到德国现任总理默克尔。2010年8月，为了坚持发展以太阳能为主的可再生能源，默克尔政府宣布在未来10~15年内，先后关闭德国境内的17家核电站，并要求暂时未关闭的核电站每年向政府缴纳23亿欧元的税金用以支持新能源的发展。

一石激起千层浪，默克尔政府的决定激起了德国经济界的抗议。诸多知名人士和机构联名发表公开信，反对默克尔的能源政策，其中包括德意志银行、麦德龙股份公司等。他们呼吁继续使用煤炭和核能，称过早放弃煤炭和核能将造成数十亿欧元的损失，他们还激烈地抨击征收核燃料税的政策。四家电网运营商则警告默克尔，关闭反应堆的决定会导致全国在冬季出现大范围停电；如果仅仅依靠风电和太阳能发电，在阳光和风力不足的天气条件下，可能导致德国南部重工业地区的电力中断。

德国主要的工业游说组织德国工业联合会的主席汉斯–彼特·凯特尔则警告说："如果电力供应不能被保障，德国工业国家的地位将被削弱，政客必须在能源政策发生变化时，保障电网和供电系统的稳定。"

表 2–3 德国可再生能源发电量占总用电量比重

年份	比重（%）
1990	3.1
1995	4.5
2000	6.4
2001	6.7
2002	7.8
2003	7.5
2004	9.2
2005	10.1
2006	11.6
2007	14.3
2008	15.1
2009	16.4
2010	17.1
2011	20.0

资料来源：张钦、周德群等著：《中国新能源产业发展研究》，科学出版社，2013 年版。

面对这些威胁和警告，默克尔非但没有退缩，反而予以更加强硬的回击：所有的威胁和警告都只会让德国政府更加坚定地扶持新能源产业。

“全球老大”为何减速

得益于默克尔的大力支持，德国太阳能发电连续多年发展迅猛，但外界因素变化多端，以默克尔一人之力，有时也难以定乾坤，局势在不经意间已经发生了一些变化。

2012年，德国新增光伏装机容量为7.6GW，累计装机总量达到32.4GW，均居全球首位。但如果对比2010~2011年德国光伏装机容量的数据就会发现，德国光伏的增速已经变得非常缓慢。2010年德国新增光伏装机容量为7.406GW，2011年为7.5GW，而2012年相比2011年也仅增长了100MW。

上网电价政策的修改被认为是2012年德国光伏装机容量增长放缓的主要原因。事实上，随着光伏发电市场的逐步成熟和安装成本的逐步下降，再加上经济危机的影响，德国政府从2008年就开始加快上网电价逐年下降的速度并降低补贴水平，政策也由早期的成本扶持向支持规模性成长过渡。

而2012年实施的《可再生能源法2012修正案》对调低光伏上网电价做了进一步安排，光伏上网电价调整幅度取决于每年新增光伏安装量，基准下调率为9%。如果光伏系统安装量超过350万千瓦的年度限额，每超出100万千瓦将使上网电价再下调3%，最高下调24%。

有前瞻性的、合理有效的政策先行，加上政府大力支持新能源的开发和利用，使德国成了全球最大的光伏市场。在光伏研发制造业领域，德国也一度占据领导地位。然而如今，德国的光伏政策出现了变化，大幅削减补贴，企业的技术创新动力不足，使其“老大”地位难以为继。

除此之外，德国政府于2012年6月宣布，自2013年起将大幅削减光伏补贴，预计每年削减20%~25%，自2015年起将不再对新安装的屋顶设施予以补贴，2017年将彻底终止太阳能补贴。

德国政府对光伏企业的补贴额度大幅削减的同时，中国光伏企业迅速崛起并占领国际市场，使得德国光伏企业整体走向衰落，一些大型光伏公司很快退出了行业十强的榜单。

2013 年，德国的光伏企业纷纷宣告破产，就业人数从 2011 年的 11 万人缩减到了 8.7 万人左右，预计总销售额将比 2011 年少 45.6 亿欧元，下滑至 73.4 亿欧元。

许多人认为，欧债危机是德国被迫削减补贴的诱因。这加剧了德国本土光伏企业（如太阳能世界公司）与中国同行的竞争，进而导致“双反”调查。

太阳能世界公司是德国目前最大的光伏企业，曾于 2011 年 10 月 19 日、2012 年 7 月 24 日分别牵头向美国和欧盟提出针对中国晶硅光伏产品的“双反”调查申请。实际上，太阳能世界公司是一家典型的晶硅电池企业，在薄膜成为主流技术的大趋势下，它遇到的问题不仅仅是竞争的问题，更是技术的困境，这是所有晶硅企业都将面临的考验。即使“双反”成功，太阳能世界公司的前途也不见得就光明。

关于德国光伏产业的发展，德国政府的观点是，光伏产业总营业收入下滑在很大程度上是因为全球光伏系统价格急剧下跌，而与需求量变化无关。因为 2010~2012 年，年均系统装机量仍然维持不变。在这段时间内，光伏市场并没有出现下滑。

反思德国光伏企业的现状，所有企业家都认为政府政策需要进行重大改变。直到现在，用来推进可替代能源的政策工具一直是补贴和命令，它能够在一定程度上刺激可再生能源的发展，但效果终究有限，而且不是最合理的方式。比如，日本和德国仅占全球能源市场的 10%，但因为长期的补贴政策，它们却占世界太阳能市场的 70%。2007 年德国电力公司向太阳能发电系统的拥有者提供的电力支付高达每度57欧分（约合4.6元人民币）的价格，大约是电力公司向消费者返销电价的3倍。这就是为何这项政策刺激了他国对太阳能产品的巨额投资。“世界上所有高市值的太阳能公司都是通过把自身产品卖给德国实现的。”政府补贴和行政命令有一些致命的缺陷。比如，补贴的方向和额度在一定程度上需要依赖对技术的详尽掌握和预见，而这远远超出了政府管理者的能力范围。

除补贴政策变化饱受诟病外，技术的停滞不前也是影响德国光伏企业竞争力的重要原因。德国政府在一份报告中也承认，光伏制造企业一系列破产案的罪魁祸首是“忽略了技术创新”，政府建议德国光伏企业通过光伏制造企业与供应商、研究机构之间的紧密合作维持自身的市场地位。

2013年8月7日，《南德意志报》也发表短评指出：德国及欧盟的光伏产业与中国同行竞争迄今失利的最终原因是自身技术创新缓慢，努力在技术上保持领先地位才是生存下去的关键。

该文章写到，德国先行者们已经被甩在了后头，因自身技术竞争力的衰落而变得岌岌可危。以现有的形式，德国光伏企业无论如何都难以生存下去，因而必须彻底转变观念，集中研发新技术，潜心关注发明创造。

而如果不改变，精于计算的投资者自然会思量：既然亚洲规模更大、设备更新的工厂的生产成本更低，那又何必在萨克森和勃兰登堡州建厂呢？

的确，除技术更新缓慢外，相比亚洲厂商，德国光伏企业还缺乏产能规模效应。技术的更新换代往往带来的是初期生产的高成本，唯有达到一定规模效应才能有效降低成本。

总结太阳能的发展轨迹，光伏产业要实现“市场扩大——规模经济效益降低成本——需求进一步扩大”的良性循环，需要凭借巨额投资并迅速形成生产力，推动生产成本和价格快速降低来实现。而目前德国光伏厂商所对应的市场规模不足以支持巨型光伏企业，因此在规模效应方面严重缺乏竞争力。

这也正是德国光伏市场近几年发生逆转的根本原因所在。

欧盟的软肋

作为欧洲传统光伏大国，德国光伏产业的衰退也影响了欧洲市场的表现。欧洲光伏融资在连续增长 8 年后，于 2012 年首次下降，由 2011 年的 701.4 亿美元降至 513.6 亿美元，比 2010 年的 633.4 亿美元还低 100 多亿美元。

而此前欧盟对中国光伏产品的“双反”调查更加剧了欧盟同行对未来的担忧。2013 年 5 月 24 日，也就是欧盟对中国做出初裁的前期，欧洲 580 多家光伏企业的行业协会——欧洲平价太阳能联盟在欧盟所在地布鲁塞尔举行了“欧洲光伏产业葬礼”，抨击欧盟委员会的“双反”决策“未顾及欧洲光伏产业界的整体利益”。尽管后来欧盟与中方实现和解，但欧盟光伏制造业下滑的趋势未能就此得到改变。

从 2012 年起，欧盟光伏企业破产潮此起彼伏。2012 年 9 月 6 日，西班牙光伏建筑一体化公司 Soliker 申请破产；10 月 10 日，西班牙光伏组件制造商 Yohkon Energía 向巴利亚多利德 1 号商业法庭申请启动自愿破产程序。同月，意大利光伏企业 Ecoware SpA 启动破产程序。而德国的两家太阳能公司 Conergy 和 Gehrlicher Solar 也于 2013 年 6 月底 7 月初申请破产。

欧盟光伏面临的主要问题包括：劳动力及其他生产成本过高；效率低下，研发速度过慢；资金相对缺乏。除此之外，欧盟企业家精神的缺失也影响了欧盟光伏企业的竞争力。

除补贴政策的变化外，使欧盟众多光伏企业走向末路的还有其他几个因素。

首先，劳动力及其他生产成本过高。这是欧洲制造业的普遍问题。在光伏组件价格和政府补贴额度都较高的情况下，欧洲光伏企业仍然保有一定的市场。然而，在竞争激烈、政府补贴下降的情况下，生产成本过高已成为制约欧盟光伏企业竞争力的重要因素。据一家权威机构对 300 家太阳能电池板制造商进行的调查，多达 88 家光伏企业准备在未来两年内关闭其设在欧洲和北美地区的工厂，因为在这些地区生产太阳能电池板的成本过于高昂，无法参与市场竞争。

其次，效率低下，研发速度过慢。效率低下是整个欧洲的通病，甚至已经演变成一种“文化”。在对休闲和工作时间做出分配时，欧洲国家的民众普遍选择拥有更多的休闲时间，这使得经济增长的速度相对缓慢，进而扩大了欧洲与美国及亚洲国家在生产效率方面的差距。光伏领域也是如此，效率低下且没有危机感使欧盟光伏行业原有的技术优势很快被其他国家超越。光伏技术是核心竞争力，因为它是制造、运营和市场的支撑，但目前欧盟的光伏技术已远远落后于中国。

再次，资金相对缺乏。在欧债危机的阴影之下，欧盟的银行普遍不愿向“烧钱”的光伏企业发放新贷款，并且希望其早日还清之前的贷款。因此，财务濒临险境的光伏企业无法获得外界的有效支持，即使进行内部财务重组，最终也难挽颓势。以 2013 年 7 月初申请破产的德国 Gehrlicher Solar 公司为例，该公司破产的直接原因就是某银行终止了其一项总额高达 1.095 亿美元的贷款。

与德国公司相比，西班牙光伏企业的资金紧缺程度更严重。据西班牙媒体报道，2013 年 6 月，中国东方电气集团有限公司与中国出口信用保险公司要求对西班牙组件制造商和项目开发商 Solaria Energia y Medio Ambiente SA（下称 Solaria）启动强制破产程序，因为该公司拖欠东方电气的款项已逾 310 万欧元。中方宣称，启动强制破产程序是非常有必要的，因为 Solaria 的运营资本为 –3 090 万欧元。

西班牙国家光伏发电商协会近期还发警报称，对西班牙光伏企业面临的严重现金流问题表示担忧，尤其是它们已经积累了大量的银行债务，而且不能依赖新的融资渠道。如果政府再征收能源税，将会使西班牙 80% 的光伏制造商破产。

最后，欧盟企业家精神的缺失也影响了欧盟光伏企业的竞争力。2013 年 5 月召开的第 11 届欧洲企业峰会的主题正是“企业精神带来增长”。企业代表普遍认为，欧盟难以在短期内迅速重振企业，正是因为欧盟国家的民众缺失企业家精神。欧盟企业的信心没能跟上经济复苏的步伐，开拓精神的缺失也抑制了欧盟经济体的复苏，更使得欧盟在这一轮光伏竞争中惨败。

韩日觉醒又如何

核阴影以及煤炭、石油匮乏迫使日本最终选择了太阳能。短暂的波折之后，日本太阳能光伏产业正再度崛起。韩国的太阳能光伏产业获得了国家的战略性支持，已将目标锁定为在2015年进入世界太阳能产业前五强。

不过，日本采取的是封闭发展模式，虽然有效防止了核心技术外流，同时也造成了核心技术无法突破的困境；而韩国的光伏产业采用的是多晶硅模式，同样遭遇了产能过剩的打击，目前仍在努力扭转局势。

因此，在太阳能光伏产业中，日韩需要重视，但尚不足为惧。

日本再度发力

核辐射的阴影一直笼罩在日本人的心头，2011年3月11日发生的“福岛核泄漏事件”更是严重刺激了日本民众紧绷的神经。诺贝尔文学奖得主大江健三郎呼吁日本政府关闭核电站。他说：“日本人应该意识到，这次核事故给人们身体造成的灾难性后果，就像‘二战’期间美国轰炸那样严重。”

日本首富、软银集团董事长孙正义也加入了反核队伍。福岛核事故发生后，孙正义宣称他会把1/3的财富捐献给灾区，致力于推动太阳能发展，并修建10个太阳能发电站。[7]

对资源贫乏的日本来说，核能几乎是唯一可行的能够使其实现自给自足的能源供应方式。然而对待核能，日本人处于极度矛盾状态——恢复火电不但意味着多年努力得来的青山绿水将再次被破坏，而且会严重威胁国家能源安全。如果重新依赖石油和煤炭，也就意味着日本能源供应链有可能在非常时刻断裂，使日本庞大复杂的工业体系面临崩溃的威胁。

因此，日本成为最早制定扶持光伏产业发展政策的国家。1990年，日本修改《电力公司法》的相关技术规范与要求，积极支持光伏并网发电系统的应用和推广。两年后，日本政府制订了“新阳光计划”。该计划的基本目标是将新能源作为国家的重要能源供应方式加以支持。在该计划的指引下，日本政府规定，自1994年起，居民安装太阳能光伏发电系统由政府提供补贴，补贴额度接近50%（以后逐年减少）。太阳能光伏系统所发电力由政府以电网售电价格收购。

通过这些扶持政策，日本成为全球最重要的光伏市场之一。在“新阳光计划”成功的基础上，2001年日本政府又制订了“先进的PV发电计划”，优先考虑降低对进口石油（占日本能源消耗的53%）的依赖并实现日本在《京都议定书》中减排温室气体的承诺。

日本还于2003年出台了《可再生能源配额制法》，要求能源公司提供的能源总量中，可再生能源要占一定的份额，否则就必须到市场上购买绿色能源证书，以促进光伏发电和风力发电等可再生能源和节能技术的发展。此后，日本政府还制定了“新国家能源战略”以改变其严重依赖石油的传统能源结构，进而增强能源安全性。其中，以2030年为目标年份制定了几个方面的量化目标。

光伏发展激励政策是各国早期都采用过的办法，名目多达几十种，包括减免税、补贴、贴息、租赁、电力配额等，但是各种政策所发挥的作用都十分有限，较成功的只有日本。而其他国家由于政治体制原因很难效仿日本，利用财政进行如此巨大而且长期的补贴在很多国家很难持续下去：一方面，政府财政会受到各个方面的质疑；另一方面，还会因政府或政府官员的更迭而受阻，政策缺乏可持续性。

遗憾的是，经过一轮快速发展，日本的光伏政策也开始起伏不定。2005年，日本政府以住宅太阳能发电已经普及为由，一度停止了对太阳能发电的补贴。与其他国家一样，一旦补贴降低或取消，光伏产业的发展就会受到巨大影响。日本在2005年取消补贴之后，2006年其装机容量就被德国超过，2007年电池生产量被欧洲超过，失去了太阳能第一大国的地位。

但不可否认的是，在2006年之前的十几年间，日本政府的大力扶持、企业的主动跟进以及全民的积极参与都对该国光伏产业体系的建立起到了基础性的作用。经过十几年的努力，在“新阳光计划”和其他一系列激励政策的支持下，打造了在全球范围内都颇具竞争力的光伏产业。

2006 年之后，尽管日本光伏产业由于政策变化而增长缓慢，但日本国内对于太阳能发展仍不乏支持的声音，并且检讨了此前的政策变化，随后从 2009 年开始又突然发力。

2009 年，日本政府开始探讨可再生能源的全量购买政策，即后来的补助金政策的雏形，该政策于 2011 年在国会获得通过。

相较于其他欧洲国家及我国对太阳能发电的补助金政策，日本在这方面的投入更大。从 2012 年 7 月 1 日开始实施的太阳能发电补贴政策，对于大于 10 千瓦的非住宅项目，其补贴税前价格达到了 42 日元/度（约合 2.6 元/ 度），周期为 20 年。这一补贴价格相当于德国和意大利的两倍，相当于我国的 3 倍。[8]

日本对光伏产业的巨额投入与 2011 年福岛核泄漏事故密切相关。该事故坚定了日本发展太阳能的决心，并宣布将逐渐向无核国家转变。根据日本国内的资源情况，太阳能被认为是代替核能的最佳新能源种类，于是近几年，日本太阳能又重现繁荣态势。EPIA（欧洲光伏产业协会）的资料显示，日本太阳能发电装机容量 2010 年累计增至 362 万千瓦，2011 年为 462 万千瓦，2012 年装机规模比 2011 年提升 30%，约为 600 万千瓦。

而随着规模化发展，日本国内太阳能生产成本持续走低，产量不断增大，产业高速发展，并涌现出了一大批龙头企业。媒体报道称，日本综合租赁业龙头欧力士计划携手日本最大的太阳能发电系统安装商 West Holdings 等企业在日本兴建 250 座光伏电厂，年总发电量将达 50 万度，预计 5 年内投资额高达 1 000 亿日元。

随着日本市场的扩大，近年来包括中国光伏企业在内的各国光伏企业陆续登陆日本，抢占一定的市场份额。但由于日本光伏企业占据地理优势以及日本民众对民族品牌的认同感，日本光伏企业的市场份额始终占绝对优势。

表 2–4　日本历年新增光伏装机容量

年份	新增光伏装机容量（MW）
2004	272
2005	290
2006	287
2007	210
2008	225
2009	483
2010	991
2011	1 296
2012	1 637

资料来源：《全球新能源发展报告》（2013 年）。

日本光伏市场的另一个特点是比较封闭，分销商与日本本土品牌建立了长期的合作关系，中国光伏企业很难在短期内打开局面。另外，日本客户对光伏产品的质量和安全性要求较高，对进口光伏产品均进行配件打包认证，整体认证通过后方可进入市场，否则整个打包组件都将被拒之门外。在其他市场，客户一般只看供货商是否拥有德国TÜV（技术监督协会）标志，而日本客户则要亲自检测，而且要求更高、耗时更长。因此，中国光伏产品要想进入日本市场并非易事。

除此之外，日本的光伏发展结构也符合当今世界分布式的发展趋势。日本的光伏发电市场以住宅发电为主，2012 年在国内的市场份额达到了 85%以上，而德国与美国的住宅建筑发电的份额仅分别为 67%和 46%。

这种以住宅发电用电为主导的市场，对目前的日本而言无疑是正确的选择。首先，它更加有效地促进了大量屋顶发电设施的建设，减少了电力入网带来的电力损耗，更加有效地利用了电力资源。其次，它促使终端用户直接利用自家发电装置发电，避免了电力入网后可能产生的成本上升与重复收费，有利于屋顶太阳能发电设施的普及。

总而言之，光伏产业的再度觉醒促使日本制定宏伟的发展规划并出台一系列刺激政策，加上之前打下的良好基础，日本未来一定能在光伏产业有所作为。但受制于一些客观和主观因素，日本的光伏大国梦也不可能一帆风顺。面对与中国等新兴光伏大国的竞争，日本面临着市场狭窄、故步自封、创新精神不足等问题。

韩国悄然出手

与中国、日本对新能源的重视相似，韩国也一直关注世界能源市场的动向，把发展可再生能源提高到“国家能源战略”的高度予以重视，并采取一系列倾斜性政策进行扶持，使得韩国太阳能产业迅速发展。

韩国政府对太阳能发电的扶持政策，采用的是“政府扶持、企业投资、地方参与”的发展模式，主要包括：一般光伏补贴计划、百万绿色家园项目、区域安装补贴计划、公共建筑责任计划以及可再生能源义务配额计划等。

在资金扶持方面，韩国政府对太阳能发电设备、零部件生产、设施安装以及运营提供长期低利率融资，以减轻企业初期投资的资金负担。韩国知识经济部公布的数据显示，政府2008年对新能源、可再生能源技术开发的扶持资金总额达 1 994 亿韩元（约合 11 亿元人民币），其中对每个太阳能战略性技术研发项目每年拨款 100 亿韩元（约合 5 500 万元人民币），最长扶持期为 5 年，促使核心技术开发尽早实现突破并投入使用。

韩国还是全亚洲最先提出并实施购电补偿法的国家。根据规定，政府应该为光伏系统安装者提供为期 15 年的固定购电补偿。太阳能电站卖给国家电网的电价与政府公示标准电价之间的差价也由政府补贴。从 2006 年起，韩国政府给出了约合每度 0.56~0.6 欧元、持续 15 年的上网电价，对投资者颇具吸引力。

在上网电价政策的刺激下，在 2006 年和 2007 年，韩国光伏新增装机容量跳上了 20MW 的新台阶，但在总补贴容量上限和电价有效年限的影响下，潜在用户仍有所顾忌。

2008 年上半年，韩国政府修订了上网电价政策，取消了补贴容量上限，并在上网电价申请总容量超过 100MW 时重新确定上网电价。上限的大幅提高和 2009 年上网电价递减的预期刺激了韩国国内的装机需求，使得韩国市场在 2008 年呈现爆发式增长，并在 2008 年成为世界第四大新增光伏装机容量国家。

根据EPIA的统计数据，截至 2011 年年底，韩国的光伏发电装机容量为 75 万千瓦，居世界第 12 位，在亚洲仅次于日本（491 万千瓦）和中国（295 万千瓦）。

根据新的产业发展计划，韩国从 2012 年开始新建规模达 100MW的太阳能设备，从 2013 年年初开始投入发电。2013 年，韩国政府在光伏研发领域的预算约为 1 988 亿韩元（约合 11 亿元人民币），比过去 5 年（2008~2012 年）增加了 36.9%。就短期目标而言，韩国许多项目的研究主要是围绕高效晶硅光伏电池、非晶硅薄膜光伏电池及铜铟镓硒薄膜电池等展开。而就长期目标和创新目标而言，大部分项目的实施则是以有机光伏电池和染料敏化光伏电池等为主。[9]

虽然韩国参与光伏市场竞争的时间较晚，但是发展速度惊人，目前已在光伏产业的主要原料多晶硅生产方面处于全球较为领先的地位。但是受近几年全球光伏产业低迷的影响，韩国光伏产业也正陷入产能过剩的窘境，主要企业纷纷减产、停产甚至申请破产。

同时，韩国多晶硅产品于2012年下半年遭遇中国反倾销调查，尽管2013年7月中国商务部出台的初裁税率比预期要低，但还是对韩国多晶硅生产企业造成了一定影响，一些光伏企业的业绩已经开始下滑。在韩国对华多晶硅产品的出口量中，有一半来自绿色能源和综合性化学工业供应商OCI公司。据报道，目前OCI公司的群山工厂的开工率仅为50%，而排名第2位和第3位的韩国硅业株式会社及熊津多晶硅有限公司已相继申请破产保护，KCC（金刚化工有限公司）的忠清南道工厂仅运行1年便宣告停产。

为应对出口市场阻力，韩国知识经济部计划在短期内打造内需市场，以提高行业开工率。为确保流动性，韩国政府在今后3年内将建设总规模达260MW的太阳能发电设备。同时，可再生能源义务配额也从230MW调整至2013年的330MW。同时，政府将通过退税等方式向可再生能源供应企业提供出口便利，使其更易获得出口保函。

此外，今后5年，韩国太阳能项目综合性研发中心将投入1 500亿韩元（约合8.3亿元人民币）用于光伏关键技术的研发。如果韩国一系列太阳能产业发展项目能够成功推进，将能为近来陷入低迷的韩国太阳能行业注入新活力。

日韩步履蹒跚

日本光伏产业发展势头良好，但制约其国内光伏产业发展的因素也一直存在，比如市场狭小、故步自封、核心技术无法突破和产业链不完整等。

有人认为，日本光伏制造业无法摆脱日本其他制造业的发展趋势，即总是在前期领先世界，中期开始被新兴国家厂商赶超，最后一败涂地，比如半导体DRAM（动态随机存储器）芯片、液晶电视、DVD（数字激光视盘）播放机、数码家电专用锂电池、车用导航等。

以日本面板大厂夏普（Sharp）和电子组件大厂京瓷（Kyocera）为例，两者都具有30年以上的太阳能光伏研究技术，产品在全球市场上也拥有一定的占有率。但由于目前太阳能光伏电池主要产地转移至中国，日本太阳能光伏电池厂也被新兴国家厂商超越，在全球市场上的占有率越来越低。

为什么新兴国家厂商的太阳能光伏电池能快速赶上技术领先的日本？这几乎是日本厂商共同的疑问。回答这一问题并不难。日本竞争力的下降与日本光伏电池厂闭门造车的生产方式密切相关：这种生产方式虽可降低生产技术外流的风险，但也容易导致生产成本水涨船高。

实际上，日本也很难真正保护好本国的技术，许多日本厂商为了降低生产成本，不得不请海外国家代工生产太阳能光伏电池，因此即使申请专利，也难以防止核心技术经由生产设备外流。而对中国厂商来说，得到他国生产设备虽然十分困难，但必然可以减轻实现量产的难度并缩短量产的时间。

早在几年前，中国国内太阳能光伏电池制造大厂就已开始采用德国制造和日本制造的生产设备，即使日本与德国对核心技术严格保密，生产设备及流程依然会泄露“机密”。中国厂商从生产设备上摸索各国的核心技术，无形中提升了技术竞争力。

当今世界的技术流通速度正在加速，日本厂商保持自身优势的时间也越来越短。日本的DRAM芯片在全球市场上的占有率从60%下滑至30%，共耗时8年（1991~1999年）；而日本的太阳能光伏电池在全球市场上的占有率从50%下滑至25%，仅用了短短两年（2004~2006年）。

日韩的光伏产业起步较早但故步自封，而且日韩的本土市场规模狭窄。另外，日韩目前的企业大多数是第二代、第三代家族继承人或职业经理人在管理，丧失了创业型企业家的开拓精神。

在国际市场竞争中失利后，日本厂商希望借着国人对民族品牌的认同坚守国内市场。但这一策略也有缺陷，且不说日本本土市场也容易被国外同行占领，仅就日本市场规模而言，和中国就不是一个数量级的。

日本政府制定的目标是，到2020年光伏装机容量达到28GW，2030年达到53GW，而远期利用潜力预计达到230GW。而中国近期在讨论的装机容量目标比日本的大得多：2020年达到100GW，2030年达到400GW，2050年达到1 000GW。而且，由于中国幅员辽阔，远期利用潜力更是不可估量，因此从市场规模来看，日本厂商的机会要比中国厂商小得多。

除此之外，日本光伏厂商的核心技术突破一直面临瓶颈，这也使得价格难以下降，严重影响其市场竞争力。近年来，晶硅电池的转化率几乎到达极限，已难有大幅提升。尽管夏普试图与东京大学生产技术研究所合作研发量子太阳能光伏电池，转化率有望大幅提升，但该研究所也承认，需要10年时间，产品才有可能量产。

在技术没有明显突破的情况下，占有价格优势的中国太阳能光伏电池厂很容易就能抢走日本厂商的客户，使日本厂商在全球市场的占有率持续下降。不仅如此，日本厂商坚持垂直集成模式，不愿采取水平生产的经营模式，更有可能使整个太阳能光伏电池业重蹈平面电视的覆辙。目前大部分中国厂商都已采取水平分工模式，但日本电子大厂松下仍在2011年12月宣布，将在马来西亚设厂并采取垂直集成模式。[10]

日本的光伏制造技术停滞不前也与日本缺少创业型企业家的开拓精神有关。目前的大企业多数由职业经理人管理，缺少了第一代企业家的开拓精神。

以夏普为例。1980年6月24日，夏普创始人早川德次在弥留之际仍放心不下公司："我们不要怕被竞争对手模仿，被模仿恰好说明我们的产品有竞争力。"夏普从诞生那天起就是一个创新者，尽管其产品不断被竞争对手模仿，但它总能不断推出引领潮流的新产品，依靠持续创新推动公司发展。进入21世纪，夏普放缓了创新步伐，管理者寄希望于抬高准入门槛，坐享其成。背离创始人理念的职业经理人缺乏创新开拓精神，夏普从此走向衰落。

目前，日本太阳能光伏电池产业正处于关键时期，若无法有效抵御国外厂商的竞争，最后很可能发生洗牌效应，其竞争力也将持续下滑。因此，日本光伏产业目前仍无法与中国直接竞争。

而韩国，除面临与日本类似的几大问题外，目前其光伏产业正走在破除荆棘、摆脱困境的道路上。韩国商业巨头三星集团在2010年便进入光伏行业，由于国内市场局限性较强，供过于求导致太阳能光伏电池片价格暴跌，三星SDI有限公司接手太阳能光伏电池片业务后，亏损了300亿韩元（约合1.65亿元人民币）。可见，韩国光伏市场正处于起步阶段，依然有很长的路要走，更无法成为中国在光伏行业的有力竞争对手。

但这并不是说韩国光伏厂商就完全没有机会，美国对中国光伏产品的“双反”可能使韩国厂商坐收渔利。原本中国光伏产品占据了美国市场的50%，由于美国对中国的钳制，中国企业进军美国市场的脚步会被阻挡，这对韩国企业来讲是很好的机会。

中国光伏产业的崛起

580余家企业，30万从业人员，硅片、电池片、组件产能均达到40GW左右，占全球总产量的60%……在短短的10年内，我国已经发展成为当之无愧的世界第一大光伏制造国。

然而，这只是“大”的崛起，还不是“强”的崛起。两头在外、产能过剩、产业链不完整等问题导致2012年全行业性的危机，也促使中国光伏产业开始整合升级、内需升级的转型。

作为光伏大国，我国的竞争优势明显，但问题也不少，因此我们仍需努力。

来自总理的关怀

“最近光伏产业很困难……这两个月能挺得住吗？”2013年6月7日，

在河北邢台一家光伏企业的切割车间里，国务院总理李克强关切地询问在场的员工。

这一场景随后被媒体广泛报道。当时李克强总理在河北调研了欧盟可能采取的“双反”措施对我国企业的影响，同时安抚在场企业：虽然光伏企业面临复杂的国际形势，但中国政府坚决维护国家利益，也坚决反对贸易保护主义，一定要坚定信心，共同渡过暂时的难关。

而在此次表态之前，李克强总理已经开展了一系列赴欧外交活动，亲自做了很多关键性工作。2013 年 5 月下旬，李克强总理与德国总理默克尔会面并争取到她的支持。在共同会见记者时，他们均表示，不赞成对中国光伏产品征收永久性关税。

从欧洲归来，6 月 3 日晚，在和欧盟主席巴罗佐通话时，李克强总理说，如果欧方执意采取制裁性措施，中方必然要反制裁。媒体称，这是中国政府高层第一次对欧盟明确传达反制裁的强硬态度。

中方的努力最终取得了成效：6 月 4 日，欧盟做出初裁，在最后一刻将临时反倾销税从 47.6% 下调到 11.8%。

6 月 14 日，李克强总理主持召开国务院常务会议，部署了 6 项政策以扶持光伏产业。那一天，全国工商联新能源商会正在组织一个新能源行业的高峰论坛，与会的光伏企业正在苦恼寒冬来临，忽然听闻李克强总理主持召开国务院常务会议，定调国内光伏产业的扶持政策，会场气氛立刻就发生了逆转。

8 月初，经过双方的艰苦谈判，中欧达成“价格承诺”协议，欧盟决定取消向中国光伏企业征收反倾销税。[11]

在短短几个月内，困境中的中国光伏企业享受到“国家操盘”、“总理督战”的高级待遇，这是以前从来没有享受过的优待，在其他行业也从未出现过。

在李克强总理看来，打造中国经济“升级版”，光伏产业是新能源的重要发展方向。国务院的判断是：中国光伏产业已具有相当强的国际竞争力，目前只是出现了暂时性的经营困难。

中国光伏产业能享受到如此高的待遇，除了与光伏产业的特殊性相关外，也与中国光伏产业的发展成就相关：虽然中国光伏产业起步晚，但在短短10年内就迅速崛起，形成了完整的上中下游工业体系，竞争力名列世界前茅。

而研究中国光伏产业的崛起历程，有必要先了解一下中国光伏发展所经历的主要阶段及当时所处的主要环境。

中国光伏产业的发展可回溯至20世纪50年代，但那时的发展仅限于科研，尚难真正应用，所以我们将其源头延后至80年代，其发展历程大致包括2000年以前的萌芽阶段、2002~2007年的起步阶段、2008~2009年的挫折阶段、2009~2010年的回暖阶段以及2011年至今的动荡阶段。

中国太阳能光伏发电应用始于20世纪70年代，但直到1983年才真正发展起来。在1983~1987年，我们先后从美国、加拿大等国引进了7条太阳能电池生产线，使中国太阳能电池的生产能力从1984年以前的年产200KW跃升到1998年的2.1MW，累计发电量已经超过13MW，发电成本在2.5元/度以上。

2002年，国家有关部委启动了“西部省区无电乡通电计划”，通过太阳能和小型风力发电解决西部七省区无电乡的用电问题。该项目的启动大大刺激了太阳能光伏市场，国内开始建设太阳能电池的封装线，太阳能电池的年产量也迅速增加。2003 年 10 月，国家发改委、科技部制订未来 5 年太阳能资源开发计划，发改委“光明工程”筹资 100 亿元用于推进太阳能发电技术的应用，到 2005 年全国太阳能系统总装机容量已达到 300MW。2007 年，中国光伏电池产量首次超过德国，居世界第一位。

随后两年，由于全球金融危机的爆发，中国光伏产业发展首次遭遇挫折，整个行业从巅峰跌入低谷。在这一阶段，很多中国企业受到严重打击，但光伏产业的良好前景依然被多数人认可。2009 年以后，在国家政策的轮番刺激下，中国国内的光伏产业市场得到了一定程度的恢复。到 2010 年，光伏产品订单开始猛增，市场开始回暖。

2011 年是国家“十二五”规划的开局之年，在多项政策的支持下，随着光伏产业链的不断完善以及各地太阳能项目的陆续上马，光伏产业也进入加速发展阶段。

然而世界经济变幻莫测，2011 年以来，世界经济延续着不景气之势。2012 年，随着欧美“双反”调查的深入，国内光伏产业遭受重创，对光伏企业生产、经营、销售产生了巨大的不利影响，尚德电力、赛维等企业面临严重的债务危机。

面对困境，2013 年 7 月，国务院发布了《关于促进光伏产业健康发展的若干意见》，支持光伏产业发展，中国光伏产业将迎来新一轮的快速发展期。

根据《关于促进光伏产业健康发展的若干意见》所设立的目标，要把扩大国内市场、提高技术水平、加快产业转型升级作为促进光伏产业持续健康发展的根本出路和基本立足点，建立适应国内市场的光伏产品生产、销售和服务体系，形成有利于产业持续健康发展的法规、政策、标准体系和市场环境；2013~2015 年，年均新增光伏发电装机容量达到 1 000 万千瓦左右，到 2015 年总装机容量达到 3 500 万千瓦以上；加快企业兼并重组，淘汰产品质量差、技术落后的生产企业，培育一批具有较强技术研发能力和市场竞争力的龙头企业；加快技术创新和产业升级，提高多晶硅等原材料的自给能力和光伏电池制造技术水平，显著降低光伏发电成本，提高光伏产业竞争力。保持光伏产品在国际市场的合理份额，对外贸易和投融资合作取得新进展。

“光伏制造大国”

目前，中国已经成为无可争议的“光伏制造第一大国”。

晶硅光伏制造产业链包括硅材料、硅片、电池、组件和系统。近年来，我国光伏产业发展迅速，光伏电池制造产业规模迅速扩大，市场占有率位居世界前列，光伏电池制造达到世界先进水平，多晶硅冶炼技术日趋成熟，形成了包括硅材料及硅片、光伏电池及组件、逆变器及控制设备的完整制造产业体系。国内应用市场逐步扩大，发电成本显著降低，市场竞争力明显提高。

晶硅光伏设备制造及一些光伏配套产业也得到了快速发展。其中，硅片（不管是单晶硅还是多晶硅）已经形成世界最大的产业基地，主要分布在辽宁、河北、河南、江苏、浙江和江西等地；太阳能电池与组件主要产业基地分布在江苏、河北、浙江等地，产量也已位居世界第一；产量相对薄弱的是多晶硅和光伏逆变器产业，但就多晶硅而言，目前已经有 50 多家公司陆续投产，未来我国也可能从多晶硅的进口国变为出口国。

当前，我国共有580余家光伏企业，从业人数约为30万。2007年，国内太阳能电池的产量约为1 180MW，比2006年的300MW增长了近3倍，使得从这一年开始，中国超过德国成为太阳能电池第一生产大国。2011年，我国硅片、电池和组件三个环节的产能达到40GW左右，同比增长100%，约占全球总产量的60%，这使我国成为名副其实的光伏制造大国。随着规模的进一步扩大，目前我国已成为世界光伏制造中心。

2012年，中国的多晶硅产能为15.8万吨，占全球的43%，产量为6.9万吨，占全球的32%；光伏组件的产能为37GW，占全球的51%，产量为22GW，占全球的54%。

以多晶硅为例，与10年前相比，我国多晶硅产量的全球占比提高了143倍。10年前，先进技术主要集中在美、日、德3个国家共7家公司的10家工厂中，它们一直对中国实施技术封锁和市场垄断。2002年，世界多晶硅产量为2.035万吨，我国多晶硅产量仅有50吨，约占世界总产量的0.25%，而且技术水平低、生产规模小、产品单耗高、生产成本高。多晶硅市场需求全部依赖进口，新能源的产业发展严重受制于人。

2007年是我国多晶硅规模化生产元年。以自主研发技术为基础，洛阳中硅高科技有限公司千吨级扩建项目投产，四川新光硅业科技有限责任公司年产千吨级项目建成投产。当年，全国多晶硅总产量为1 130吨，增幅高达295%，我国规模化生产多晶硅的帷幕就此拉开。

2008年，在太阳能行业快速发展和高额利润的驱动下，国内掀起了一波建设多晶硅项目的热潮，在建项目达20多个，总投资额约200亿元。一大批新建和扩建项目相继投产，包括江苏徐州中能硅业、洛阳中硅三期、峨嵋半导体材料厂、重庆大全新能源有限公司、江苏顺大集团、亚洲硅业青海有限公司、宜昌南玻硅材料有限公司、通威股份有限公司、特变电工股份有限公司、宁夏阳光硅业有限公司、江西赛维、无锡中彩集团等，投产规模累计达到2万吨。当年，中国多晶硅总产量为4 500吨，增幅为298%，但中国70%以上的多晶硅仍然依赖进口。多晶硅价格创历史新高，达到500美元/千克，加速了各类资本的进入。

2009年，在全球金融危机的影响下，多晶硅价格暴跌，而中国多晶硅投产规模继续增至8万吨，产量为2.023万吨；2010年投产规模为12万吨，产量为4万吨；2011年投产规模为16.5万吨，产量为8.267万吨，占全球多晶硅产量（23万吨）的35.9%，首次超过美国，成为世界多晶硅生产大国。

从多晶硅进而观察整个中国的光伏产业链，各环节产品供应商的数量基本上呈金字塔形分布。

一方面，位于顶端的多晶硅生产商相对较少，晶硅电池以及组件制造商迅速增多，产能扩张较快。由于晶硅电池以及组件制造商扩建产能的周期较短，而处于上游环节的晶硅原料企业扩张产能的周期较长，整个产业链扩张无法同步，晶硅原料企业的产能扩张速度明显滞后于晶硅电池以及组件制造商。

另一方面，晶硅光伏发电设备与传统的发电设备不同，设备的维护和机械装置的制造难度相对较小。从目前全球光伏产业链的技术分析来看，下游的硅片、太阳能电池、太阳能组件环节的生产技术已经相对成熟。近几年，国内企业在这些领域的发展速度非常快，涌现出了一批全球知名的晶硅太阳能电池制造商。

尽管中国光伏制造产业链各个环节的迅猛发展为中国光伏产业发展及

参与世界竞争奠定了坚实的基础，但因为国内光伏发电起步较晚，国内市场没有大规模释放，以及受制于欧美“双反”等因素，国内晶硅光伏制造业在经过短短10年的发展后就陷入了严重的产能过剩，使中国光伏产业发展进入新一轮的动荡期。

这主要是受2010年和2011年连续两年全球范围内光伏产能非理性扩张的影响，在2011年年底，全球光伏制造产能突破79GW，产量为40GW，而当年的装机容量仅为27.7GW。供需的严重失衡导致2012年的组件价格延续了2011年的下跌趋势，从年初的0.9美元/瓦下降到年底的0.65美元/瓦。企业利润被挤压，企业破产的新闻多得甚至让人有些麻木。而经过2012年的洗礼，全球的光伏产能已降至70GW，产量为39GW，但仍然高于31GW的新增装机容量。

这标志着光伏制造大国转型大幕的拉开，也预示着整合的不断深入。

向消费大国过渡

转型的契机出现在2012年——美国和欧洲先后对中国的晶硅光伏产品发起“双反”调查，导致中国晶硅光伏企业面临险境，产业整合、技术升级和市场扩容成为摆脱困境的必然选择。其中，市场扩容被视为解决中国光伏制造危机的最有效的办法。

此前，我国晶硅光伏制造业发展的最大特点在于“两头在外”，即原料依靠进口，产品也以出口为主。市场狭小已经严重阻碍我国光伏技术的跨越式发展，同时海外需求、汇率、国外补贴政策等都会给中国光伏企业带来直接影响。所以，解决我国当前光伏制造业困境的最直接路径就是扩大国内光伏应用，包括大力开拓分布式光伏发电市场、有序推进光伏电站建设等。

实际上，近几年国内太阳能发电市场大规模启动的信号已非常明显，2012年中国新增装机容量为4.7GW，同比增长了80.3%，累计装机容量也已达到8.2GW。而基于中国分布式发电市场的启动，光伏应用将加速增长。在国家政策的扶持下，预计2013年中国光伏市场新增装机容量将达到10GW。

未来，德国、意大利装机容量的增速将显著放缓，而中国、美国、日本等市场将日益繁荣。预计2013年中国、美国、日本共计占全球光伏需求量的47%。而由于政策激励和产业链的日趋完善，中国将超过德国，成为全球最大的光伏市场。

国内市场的增量首先来自随处可见的“太阳能屋顶”。国务院最新的政策鼓励各类电力用户按照“自发自用，余量上网，电网调节”的方式建设分布式光伏发电系统，优先支持在用电价格较高的工商业企业、工业园区建设规模化的分布式光伏发电系统，支持在学校、医院、党政机关、事业单位、居民社区建筑和构筑物等推广小型分布式光伏发电系统。

其次来自城镇化市场。在城镇化发展过程中，我们可以借机充分扩容太阳能，结合建筑节能加强光伏发电应用，推进光伏建筑一体化建设。比如，依托新能源示范城市、绿色能源示范县、可再生能源建筑应用示范市（县），扩大分布式光伏发电应用，建设分布式光伏发电规模化应用示范区、示范镇及示范村等。

城镇化是未来中国经济发展的新引擎，借助城镇化推动光伏发电发展将起到事半功倍的效果，可在城镇化的前期电力供应规划中系统地引入光伏发电作为城镇的电力补充。例如，利用有条件的公共建筑和新型社区住宅的屋顶发展光伏建筑一体化应用。

从政策的角度看，适当的内需政策引导也必不可少。国务院发布的指引政策中已经提出：开展适合分布式光伏发电运行特点和规模化应用的新能源智能微电网试点、示范项目建设，探索相应的电力管理体制和运行机制，形成适应分布式光伏发电发展的建设、运行和消费新体系；支持偏远地区及海岛利用光伏发电解决无电和缺电问题；鼓励在城市路灯照明、城市景观以及通讯基站、交通信号灯等领域推广分布式光伏电源。

除此之外，政府还将有序推进光伏电站建设。按照“合理布局、就近接入、当地消纳、有序推进”的总体思路，根据当地电力市场发展和能源结构调整需要，在落实市场消纳条件的前提下，有序推进各种类型的光伏电站建设。鼓励利用既有电网设施按多能互补方式建设光伏电站。协调光伏电站与配套电网规划和建设，保证光伏电站发电及时并网和高效利用。

这些政策的落实与执行将促进国内光伏发电的快速发展，不仅能解决国内光伏制造业产能过剩所造成的产业困局，更能促使中国从光伏制造大国向光伏应用大国转变，真正使太阳能这一最具发展前景的新能源在中国得到规模化发展，从对化石能源的补充作用向替代作用转变。

事实上，中国光伏发电的潜力的确巨大。据统计，中国现有房屋建筑面积近 500 亿平方米，2020 年将可能接近 900 亿平方米。如果将屋顶面积的 10% 和侧立面的 15% 安装上太阳能电池（10% 的转化率），装机容量可达 10 亿千瓦。此外，中国拥有大量的荒漠化土地，总面积约 262 万平方公里。按每平方公里土地可安装 4 万千瓦太阳能电池计算，在 2% 的荒漠化土地上即可安装 20 亿千瓦，相当于中国当前电力装机容量的两倍左右。

表 2–5　中国历年新增光伏装机容量

年份	新增光伏装机容量（MW）
2004	9
2005	4
2006	12
2007	20
2008	45
2009	228
2010	520
2011	2 607
2012	4 700

资料来源：《全球新能源发展报告》（2013 年）。

而政府加大补贴力度也将有助于加速启动国内市场。目前，补贴按资金来源分为两个部分：

一是财政部资金补助项目。根据 2009 年 3 月财政部发布的《关于加快推进太阳能光电建筑应用的实施意见》和 7 月份发布的《金太阳示范工程财政补助资金管理暂行办法》，补贴面向光伏建筑一体化项目和金太阳工程文件附注中指定的项目，补贴方式是申报批准后，在装机时一次性补贴。2013 年 7 月，财政部下发《关于分布式光伏发电实行按照电量补贴政策等有关问题的通知》，明确国家将对分布式光伏发电项目按电量给予补贴，补贴资金通过电网企业转付给分布式光伏发电项目单位。该政策的发布将为分布式光伏电站发展带来新的推动力。

二是可再生能源附加支持项目，补贴方式是进行招标，而后使用光伏标杆电价进行补贴。凡是享受了金太阳示范工程补贴资金的太阳能项目，都不再享受光伏标杆电价补贴。中国的光伏市场由以财政部资金支持的金太阳工程、光伏建筑一体化市场和以可再生能源附加支持的标杆电价市场组成，两个市场基本上相互独立。

在过去的几年里，在光伏制造产能快速扩张的同时，制造技术也越来越成熟，生产效率和管理水平也都有了较大幅度的提升，多晶硅原材料、组件和逆变器的生产成本及价格也迅速降低。与此同时，通过大规模光伏电站的建设与维护，整个产业界积累了大量宝贵的电站设计、建设和运营管理经验，这也是电站系统价格得以下降的一个原因。

截至 2012 年，投资国内大型地面电站的系统平均价格为每瓦 1.5~1.8 美元，光伏发电的度电成本也随之不断降低。在光照资源丰富的地区，2012 年大型光伏地面电站发电的成本已经接近 0.6 元/度。这是光伏产业快速发展带给包括中国人民在内的全球各国民众的最直接的好处，也使人们对光伏发电逐渐取代传统能源充满信心。

另外，光伏产业的利润向下游转移的现实促使更多的光伏上游制造商向电站开发进军。根据《全球光伏制造数据库》的统计，中国排名前 20 位的光伏组件和电池制造商均已涉足电站开发业务。中国 2012 年的光伏电站投资总额在 450 亿元左右，到 2015 年预计达到 1 000 亿元，这无疑是一个庞大的市场。

优势明显，但仍需努力

对中国的新能源产业、光伏产业来说，2012 年绝对是一个关键年。

这一年，中国走在了全球新能源领域的最前列，新能源总投资额高达 677 亿美元，占全球总投资额的 25%，超过美国成为全球第一大新能源投资国，其中大部分投资增量来自于光伏领域。

这一年，尽管中国光伏产业遇到了一些困难，但这既是对产业发展的挑战，也是促进产业调整升级的契机。特别是，光伏发电成本从此开始大幅下降，为扩大国内市场提供了有利条件，同时也为增强中国光伏竞争优势提供了契机。

中国光伏产品频繁遭遇国际“双反”，但从另一个角度看，这恰恰说明了中国光伏产品的竞争优势——与获得大规模补贴的欧美企业相比，中国具有价格优势。也就是说，出口阻力增大完全是因为欧美频频打贸易战，而非自身产品缺乏竞争力。

近几年，国内电池片、电池组件以及系统的生产技术已经得到国际市场的认可，在技术上已接近甚至超越国际水平，加上国内便宜的能源以及低廉的劳动力，我国在整个光伏产业链中已经具备一定的竞争力。中国光伏产品因性价比高、技术先进、质量可靠而得到了欧美国家大型用户及普通消费者的青睐。目前，中国的太阳能产业已经成为全球瞩目的焦点。中国的太阳能电池生产能力已经超过欧洲和日本，并且已经建立起由原材料生产、光伏发电系统建设等多个环节组成的完整产业链。

尽管竞争优势明显，但中国光伏企业仍需努力。一个新兴产业的快速发展，其前提必须是产业链上、中、下游的相关产业同步发展。而这种发展已不单单是产能的提升，更重要的是在掌握核心技术前提下的国际竞争力的提升。面对美国、欧盟等对中国生产的多晶硅电池的“双反”调查，再加上国际光伏应用增长放缓，我国的光伏产业一下子就陷入了僵局，这说明我国光伏产业的抗风险能力较弱，也暴露出多晶硅电池这一发展路径的缺陷。

2013 年上半年，我国多晶硅行业面临错综复杂的国内外形势，企业处于进退两难的境地，总体可概括为：下游需求恶化，国外倾销持续，价格低位徘徊，企业复产无望。

从下游需求和原材料进口方面看，下游需求恶化主要是受“双反”影响，2013 年第二季度国内光伏产品出口受阻，导致多晶硅需求量下滑至 6.9 万吨，同比下滑 4.2%。而 2013 年 1~5 月，我国进口多晶硅数量累计达 3.4 万吨，同比增长 0.91%。在进口均价方面，2013 年 1~5 月，我国多晶硅进口均价为 18.33 美元/千克，较 2012 年全年多晶硅进口均价下滑 27.7%，可见国外倾销依旧持续。

从价格方面看，受国外倾销及下游需求持续低迷的影响，价格始终在低位徘徊：上半年国内多晶硅现货交易均价降至 13 万元/吨，同比下滑 32.5%。目前，国内多晶硅现货价格低于国内所有企业的生产成本，如果没有更有利的预期因素支撑，那么国内停产企业复产的希望十分渺茫。预计晶硅光伏产业链产能过剩的局面将延续到 2014 年，随着全球光伏市场规模的扩大和光伏发电成本的降低，2015 年之后光伏产业的供需将趋于平衡。

欧盟的“双反阴谋”

> 欧盟针对中国光伏产品的“双反”调查使中国企业煎熬了两年。最终，这次“双反”因为中国政府的积极应对、中欧高层的积极斡旋而达成和解。
>
> 但需要特别注意的是，在对中国光伏企业发起“双反”的同时，欧盟许多国家也在针对本国的企业削减政府补贴，其原因可不仅仅是欧债危机这么简单。

和解协议

2011 年 11 月 7 日是一个令中国许多晶硅光伏企业烦恼的日子。

这一天，美国对中国晶硅光伏产品“双反”做出终裁；同一天，欧盟也正式宣布对中国晶硅光伏产品进行反补贴立案调查，欧盟“双反”也拉开了序幕。而且，欧盟“双反”比美国“双反”更具杀伤力，因为中国晶硅光伏出口产品只有 10%进入美国，而出口到欧盟的产品则占到 60%以上。

值得庆幸的是，经过将近两年的调查和谈判，最终的结果并不算太坏。2013年8月6日，中欧双方达成了“价格承诺”协议：中国同意提高对欧出口的最低限价，每年对欧光伏出口总量也受到了限制，而欧盟放弃对遵守协议的中国光伏企业征收高达47.6%的反倾销税。

根据欧盟相关法律的规定，为了防止人为操控市场价格，中欧双方不会公布最低限价和年出口限额的具体数字，“价格承诺”协议的有效期截至2015年年底。而彭博新闻社发布的消息称，中欧双方达成的最低限价为0.56欧元/瓦，太阳能电池板年出口限额不超过70亿瓦。

该协议于2013年8月6日正式生效，大部分中国晶硅光伏企业参与了“价格承诺”协议的磋商，这些企业自协议生效当日起不用再缴纳惩罚性关税，而没有参与“价格承诺”协议磋商的中国光伏企业仍需向欧盟缴纳高达47.6%的反倾销税。另外，超出限额的中国光伏产品也仍需缴纳47.6%的反倾销税。

中欧光伏产品贸易争端终于化解，中国光伏企业涉险过关且仍然能够把控欧盟60%左右的市场。但实施最低限价后，中国光伏产品的竞争优势将被削弱，从而被迫让出部分市场。而协议的临时性也表明中欧光伏贸易争端问题未能得到根本解决，协议到期后，双方仍然需要重新谈判。

从1997年制定“可再生能源战略”计划到现在已经过去整整15个年头了。在这15年里，欧盟领导人几经变迁，各国的领导人也多次更迭，各国政府在不同阶段也都遭到了化石能源企业利益代表的强烈反对和抵制，但是它们却始终坚定不移地走清洁能源的道路，这一点确实非常值得中国学习。

在光伏革命中，整个欧洲的行动是最迅速、最有成效的，以太阳能为主体的清洁能源已经成为支撑欧盟战略价值的核心产业之一，一切有助于欧盟太阳能发展的因素无疑都是欧盟应该大力支持的。然而近几年，欧盟开始削减对本土光伏企业的补贴，对中国又威胁实施“双反”，我们该如何解读欧盟的这些看似反常的举动呢？

除与美欧的贸易争端外，印度也从2012年开始对中国光伏产品展开“双反”调查，而中国也对原产欧洲、美洲和韩国的多晶硅光伏产品展开“双反”调查，全球的光伏产业界弥漫着贸易战的硝烟。

纵观国际贸易的历史和现状，我们不难发现，目前的光伏贸易战固然有经济危机背景下的客观因素，但更重要的是，世界各主要大国都将光伏视为关系未来国家能源安全的战略性产业并努力做好前瞻性的布局。这使中国的光伏从业者在更理性地对待光伏贸易摩擦的同时，更坚定了发展光伏产业的信念。

全球光伏贸易战

欧盟针对中国晶硅光伏产品启动的“双反”调查申请最初源于德国最大的光伏企业——太阳能世界公司，该公司曾于2011年10月19日、2012年7月24日分别牵头向美国和欧盟提出针对中国晶硅光伏产品的“双反”调查申请。

太阳能世界公司一方面反对中国政府的“补贴”，另一方面却反对德国政府削减补贴。而欧盟在最后关头之所以愿意以“价格承诺”协议取代高额反倾销税，很大程度上也是因为德国政府的反对——德国在过去5年里享受到了与中国关系越来越紧密的好处，并不愿意因为一些光伏企业而破坏这种关系。

实际上，中欧光伏争端凸显了欧盟、德国和中国三方之间的复杂关系。欧盟条约授予欧盟委员会调查贸易争端、征收关税和商谈贸易协议的权力，但很多相关决定必须获得所有欧盟成员国的批准，这使得中国可以采取逐个击破的策略。

中国采取了一连串的行动，在许多人看来，中国的这些举动意在对欧洲国家的政府施压，迫使它们反对这项征税计划。中国对法国出口到中国的葡萄酒发起反倾销调查，并打算对从欧盟出口到中国的多晶硅产品征收进口关税，这严重打击了德国工业巨头瓦克集团（WackerAG）的利益；中国还声称，将对产自欧盟的豪华轿车发起反倾销调查，这可能意味着戴姆勒公司、宝马汽车公司、大众汽车公司这些德国汽车巨头将被中国这个前景光明的市场拒之门外。

中国一连串的反制动作并非出于真正的贸易战目的，而是为了促进中欧光伏争端的和解。

在此之前，中国就有意延缓欧洲多晶硅“双反”初裁报告的出台时间，仅对韩国和美国的多晶硅出台反倾销初裁报告，这不仅是对欧洲的警告，也为中欧光伏争端的和解赢得了时间和空间。因为一旦欧盟按原计划对中国光伏产品课以重税，对双方来讲将是一个双输的结局：反倾销税可能迫使中国的制造商以更高的价格出售产品，这样会导致更低的装机水平，并严重制约相关行业的发展。

中欧光伏争端也说明了全球制造业的复杂性和自我保护主义的无效性。反倾销税不仅会使中国晶硅太阳能电池板制造商的利益受损，其导致的价格上涨也会给欧洲造成损失。最直接的受害者将是那些购买光伏产品以获得更廉价、更环保的能源的用户以及配件行业。从间接方面来看，如果这一政策导致发电能力下降，所有的电力用户都需要承担后果。欧盟内部最终也意识到，假如真正征收高额反倾销税，此举给欧洲经济带来的成本要高于它所保护的行业的经济收益，而且这还没有将环境问题考虑在内。显然，相比保护欧洲制造的产品，地球更需要廉价的可再生能源。[12]

然而，与中欧光伏贸易争端的和解不同，中美在这一领域的争端就没能达成一致，双方陷入了互相报复的恶性循环。

2011 年 10 月，美国 7 家光伏电池制造商向美国政府提出申请，要求对中国晶硅光伏电池产品进行“双反”调查。2012 年 3 月和 5 月，美国商务部先后初裁对中国输美晶硅太阳能电池征收 2.9%~4.73%的反补贴税和 31.14%~249.96%的反倾销税；同年 10 月，美国终裁中国生产的晶硅光伏电池存在倾销和补贴，决定对大多数从中国进口的晶硅太阳能板和太阳能电池征收大约 34%到接近 47%的关税。

高额关税的征收导致 2012 年中国对美晶硅光伏组件的出口额大幅下降。其中，2012 年 8 月的对美出口额为 0.85 亿美元，较 1 月份的 3.87 亿美元下降了 80%。

作为回应，中国政府也对美国的多晶硅光伏产品启动“双反”调查。商务部决定自 2013 年 7 月 24 日起，采用保证金形式对原产于美国和韩国的进口太阳能级多晶硅实施临时反倾销措施。初裁认定，原产于美国和韩国的进口太阳能级多晶硅存在倾销，而且使中国国内多晶硅产业受到实质性损害，美国多晶硅的倾销幅度为 53.3% ~57%，韩国的倾销幅度为 2.4% ~48. 7%。其中，美国第二大多晶硅制造商美国休斯电子材料公司（MEMC）和著名多晶硅企业 Hemlock 被征收 53.7% 的反倾销税，而韩国最大的多晶硅制造商 OCI 公司只被征收 2.4% 的反倾销税。两者相比较，美国多晶硅企业被征收的反倾销税更高。

2012 年，美国、欧盟和印度等国家和地区将“双反”的矛头对准中国，纷纷展开立案调查和征税行动，拉开了绿色能源贸易战的序幕。而到 2013 年，不仅仅是统一针对中国，印度和美国之间也展开了斗争。

在美国就印度的可再生能源部分向世界贸易组织提出制裁申请两个月后，印度政府近日也做出类似举动。印度向世界贸易组织表示，美国的联邦政府及各州为当地的可再生能源企业提供补贴，导致印度的出口问题严峻，从而破坏了全球贸易规则。2013 年 2 月，美国把印度的类似政策诉诸世界贸易组织：印度按照尼赫鲁国家太阳能计划为当地太阳能电池及组件制造商提供补贴，影响了美国光伏企业的生产与运营。除此之外，日本和澳大利亚之间也有类似的提案。

隐藏的“薄膜阴谋”

反观全球光伏贸易战的演变，我们对欧洲特别是德国最早对中国发起晶硅电池“双反”调查申请感到意外，因为在光伏行业中最具有话语权的德国，从事多晶硅、单晶硅太阳能电池研发、生产的人数并不多。

那么，德国当初为何要大动干戈地率先发起对中国的“双反”调查呢？答案是，在这场涉及 204 亿美元的中欧光伏争端背后，可能隐藏着一个鲜为人知的“薄膜阴谋”。

目前，全球太阳能光伏技术主要以晶硅太阳能电池和薄膜电池为主。其中，晶硅太阳能电池包括单晶硅、多晶硅，而薄膜电池则包括非晶硅、碲化镉、铜铟镓硒等。而我国绝大多数光伏企业都集中于晶硅领域。支持欧盟“双反”的力量也主要来自于晶硅太阳能电池生产商。

德国乃至欧盟都希望通过推高晶硅太阳能电池的价格，为薄膜电池赢得足够的市场空间。毕竟，与晶硅电池，尤其是我国生产的晶硅电池相比，目前德国薄膜电池的生产成本使其毫无市场竞争力可言。

在德国工业年鉴上可以查到这样一组数据：在过去的5年里，德国政府超过60%的财政资助是针对薄膜电池的，更有超过70%的研究经费集中于薄膜光伏。此外，所有的薄膜光伏企业都享有电费补贴，但晶硅类企业却无法享受这种补贴。

除电费补贴外，薄膜光伏企业还享有贷款补贴。德国政府自2011年9月恢复了对效率在11.6%以上的非晶硅薄膜电池、效率在13.8%以上的铜铟镓硒薄膜电池和效率在15%以上的碲化镉薄膜电池实施的银行贷款补贴。

这些都充分说明，德国本土的晶硅太阳能企业已经式微。由于薄膜电池组件效率在过去5年里的飞速提升，在欧盟，薄膜电池产业被广泛看好，因此吸引了大量投资。

> **欧盟向中国晶硅太阳能电池征收关税，推高其价格，表面上看是替欧洲同类企业争取“利益”，但实质上，这一做法并未增强这些晶硅类企业的市场竞争力。相反，它帮助太阳能发电技术的另一个分支——薄膜电池获得了更大的市场份额，从**

而促进了新兴的薄膜电池技术的成长，确保了欧洲在新一代薄膜光伏领域的领导地位。而欧洲的晶硅太阳能电池生产商最终也将成为欧盟对华“双反”的“牺牲品”。

这才是欧盟“双反”的深层次原因。

除了“双反”，许多人对欧盟各国削减对本土光伏企业的补贴也存在误解，认为是欧债危机导致欧盟各国被迫削减了对太阳能的补贴，加剧了欧洲本土企业与中国同行的竞争，进而导致其提出“双反”申请。

欧债危机对欧盟太阳能行业确实产生了一定的负面影响，但我们也应该看到，这其实是在薄膜成为主流技术的大趋势下，晶硅类产品被市场淘汰出局的必然结果。欧洲本土企业遇到的问题不仅是竞争问题，更是技术困境，这也是所有晶硅类企业面临的考验。

总而言之，欧盟削减对晶硅电池的政府补贴，转向扶持更有前景的薄膜技术，这有利于使区域内的优势企业脱颖而出；反对中国的多晶硅产品，一方面打击了竞争对手，另一方面保护了本国的薄膜产品。欧盟针对中国的“双反”可谓是用心良苦。

薄膜光伏时代已经来临

> 薄膜化、柔性化是太阳能发展的正确方向。晶硅产品和薄膜产品的差别就相当于以前286、386跟现在的手提电脑、平板电脑的区别。可以肯定地说，薄膜光伏时代已经来临。

薄膜组件的五大优势

薄膜是光伏发电的未来，特别是伴随着组件效率的进一步提升，柔性化、薄膜化将逐渐成为光伏市场的新兴发展方向。

在中国，很多人对于太阳能发电有误解，认为光伏就是晶硅，这个概念是完全错误的。从全球发展趋势看，薄膜才是主流。

> **薄膜化、柔性化是全球太阳能发展的总趋势和方向：**
>
> **1. 薄膜的优势在于：第一，没有污染；第二，低能耗；第**

三，应用范围广泛。薄膜在温度系数、弱光发电方面具有明显优势，薄膜电池技术还有很大的提升空间和发展潜力。

2. 薄膜电池柔性化、轻质化的特点使它具有广阔的应用市场，比如太阳能应急灯、路灯、野营套件、充电器等，尤以太阳能汽车的市场最为广阔。

我国对光伏产业的定位是战略性新兴产业，所谓“新兴”就是它未来有很大的发展空间，所谓“战略性”就是它关系全局和长远利益。因此，我们必须看透趋势，着眼未来，抓住这个产业发展方向，把更多政策、资金支持用于薄膜化、柔性化这一光伏技术的研发与应用，以迎接薄膜时代的到来。

我们看到，全球最大的光伏巨头Q-Cells曾是多晶硅的领导者，现在已经倒闭了，而替代晶硅太阳能电池的将是薄膜电池。那么薄膜和晶硅有什么区别呢？打一个比方，如果晶硅是黑白电视，那么薄膜就是液晶电视。

晶硅存在诸多问题，首先是市场空间非常狭窄，其次是生产过程高耗能、高污染。中国是太阳能生产大国，却是使用小国，这就意味着做晶硅是把高污染、高耗能留在了国内，把清洁能源送到了国外。此外，由于晶硅的工艺过程复杂，不像薄膜那样一气呵成，所以生产成本较高。

单纯强调转化率是一个伪命题，产品最重要的还是成本、效率和性价比。火电成本不断上升，太阳能成本不断下降，等到两者价格相当，替代就能够实现。转化率并不是越高越好，它有一个最佳性价比，关键是每瓦成本、度电成本。

基于对晶硅和薄膜特性、生产过程和应用的对比，我认为薄膜至少具有五大优势。

第一，原材料消耗少。从原材料消耗上看，硅片现在的厚度为150~200微米，但薄膜电池的光敏层只有2微米左右，晶硅电池的硅料消耗量接近薄膜电池的100倍。

第二，能量回收期短。从能量消耗上讲，每瓦薄膜组件的能耗要远低于晶硅组件。每瓦晶硅组件的生产过程需耗电约1.5度，而每瓦薄膜组件的生产耗电不足1度。因此，晶硅组件的能量回收期大于1年，而薄膜组件的能量回收期仅为0.5~1年。

第三，薄膜组件的温度系数较小，弱光效应好。经权威测试，当工作温度高于25℃时，温度每升高1℃，硅基薄膜组件、单晶硅组件和多晶硅组件的最大功率分别降低0.21%、0.47%和0.46%。因此与晶硅组件相比，薄膜适用的地域将更广。由于薄膜组件较小的温度系数，其发电功率不容易受温度影响。在40度以下的纬度范围内，在同等规模的装机条件下，薄膜组件的发电量要比晶硅组件高出10%以上。

薄膜组件弱光性好的特点使其能在广泛的环境中发电。太阳光通过大气时遇到空气、尘埃、云层等介质会发生散射，特别是在多云、风沙天气以及清晨、傍晚时段，太阳光主要以散射光的形式存在。良好的弱光效应使薄膜组件在这些较弱光照条件下依然有一定的电量输出。此外，薄膜组件在部分阴影遮挡下的功率损失较小。在光伏建筑应用中，遮挡难以避免，但在局部遮挡条件下，薄膜组件的功率损失远远小于晶硅组件。

第四，可制成柔性薄膜组件。柔性薄膜组件采用柔性衬底，可弯曲、可粘贴安装，在建筑应用市场更具发展前景：一方面，相同面积的柔性薄膜组件质量较轻，可满足非承重屋顶对重量的要求；另一方面，可弯曲、可粘贴安装的优点可以满足建筑物形状设计和美观要求。当今的工业厂房大多采用不能承重的轻钢屋顶，传统的刚性光伏组件因质量较大而无法在普通的工业厂房上推广。柔性组件的质量较轻，可以完全满足轻钢屋顶的承重要求，因此存量巨大的工业厂房屋顶是柔性薄膜组件的蓝海市场。此外，柔性组件可用于汽车天窗、汽车车顶、柔性便携式随车发电设施等领域。

第五，产品多样化。相对于单一的晶体硅组件，薄膜组件可在多个领域实现多样化的应用。在光伏建筑一体化应用上，薄膜电池可实现透光组件，而且具有色彩可调等独有优势。薄膜组件能够在不影响建筑物艺术性和整体性的情况下实现发电，是最适合与建筑物结合的光伏技术。由于可加工成柔性组件，因此可折叠的便携式充供电设备成了薄膜组件的蓝海市场，例如光伏帐篷、可卷曲光伏充电器、光伏背包等。

薄膜电池的以上特点使其在全生命周期（以25年计）的发电量比晶硅多10%以上；同时，随着薄膜产业高端装备的国产化、规模效益和技术进步，薄膜产品的每瓦成本、度电成本将比晶硅产品更具竞争力。

迎接薄膜时代

从晶硅向薄膜发展是太阳能本身技术升级的一个过程。按照国际上通行的太阳能电池分类标准：第一代为多晶硅、单晶硅太阳能电池，第二代为非晶硅低成本薄膜电池和高效、低成本、高转化率、可大规模工业化的铜铟镓硒薄膜电池，第三代主要是指有机薄膜和染料敏化电池及其他新兴电池技术。

但最大的问题是，很多人不清楚晶硅与薄膜的区别，把整个光伏产业等同于晶硅。此前银监会下发过一个文件，把光伏产业和水泥产业并列，不鼓励发展且限制贷款，这实际上存在认识上的误区。晶硅目前确实存在不少问题，但是薄膜产业不一样。第三次工业革命的核心内容就是新能源革命，而薄膜技术的应用也正适合第三次工业革命认定的分布式发电趋势。

在世界范围内，薄膜将成为光伏技术的主流。但在国内，很多人都认为晶硅仍然是主流，那是因为晶硅的准入门槛低、薄膜的门槛高，所以各路资金才涌入多晶硅领域，从而导致产能大量过剩。

那么，目前陷入困境的晶硅企业为什么不转型做薄膜电池呢？原因很简单，第一是没有技术；第二是薄膜的准入门槛非常高，其单位产能投入是晶硅的 8~10 倍；第三是回报周期长，大家都想赚快钱。

目前，薄膜大约占光伏发电市场的 10%~15%，尽管比重仍然不大，但我们也应该看到其高速发展的势头：在过去的 5 年里，薄膜的市场比重从 1% 一直增长到 10%~15%，基本上每年都呈几何级数增长。未来几年，薄膜电池生产商将从产能扩张转向新技术开发、设备持续升级换代和规模化生产。凭借着薄膜电池的独特优势，一些有实力的企业开始真正掌握薄膜电池的核心技术和研发能力，在光伏市场中将占据越来越重要的地位。

而薄膜技术渐成主流其实也是为了适应光伏应用趋势的改变。未来建筑光伏的应用比例将逐渐扩大，这意味着薄膜化、柔性化将逐渐成为光伏市场的新兴发展方向。光伏建筑一体化是将太阳能组件与建筑完美结合，即使在城市土地资源宝贵的情况下也可以发电。分布式发电不仅可以缓解城市用电高峰期的压力，还可以提高电力系统的可靠性和稳定性。

据测算，全国现有及新增的光伏建筑的潜在市场装机容量到2020年可达10亿千瓦左右，相当于新增368个葛洲坝水电站或45个三峡水电站。大规模推动光伏建筑一体化产业，将对我国的经济发展产生革命性的积极影响。从原材料到成品直至最后的安装应用，光伏建筑一体化产业是典型的工业化过程，尤其是拥有自主产权的薄膜电池技术，在国家七大战略性新兴产业中占据了四个，涵盖了节能环保、高端装备、新材料、新能源等产业领域，是一个以技术为导向的实体经济行业，能够有力地促进产业转型与升级，奠定经济持续增长的扎实基础。

大力推动光伏建筑一体化产业可以优化现行电力供应结构，同时新能源替代化石能源成为生产、生活的必需品，从而实现以消费拉动内需的目标。光伏建筑一体化市场的潜在直接规模约达10万亿元，相当于我国汽车工业市场规模的3~5倍以上，间接拉动经济增长规模可达30万亿元，累计创造4万亿元的财政税收，所创造的稳定就业人数保守估计也有1 000万~2 000万。

预计到2020年，光伏建筑一体化大规模应用可满足全社会30%左右的年用电需求（以2010年为标准），其中，约20%是工业用电需求，约5%是社会居民用电需求，剩余约5%为第三产业用电需求。此外，近10亿千瓦光伏建筑一体化应用能使潜在二氧化碳减排量每年减少约13亿吨，约相当

于我国年排放总量的 20%（按年排放总量 60 亿吨计）。每年带动的数万亿元的总产出又保证了国民经济以可持续的方式增长，有助于跳出“减排”与“经济增长”之间的两难选择。

大力发展光伏建筑一体化利国利民：第一，可以拉动内需，老百姓家家发电，自发自用，变投资为消费；第二，有助于实现我国的节能减排目标，每年可减少约 1/5 的二氧化碳排放；第三，有利于调整产业结构，转变经济发展方式。

以目前的光伏技术水平，光伏建筑一体化在我国已经具备了稳定上网的条件，关键在于市场认知度和能源利用观念的转变。如果国家出台相关税费优惠政策，强制助推该行业发展，光伏建筑一体化的度电成本可达到 0.5 元左右，光照资源丰富的地区甚至不足 0.5 元，可以在不占用财政一分钱拨款的情况下实现平价上网。这无疑将是一场能源革命，具有非常重大和深远的意义。

国内可以在试点的基础上，强制推行光伏建筑一体化，引入节能减排标准，特别是对新开工项目。对光伏建筑一体化系统所发电量鼓励自发自用，与电网实行双向计量和净电量结算。

目前，世界光伏产业面临转型升级的重要战略机遇。在当前的太阳能行业中，中国和世界发达国家站在同一起跑线上。如果政府明确将具有环保、柔性化、应用广泛等多种优势的薄膜技术路线确定为太阳能产业的主要发展方向，并在资金、技术、市场等方面给予大力支持，中国就能在第三次工业革命中领先一步。

实现我国太阳能产业从晶硅到薄膜的战略升级，保持我国在薄膜太阳能领域的领先地位，加快薄膜太阳能产业的发展，对于我国“稳增长、调结构和产业转型升级”战略意义重大。

我国在薄膜行业已处于领先地位。政府下一步可动员金融及监管部门加快研究并出台相关融资支持政策，特别是对薄膜高端装备制造技术的政策支持。如果没有配套的金融政策的支持，拥有完全自主知识产权的全球领先技术就无法实现国产化，我们已经全球领先的技术优势将无用武之地。

目前，我国在光伏领域具有完善的产业链，并掌握着世界最先进的光伏技术，这使我国的光伏竞争力远远超越其他国家。同时，我国也把握住了世界光伏产业的发展趋势，抓住了从晶硅电池向薄膜电池升级的战略机遇，并通过自主研发与技术并购，使得我国的薄膜电池技术领先于世界其他国家，这也是我们坚信中国能够引领新一轮能源革命及第三次工业革命的原因所在。

第三章

为什么是中国：中国光伏产业的优势地位

导 读

在不远的将来，从青海格尔木的一座光伏电站到海南普通住户楼顶的太阳能电池板，都将成为中国光伏大市场的一分子。

我们有960万平方公里的疆土，有接近14亿的人口，有突破百万亿元大关的人民币存款余额，有连续30多年平均9.8%的经济增速，已成为世界第二大经济体。

我们有改革开放后成长起来的优秀的企业家群体，政府政策（“有形之手”）、市场（“看不见的手”）同时发力，我国的光伏产业已经在技术上领先于欧美，具备了产业竞争优势……

中国光伏产业拥有 “十大优势”，我们有理由相信：我们已经把握住了新能源革命、第三次工业革命的良机，中国将彻底揭掉“光伏制造大国、应用小国”的标签，成为引领世界的光伏强国。

突破能源瓶颈

中国已经是世界第二大经济体，但单位国内生产总值能耗却是世界平均水平的两倍以上，是发达国家的3~6倍，甚至高于印度。能源已经成为制约中国经济可持续发展的“瓶颈”和“软肋”。

破解“能源瓶颈”、弥补“能源软肋”的唯一出路就是开展新能源革命，实施新能源替代战略。这场革命的主角就是太阳能光伏产业。

发展光伏应用对于我们的强国之梦可谓是一举多赢：它可以拉动内需，变投资驱动为消费驱动；它可以推动产业结构调整、加快转变经济发展方式；它可以实现中国节能减排的目标。

大国崛起的能源瓶颈

随着全球的发展重点向新兴市场转移，中国正逐渐成为新兴市场的领军者。

2005 年 5 月 16 日，第九届财富全球论坛在中国北京开幕。8 年后，该论坛再次移师中国：2013 年 6 月 6 日，第十二届财富全球论坛在中国成都开幕，主题为“中国的新未来”。

全球财富论坛再次选择在中国举办的理由是，中国拥有接近 14 亿人口的大市场，而且发展迅猛，基础设施不断完善，具有其他新兴国家无可比拟的优势；中国拥有比较稳定的社会环境，目前正处于大发展时期。中国刚刚迈入中等收入国家行列，机遇连连。同时，中国继续坚持对外开放的大格局，不断深化改革，无论在政策上还是在软硬件上，对外商都有很大的吸引力。

我们不妨来看看 1952~2012 年，中国作为全球经济发展“优等生”的成绩单。

1952~2008 年，国内生产总值以年均 8.1%的速度增长，经济总量增长 77 倍，跃居世界第三位。1952 年的国内生产总值只有 679 亿元，1978 年增加到 3 645 亿元， 2008 年达到 300 670 亿元，年均增长 8.1%。中国经济总量占世界经济总量的 6.4%，仅次于美国和日本。[1]

最近 5 年，中国经济实力和综合国力再上新台阶。2007~2012 年，中国经济保持年均 9.3%的增长速度，成为全球第二大经济体。2012 年，国内生产总值突破 50 万亿元，人均国内生产总值 3.84 万元。人均国民收入在 2010 年跨过中上等收入国家门槛。

2013 年以来，虽然整体经济较为低迷，但与其他新兴经济体相比，中国仍处于“快速”增长轨道。持续多年的国内生产总值呈两位数增长的趋势结束后，未来 10 年中国有望实现每年同比增长 7%~8%的目标；虽然相对于其他经济体而言，此种增速依然较高，但这意味着中国在过去30年的快速增长趋缓，反映了中国日益向确保增长质量的方向转变。事实上，这也是过去粗放式经济发展方式难以为继的现实选择。

2011年，中国国内生产总值超越日本成为世界第二大经济体。同时，中国也成为世界最大的能源消费国之一，尤其是煤炭消费量。

2010年，中国年能源消费总量是32.5亿吨标准煤。2011年，中印两国占全球煤炭消费净增量的98%，中国煤炭消费量居世界各国之首。2012年，中国年能源消费总量为36.2亿吨标准煤，相当于世界其他国家的消费量之和。

中国是发展中国家，又是制造业大国，这两个因素决定了中国的能源消费总量较高，而能源利用水平较低。目前，中国人均能耗水平相当于世界平均水平，而人均国内生产总值水平只相当于世界平均水平的一半。

单位能耗的降低需要一个较长的过程，而且即便利用水平提高了，随着经济总体规模的扩大和社会生活水平的不断提高，能源消费总量依然会增加。根据预测，中国的年能源消费总量在2020年将达到55亿吨标准煤，2030年将达到75亿吨标准煤。也就是说，能源消费总量逐步增加的趋势在短期内是难以改变的。

与能源消费总量逐步增加不匹配的是，中国的能源储量严重不足：据测算，按照现在的开采速度，中国探明的石油储量还不够开采10年，已探明的天然气储量和煤炭储量都只够开采33年。

为了缓和能源需求旺盛和储量不足之间的矛盾，国务院要求，2015年，中国年能源消费总量要控制在40亿吨标准煤之内。

然而可以预见的是，今后一段时期中国仍将处于工业化、城镇化加速发展的阶段，能源需求将继续保持在较高水平，能源供应保障任务依然艰巨，资源、生态、环境等可持续发展领域的压力将不断上升。

面对中国经济持续发展的最大制约因素——能源瓶颈，我们应该怎么办呢？

> **破解“能源瓶颈”、弥补“能源软肋”的唯一出路就是开展新能源革命，实施新能源替代战略。这是中国经济持续发展的基本战略。通过新能源革命，大力发展光伏产业，改造能源结构和体系，中国完全可以自主解决能源短缺问题。**

能源之所以成为中国经济持续发展的“瓶颈”和“软肋”，是因为三个刚性因素：第一，经济发展必然带来能源消费总量的不断增长，这种联系是刚性的；第二，中国化石能源的储量和开采量不能满足自身的需求，这种状况是刚性的；第三，化石能源消费必然产生越来越严重的环境污染，这种因果关系是刚性的。

所谓“刚性”就是难以改变甚至不能改变。这三个刚性因素之所以成立，是因为使用化石能源。如果不使用或尽量少使用化石能源，这三个刚性因素将不复存在。

所以，克服“能源瓶颈”的基本对策就清晰地展现在我们面前了：通过新能源革命，用新能源替代传统的化石能源，改变能源结构，使新能源成为能源消费的主体。无限的太阳能可以满足不断增长的能源需求，这样一来，第一个刚性因素就不存在了。太阳能无处不在，而且不产生污染，这样一来，化石能源储量不足、造成污染这两个刚性因素自然也不存在了。三个刚性难题将迎刃而解。

2011 年，中国用于发电的煤炭占煤炭总消耗的 53%，也就是说，中国一年燃烧 14.6 亿吨煤炭用于发电。如果用太阳能替代其中的 50% 或者更多，那么将会大幅降低煤炭消耗，有效减轻污染。

目前，在中国的北方、沿海等很多地区，每年的日照量都在 2 000 小时以上，海南更是超过了 2 400 小时，是名副其实的太阳能资源大国。

助推转型，光伏强国

2012 年 12 月 16 日，中共中央经济工作会议在北京的一场瑞雪中闭幕。美国智库认为，中国政府正在进行一次伟大的改革：转变经济发展方式。在世界经济深度转型时期，做出这样的选择是极富勇气的，这将为中国未来 50 年的发展奠定坚实的基础。中国经济只有顺利实现转型，才能实现可持续发展。

中国经济面临两个转型：一个是“发展方式”转型，另一个是“发展模式”转型。

“发展方式”曾叫作“增长方式”，但后来为了区别发展和增长这两个概念，表明增长不等于发展，所以改为“发展方式”。目前中国的经济发展方式仍然属于粗放式，表现为“三高两低”，即高投入、高消耗、高排放，低产出、低效益。

2009 年，中国的粗钢产量为 5.68 亿吨，水泥产量为 16.5 亿吨，分别占世界总产量的 43% 和 52%，其中的绝大部分都被自身消费了。一次能源消耗为 31 亿吨标准煤，是世界能源总消费量的 17.5%，同期中国的国内生产总值为 34 万亿元，占世界国内生产总值总量的 8.7%。耗能所占比重和产出所占比重的比例为2∶1，远远落后于世界平均水平，这说明中国经济发展仍处于粗放阶段。

自2008年国际金融危机爆发以来，“发展模式”问题逐渐凸显。中国目前的发展模式可以称为“两头在外”模式。一个“外”是主要依赖外延扩张发展，另一个“外”是过分依赖外贸拉动。主要靠外延扩张而不是靠内涵提升发展是粗放发展方式的表现，而过分依赖外贸拉动则是特定历史条件下的产物。21世纪初加入世界贸易组织之后，由于突破了此前的种种国际贸易壁垒，中国的产品以低成本和低价格的优势迅速涌入了世界各国，特别是各个发达国家的市场，这些国家的货架上几乎到处可见标有“中国制造”的商品。在近10年的时间里，中国对外贸易一直以两位数的速度增长，对许多国家的贸易出现了顺差。于是，中国在成为世界制造大国的同时，经济的外贸依存度也高达70%。

2008年爆发的国际金融危机使这种过分依赖外贸的发展模式难以为继。为了摆脱危机，发达国家迫使人民币升值，目的是降低中国产品的竞争力；频繁采取贸易保护措施，阻挡中国产品进入；取消了大批中国产品订单。在广东东莞，主要依靠外国订单生存的企业一下子倒了几千家。这只是一个缩影，其他地区也都不同程度地受到了影响。这中间有一个规律：外贸依存度越高的地区，受到的影响越大。

在金融危机中，中国人也在思考：为什么发生在其他国家的危机会波及我国，甚至严重影响中国经济的发展？从自身来考察，这和我们的经济发展模式有关。“两头在外”模式至少有三大弊端。

第一个弊端是，在这种模式下，中国的能源和资源消耗越来越多，环境污染越来越严重。

在“两头在外”模式下，中国成为制造大国。与过去相比，经济取得了进展，这是喜；但从未来看，这是忧，因为它不可持续。在人类经济活动中，最消耗能源和资源的环节是制造，最容易污染环境的环节也是制造。如果沿着“中国制造，世界消费”的道路继续走下去，中国将难以承受能源和资源消耗之重，也将难以承受由此引起的环境污染之害。

第二个弊端是，中国将难以改变自身在国际市场上贵买贱卖的困境。要制造满足全世界需求的产品，就需要充足的能源和资源支撑，而中国本土的能源和资源远远不够，因此必须大量进口。为了保证大规模产能不被闲置，我们只能吞下在国际市场上高价购买的苦果。国际市场的石油价格由十几美元一桶涨到几十美元乃至100多美元一桶，不管怎么涨，我们只能按照对方的价格购买，而且购买的数量越来越多。有时候，国际市场上的铁矿石价格的上涨幅度能达到百分之几十甚至百分之百，而我们却没有足够的议价谈判能力。谁掌握资源，谁就拥有主动权。中国产品的出口主要依靠价格优势，产量越大，越难要价。再加上国内企业之间的恶性价格战，单位产品价格越来越低就成为不可改变的趋势。“贵买贱卖”使中国的经济效益大大降低，长此以往，将变成“赔本赚吆喝”。

第三个弊端是，大量外汇储备无法有效利用。随着外贸的增长，中国的外汇储备迅速增加：2011年突破3万亿美元，2012年年底达到3.31万亿美元，2013年6月底达到3.5万亿美元，外汇储备居世界第一位。这固然是中国经济崛起的一个标志，但从持续发展的层面来看，这也是一个难题，即大量的外汇储备无法更有效地利用。由于西方发达国家至今没有承认中国的市场经济地位，有的国家甚至对中国采取遏制政策，我们想用这些外汇购买高新技术，它们不卖；我们想购买有价值的企业资产和能源、资源，它们设置了重重障碍。大量的外汇只能以美元形式存在外国银行或购买美国国债。自从20世纪取消美元“金本位”以后，美国就可以更加自由地根据自身的需求改变美元发行量和币值，转嫁自己的经济危机，不动声色地把别人的财富据为己有或化为乌有。从这个角度看，中国的外汇越多，其安全性就越差。

可见，即使没有发生金融危机，从长远看，“两头在外”模式也是不可持续的。值得庆幸的是，国际金融危机使我们提早认识到了这一点。化被动为主动是我们的任务。

在当今世界经济大环境中，顺利实现中国经济的两个转型，需要满足以下四个条件：第一，必须保持稳定的增长速度，不能因转型而导致增长速度大幅降低；第二，在外贸拉动力减弱的情况下，必须增强内需拉动力，包括投资拉动和消费拉动；第三，必须更多地依靠经济内涵提升实现发展，包括产业结构调整、技术水平升级、管理水平提升，要更多地向经济的宏观质量和微观质量要效益；第四，必须减少环境污染，加强生态文明建设。

实现经济转型需要做多方面的艰苦细致的工作，但关键是要找到符合这四个条件的新的经济增长点。2013年7月15日，国家统计局发布的上半年经济数据显示，上半年国内生产总值为24.8万亿元，同比增长7.6%。2013年以来的政策走向表明，中央可以容忍略低的增速，但对增长质量会有更高的要求。容忍经济增长放缓带来的负面影响，以换取经济发展方式转变的时间和空间，这可能就是美国智库所说的“勇气”。尽管如此，中央对经济增速下滑的容忍也是有限度的，毕竟发展是硬道理。所以，一个既能满足经济增长又能转变发展方式的增长点才是值得期待的。

我认为，太阳能行业是中国转型过程中新的经济增长点之一。为什么说光伏产业能担当中国经济转型的火车头呢？

首先，这是一个市场规模足够大的行业。据测算，中国可利用的城乡建筑面积接近900亿平方米，按照10%的转化率计算，以东、南、西墙面积的15%、屋顶面积的20%计算，全国约有1 000GW的装机容量，约等于目前火电、水电、核电的总装机规模，相当于建设45个三峡水电站。这将直接拉动10万亿市场规模，仅光伏建筑一体化就可以创造30万亿的市场蛋糕，相当于中国汽车工业市场规模的3~5倍。除此之外，还有大规模集中发电的光伏电力市场以及能源移动终端的节能电器市场，发展潜力巨大。

其次，这是一个可以马上启动的市场。目前，大规模集中发电的上网电价标准已经发布，分布式发电自发自用、余量上网的政策也已出台，只需再对房产税进行一定程度的减免，就可以在新开工的建筑上批量安装发电系统。

最后，除市场规模较大、启动条件基本具备外，新兴太阳能行业还能对国家经济发展起到一举多赢的作用。

一是可以拉动内需，变投资为消费，把以往光伏市场由投资驱动的模式转变为由消费驱动的模式。光伏市场是一个民主的市场，将实现家家发电、自产自用。

2012年5月，住建部发布《“十二五”建筑节能专项规划》，其中，可再生能源建筑（主要为光伏一体化建筑）的应用面积为25亿平方米，比“十一五”期间约4 000万平方米的示范面积提高了60多倍。这预示着光伏建筑将引领行业提早入春。

与此同时，财政部发布通知，对于未来建成的光电一体化项目，2012

年的补助标准暂定为9元/瓦，比2011年提高了3元。

二是大力推进光伏市场可以调整产业结构，转变发展方式。2012年中央经济工作会议最重要的一句话就是重新定义了中国的战略机遇：不再是简单纳入全球分工体系、扩大出口、加快投资的传统机遇，而是倒逼我们扩大内需、提高创新能力、促进经济发展方式转变的新机遇。它表明中国终结了“中国是世界工厂”的定位，摆脱了所谓“全球分工理论”的游戏规则的束缚。

“世界工厂”的定位就是利用中国的资源、劳动力为西方世界打工，为此中国还必须付出巨大的能源和资源代价。资源和能源不足时，就需要以高价从国外进口。中国一些主要矿产品（如原油、铁矿石等）的对外依存度已从1990年的5%上升到最近几年的50%以上。但是中国付出这么多，所得到的回报却非常低。要素投入过大，产出却很少，这是典型的粗放式发展方式。

晶硅光伏产业也是一面镜子。由于海外市场特别是欧盟市场发展迅速，国内多晶硅电池企业在短期内就增至100多家。20世纪80年代，中国的多晶硅年产能只有350吨，但根据能源市场调查机构Solar & Energy对世界50家多晶硅生产企业进行的调查，2013年中国的多晶硅总产量将达到16.585万吨，位居世界第一。硅原料也是一种矿产资源，虽然不断加大投入，但电池产值却随着价格的下降而越来越低。

光伏建筑一体化的推进必将改变这一局面。薄膜电池以其低能耗、零污染、可弯曲、弱光发电性强等优点，逐渐在建筑应用上替代晶硅。晶硅只有在屋顶上才能和薄膜有一拼，而外立面由于无法直角照射，所以只适合薄膜而不适合晶硅，建筑构件如幕墙、窗户的玻璃则只能使用薄膜。薄膜是第二代创新技术，技术含量较高。薄膜对晶硅的替代既是技术上的升级，也是一种发展方式的转变。

三是发展光伏应用市场有助于实现节能减排的目标。在哥本哈根会议之前，中国做出了减排的具体承诺：到 2020 年，单位国内生产总值二氧化碳排放比 2005 年下降 40%~45%。在如此短的时间内这样大规模地降低二氧化碳排放，需要付出艰苦卓绝的努力。据测算，推行光伏建筑一体化之后，每年可减少 13 亿吨二氧化碳排放，仅此一项即可减排 18%。

我们必须意识到，中国选择光伏是中国当前经济转型与能源约束的必然选择。在新能源革命中，中国必须有所作为，也能够有所作为。

独特的中国发展模式

> 中国太阳能光伏产业拥有“十大优势”，最重要的是战略优势、机遇优势——我们已经将薄膜化、柔性化定为战略发展方向，并且已经拥有世界领先的技术和企业；我们已经把握住了新能源革命、第三次工业革命的良机。
>
> 而“中国模式”独特的相对高效的体制和积极政策成为紧随其后的重要优势——2012年以来，中国光伏产业“山重水复疑无路”，中国政府迅速出台了一系列扶持政策，光伏产业得以“柳暗花明”，这就是最好的例证。

战略、机遇与“中国模式”

作为一个在新能源领域摸爬滚打了20多年的从业者，作为一个越来越坚信太阳能光伏产业光明前景的企业管理者，有时候，我觉得自己更像是一个演说家：向政府官员、专家学者介绍太阳能光伏产业的发展战略，说服同行跟我一起走薄膜路线，向公司的员工宣讲汉能的使命和从事该行业的重要意义……

在不同场合，我曾反复地向听众宣讲中国发展太阳能光伏产业的“十大优势”：战略优势、机遇优势、制度优势、政策优势、市场优势、产业优势、技术优势、人才优势、资金优势、成本优势。

发展光伏产业，中国拥有十大优势：

1. 战略优势：薄膜化、柔性化是光伏发展的方向和总趋势，而中国已经拥有了领先的技术和企业；

2. 机遇优势：大规模替代时代已经来临，技术等关键条件均已具备，环境压力转变为动力；

3. 制度优势：中国独特、相对高效的体制、体系；

4. 政策优势：中国鼓励并扶持实体经济的发展，支持太阳能产业；

5. 市场优势：中国光伏市场已经启动，将成为世界最大的光伏市场；

6. 产业优势：中国制造业实力雄厚；

7. 技术优势：汉能通过全球技术整合，使中国薄膜光伏产业实现了跨越式发展，取得了世界领先地位；

8. 人才优势：除技术人才外，中国还拥有一批具备企业家精神的优秀企业家；

9. 资金优势：中国民间资金充足，居民储蓄突破 43 万亿元，人民币存款余额突破 100 万亿元；

10. 成本优势：全球整合的技术优势与中国制造的有机结合。

中国赶上了第三次工业革命的历史机遇，新能源革命正在用新能源替代日益枯竭的化石能源，而中国经济的转型升级、可持续发展又决定了其他新能源方式不可能成为主流，只有太阳能光伏才能担负这一重任。这就是“机遇优势”。

关于战略优势，前文也有所论述：欧盟忙于应对经济危机，美国正在开发页岩气，它们或多或少都迷失了战略方向，日本、韩国等又各有各的局限，只有光伏制造大国中国才具备战略上的领先优势。通过对多晶硅模式的整合升级，我们现在已经确定，薄膜化、柔性化是世界光伏发展的正确方向和总趋势，而在这方面，中国已经拥有了领先的技术和企业。

关于市场和产业、技术与人才、资金与成本这三组中国光伏发展的优势条件，我在本章的后面几个部分将会详细阐述。这里要重点讨论的是中国发展光伏产业的制度优势和政策优势。

制度优势是指中国独特、相对高效的体制、体系，政策优势是指中国政府鼓励实体经济发展的积极有效的政策。两者的背景都是促进经济快速增长的“中国模式”。

改革开放以来，中国经济快速增长，经济发展所取得的巨大成就归功于一种“前所未有”的经济增长方式——“中国模式”，即市场机制与宏观调控有机统一的发展模式。

西方有各种经济理论，但归纳起来就是两大派：一派不主张政府干预经济，而是完全靠市场解决问题；一派不反对靠市场解决问题，但认为政府可以而且必须进行适当的干预，比如凯恩斯主义。抛开学术争论，我们在实践中发现，政府对经济的干预总是不可少的，只是如何干预的问题。美国摆脱 1929 年经济危机的阴影，被公认是罗斯福总统运用凯恩斯主义进行政府干预的结果。2008 年美国发生金融危机以来，奥巴马总统一直采取强有力的政府干预。新能源革命需要政府加强引导，这一点毋庸置疑。

因为与西方自由市场经济理论并不完全吻合，“中国模式”也受到一些质疑，原因就在于中国政府往往被视作强势政府。然而，强势只要发挥得当就是优势，况且“中国模式”首先是市场的，即市场决定资源配置；然后才是政府的，即政府进行宏观调控。

20 世纪 90 年代以来，中国依靠宏观调控安然度过了 1993 年的经济过热、1997 年的内需不足和亚洲金融危机、2008 年的全球金融危机，一直保持着快速、持续发展的势头。2012 年，中国光伏产业从“山重水复疑无路”到“柳暗花明又一村”，局势得以如此迅速地扭转，关键也是政府发挥了恰当的主导作用。

新能源革命的特点决定了它的推进和一般的经济活动不同。最大的不同就是，在遵循市场经济规律的同时，必须加强政府的主导作用。如果没有国家和政府恰当的引导，只是顺其自然地发展，要想实现突破将是很困难的。世界各国都是如此。

中国的经济体制决定了“中国模式”较易和新能源革命衔接。

2012 年中国光伏产业“群体性危机”爆发时，许多人都将目光集中在了政府角色与市场机制的相互作用上。有人认为，光伏产业产能过剩与一些地方政府“越位”有关，是一些地方政府的深度介入和过度扶持造成了一哄而上；也有人认为这个问题与政府“缺位”有关，政府对于整个产业的发展缺乏相应的规划和引导，对中国光伏产业“两头在外”的隐患没有及早给予控制和指导。

这些看法都有一定的道理，但似乎都没说到位，都没能真正理解中国独特的相对高效的体制优势。

在中国的能源领域，无论是一次能源还是二次能源，无论是独资企业、股份制企业还是上市企业，大多是由国有资本控制的。有人认为这是能源革命的消极条件，事实上也是一个积极条件。国有制的实质是全民所有制，股东是全体人民。虽然它也应该争取更多的利润，但其根本宗旨应该是主导整个国民经济的持续健康发展，保障国计民生。这样的能源经济实体，就其基本性质来说，不应该因为自身的既得利益而阻碍有利于整个国民经济长远发展的新能源革命，而应该成为新能源革命的积极参与者和主力军。

从实际运作来看，国有企业的最终决策者是政府，它必须遵守并执行政府的政策和指令。比如，在电力输配、销售方面居垄断地位的国家电网在 2012 年 10 月 26 日发布了《关于做好分布式光伏发电并网服务工作的意见》，其动作之迅速和态度之积极就是一个证明。

所以说，政府“集中力量办大事”这一特性为中国的新能源革命提供了一个良好的制度环境，这就是中国的体制优势。

接下来，我们再来探讨一下中国发展光伏产业的政策优势。政策是光伏革命的重要推动力。2011 年 11 月，汉能邀请了各方面的专家进行座谈，讨论如何在中国推进新能源革命。会议即将结束时，一位资深专家总结说：“现在是万事俱备，只欠东风。这个东风就是政策。”

一切项目在启动时都需要比运行正常后更多的动力，新能源革命也是如此。我们在概括欧洲光伏产业的发展时曾说，那里的光伏产业已经顺利度过了需要政策补贴的“出生期”，进入了市场运行的“成长期”。中国的光伏产业正在由“出生期”向“成长期”过渡，国家政策的推动力仍然十分重要。

目前，中国的光伏产业犹如一辆正在爬坡的汽车，由于坡度很大，仅凭汽车自身的马力一时很难开上去。这时就需要坐车的人帮助推一把。把汽车推上平坦的大道，推车的人也可以享受坐车的好处了。政府利用政策为光伏这辆正在爬坡的“汽车”提供动力，最终也可以享受它带来的直接经济效益和社会效益。

所谓政策到位，并不是简单地制定某一项政策，而是解决一系列问题，建立一个有内在联系的政策系统。譬如，如何充分发挥财政杠杆、税收杠杆、价格杠杆的作用，保障产业的良性发展？如何确定政策导向的重点内容，使生产环节、建设环节、使用环节都有序运行？如何深化电力系统改革、调整发电和上网的关系，使新能源企业、传统能源企业实现无缝衔接？

可喜的是，在推进太阳能等新能源发电大规模上网，特别是分布式电站建设的过程中，中国电力系统的改革已经迈出了不小的步伐，许多业内人士已经开始重视“智能电网”的发展趋势，许多试点区域的光伏发电企业也已经开始尝试与国家电网合作，这都是中国光伏产业发展不可或缺的政策优势。

“发展出题目，改革做文章。”通过政策调整，以改革促发展。从一定意义上说，这是政府在领导新能源革命的过程中，最见功力、最不可替代、最见领导艺术的领域。

中国鼓励实体经济发展的国策也是对光伏产业发展的有力支撑。2012年不仅是光伏产业的受挫之年，也是中国实体经济整体发展面临较大困难的一年。中等规模以上工业企业利润持续负增长，直到 9 月才因国家稳增长政策效应显现而扭亏为盈。因此，政府出台各种促进实体经济发展的政策，意义非同一般。

2013 年中国的宏观经济政策是突出结构调整、保障和改善民生，以着力扩大内需、为实体经济创造更多的发展机会和更加宽松的环境、切实办好涉及民生的大事要事为重要着力点。中央政治局会议提出要“以提高经济增长质量和效益为中心”，这一提法淡化了对经济增长速度的要求，更强调增长的质量问题，而增长的质量在很大程度上取决于实体经济能否健康发展。

2013 年 6 月，国务院总理李克强在主持召开国务院常务会议时也指出，金融机构要优化资源配置，用好增量、盘活存量，更好地为实体经济发展服务，特别是加大对先进制造业、战略性新兴产业、劳动密集型产业和服务业、传统产业改造升级等的信贷支持。

企业是发展实体经济的主体，赢利是企业家的目标和责任。促进更多的资本真正回归到实体经济的第一推动力就是要让企业在实体经济中有利可图，获得比虚拟经济更高的投资回报率。政府通过结构性财税等政策工具对市场资源进行恰当的引导和配置，一方面加大了对实体产业的扶持力度，保护了实体产业的积极性，为实体经济营造了良好的发展环境；另一方面创新了要素保障机制，防止原材料、资源与劳动力等多种因素过快叠加，提升了企业的利润空间。

这一切有利条件都成为中国光伏产业继续领先的动力。

“有形的手”已经发力

我们常说，经济领域有两只手，一只是市场这只“看不见的手”，一只是政府这只“有形的手”。只用“有形的手”，那是计划经济；完全否定“有形的手”，那是经济自由主义理论。

> **两只手的正确关系是：“看不见的手”是基础，“有形的手”是辅助，在坚持让“看不见的手”发挥决定作用的同时，也要善于利用“有形的手”去弥补“看不见的手”的“盲区”和弱项，并根据实际情况利用“有形的手”增强“看不见的手”的作用。这才是最理想的境界。**

市场经济主要依靠市场这只“看不见的手”配置资源，但并不能因此理解为“有形的手”绝对无用、绝对不能用。在经济发展的不同阶段，针对经济发展中的不同问题，两只手的作用和分量都是不同的。当遭遇经济危机时，完全依靠市场机制去纠正比较困难，这时就需要更多地依靠政府的干预去解决。在一个产业刚刚起步的时候，完全依靠市场机制有可能延误最佳发展机遇，就会更加需要“有形的手”，更加需要政府的扶持政策。

作为一个关乎全局的新兴产业，中国光伏产业的顺利发展不仅需要依靠强有力的“看不见的手”，而且需要“有形的手”为产业提供强大的政策引导、产业保护甚至外交支持。令人鼓舞的是，在太阳能光伏领域，中国的“有形的手”已经开始发力，并成为中国光伏产业强有力的支撑。

对中国光伏产业而言，2012 年虽然是“寒冬之年”，但也是“转折之年”。国家相继出台了一系列规范和扶持政策：

2012年5月23日，国务院常务会议提出“支持自给式太阳能新能源产品进入公共设施和家庭”；9月12日，国家发布《太阳能发展“十二五”规划》，将光伏发电扩容规模从21GW上调到30~40GW。作为最重要的金融支持部门之一，国家开发银行提出关于进一步加强金融信贷扶持光伏产业健康发展建议；9月14日，国家能源局印发《关于申报分布式光伏发电规模化应用示范区的通知》；10月26日国家电网发布《关于做好分布式光伏发电并网服务工作的意见》。

11月9日，财政部、科技部、住建部、国家能源局联合下发通知，决定启动年内第二批金太阳和太阳能光电建筑应用示范项目，支持以光伏发电为主的微电网技术集成及应用示范，并将根据投资情况给予财政补助。鼓励在学校、医院、社区、公共建筑等区域安装光伏发电系统。各地应选择申报适于投资补助的项目，同时试行度电补贴支持方式。

12月19日，时任国务院总理温家宝主持召开国务院常务会议，研究确定促进光伏产业健康发展的政策措施。这次会议确定了五大方面的政策：加快产业结构调整和技术进步；规范产业发展秩序；积极开拓国内光伏应用市场；完善支持政策；充分发挥市场机制作用，减少政府干预，禁止地方保护。这次会议已成为中国光伏产业发展历程中的一个里程碑，而且说明我们已经跳出就光伏看光伏的局限，已经把它放到整个能源战略和国家经济战略的层面来考虑。

2013年，国家政策支持光伏产业发展的势头依然强劲：

2013年2月，国家电网发布《关于做好分布式电源并网服务工作的意见》，将服务范围由分布式光伏发电进一步扩大到所有类型的分布式电源，在为分布式电源加强配套电网建设、优化并网流程、简化并网手续、提高服务效率等方面公布了具体措施，为并网开辟绿色通道，提供优惠条件。

6 月 14 日召开的国务院常务会议的重要内容之一便是解决光伏产业的定位及抓手问题。7 月 15 日，国务院《关于促进光伏产业健康发展的若干意见》出台，成为光伏产业发展的纲领性文件，再度激发了整个中国光伏产业的热情和希望。在半年内，国务院两次常务会议讨论同一个产业发展问题，这充分说明了光伏产业的重要性。

为贯彻落实国务院《关于促进光伏产业健康发展的若干意见》，7 月 24 日，财政部发布《关于分布式光伏发电实行按照电量补贴政策等有关问题的通知》，确定了分布式光伏发电项目按电量补贴实施办法。8 月，国家能源局公布了第一批分布式光伏发电示范区名单，涉及 7 省 5 市共 18 个示范区项目。8 月 22 日，国家能源局联合国家开发银行出台了《支持分布式光伏发电金融服务的意见》，从金融上支持光伏产业的发展。

9 月 30 日，国家发改委特急文件《关于发挥价格杠杆作用促进光伏产业健康发展的通知》发布，通知明确新的地面电站三类电价补贴分别根据光资源优劣分为 0.9 元/度、0.95 元/度和 1 元/度。对分布式光伏发电实行按照全电量补贴的政策，补贴价格为 0.42 元/度。

这些政策为我国光伏产业的发展指明了方向，在光伏产业逐步完善的过程中，“有形的手”在不断地发挥作用，助力中国新能源产业的发展，尤其是光伏产业的发展。

要素优势 1：市场广阔，资金雄厚

中国光伏市场的容量远非一般人所能想象：据媒体报道，2011 年，中国社会总用电量是 4.69 万亿度，按照太阳能电站平均每年发电 1 300 小时计算，需要 3 608GW 的装机容量才能替代，而截至 2012 年，我国的太阳能装机容量只有 8.2GW。

光伏建筑一体化市场的潜在直接规模约达 10 万亿元，相当于我国汽车工业的 3~5 倍，间接拉动经济增长规模可达 30 万亿元。

在过去的 30 多年里，我国一直保持了平均 9.8% 的经济增长速度；在未来的 10~20 年，仍将保持 7%~8% 的高速增长。2013 年 6 月底，我国的人民币存款余额已经突破百万亿元大关，外汇储备达 3.5 万亿美元。

30 万亿的大市场

在青海省境内，109 国道沿线茫茫戈壁上的光伏发电站甚为壮观：在雪山的映衬和冬日阳光的照耀下，一排排深蓝色的光伏电池板熠熠生辉。

青海省是国务院选定的光伏电站实验基地，那里的光伏发电建设正在如火如荼地展开。如今，在格尔木高原上，处处可见“千人大会战”的工程建设景象。

青海省的领导具有远见卓识。中国第一个光伏发电特许权项目并不在青海省而在甘肃省，但是到了 2011 年 5 月，业内开始流传一个说法：青海省政府口头许诺，2011 年 9 月 30 日之前并网的光伏发电企业将会得到每度电 1.15 元的上网电价。这就是后来业内常说的“930 项目”。

那时候的光伏发电成本已降至 1 元以下，也就是说，1 度电就能挣 0.15 元，利润率高达 13%。在这之前，已经有 26 家公司在当地注册了公司并做了市场调研。不过，签约企业多，真正做起来的少，多数企业都还在观望，因此截至 8 月份建成的装机总量还不足 0.04GW。毕竟，1.15 元的上网电价只是青海省人民政府的说法，而且是口头的。

两个月之后，国家发改委的光伏上网电价出台了，和青海省人民政府的说法一模一样！青海省的“930 项目”和 1.15 元的上网电价得到了国家发改委的认可。

2011 年 7 月汉能受邀去青海投资的时候，已经有 30 多家光伏企业在那里落户。截至 2011 年 12 月 31 日，青海省 2011 年新增光伏并网容量为 1.003GW，这个数字比 2010 年全国新增装机容量 0.53GW 几乎多出一倍，并且占当年全国总装机容量的 50%。

这就是中国西部一个光伏先行者的故事，这样的故事还在不停蔓延，从宁夏到甘肃，从内蒙古到新疆、西藏……

西部的太阳能发展也是中国规模巨大的太阳能光伏市场的一个缩影。

从经济发展来看，中国经济规模不断扩大，能源的需求必然不断增长。2013 年 3 月 19 日，经济学家成思危在第五届国际石油产业高峰论坛上表示，中国能源面临供应挑战、价格波动挑战和环境挑战三大调整。世界经济增长 4%，每年能源消耗增长 2.8%；今后 10 年，中国如果保持 7% 的年增长率，能源消耗每年将增长 5% 左右。

从能源结构和分布来看，仅仅依靠能源进口和“西电东送”、“西气东输”等措施并不能从根本上解决问题，必须进行太阳能对化石能源的大规模替代。光伏将逐步替代化石能源，并在新能源革命中扮演不可或缺的角色。2011 年，中国社会总用电量为 4.69 万亿度，如果按照太阳能电站平均每年发电 1 300 小时计算，需要 3 608GW 的装机容量才能替代。

我认为，到 2035 年，清洁能源将占全球一次能源利用总量的 50%。截至 2012 年，中国的太阳能装机容量只有 8.2GW，可见这个市场的空间有多广阔，潜力有多大。

中国光伏电站的总体发展方向是，由集中式光伏发电逐渐向分布式光伏发电过渡。未来的世界将以分布式发电为主，大规模集中发电只是补充。不过，在第三次工业革命之初，大规模集中发电还是非常有必要的。作为新能源革命的主力军和开路先锋的光伏发电，在替代化石能源的过程中将起到不容忽视的作用。2010 年，中国清洁能源领域的投资额高达 544 亿美元，超过德国的 412 亿美元、美国的 340 亿美元，跃居世界第一位。这一年，中国新增光伏装机容量同比增长 66%。高盛公司等研究机构认为，虽然过去几年欧洲光伏市场占全球的70%，但今后中国将很快成为世界最大的太阳能市场。

另外一个大市场就是能源移动终端的应用。

设想一下，2030年，在珠穆朗玛峰，小李正在暖融融的帐篷里上网浏览着全球太阳辐射量的地区排行。资料显示，他所在的中国西藏地区排在第二位，仅次于撒哈拉大沙漠。小李的笔记本电脑不仅比苹果平板电脑更薄更轻，而且没有外接电源，按他的说法，他的笔记本就是一个独立的太阳能发电站，可以通过照射进来的阳光持续发电。由于采用的是世界上最先进的柔性薄膜太阳能技术，可以无限弯曲，所以他把帐篷也设计成了一个太阳能发电站，为电热毯提供电力。小李起身走出帐篷，尽管风雪凛冽，但他并不感觉寒冷，因为他的衣服也是会移动的小型太阳能发电站。

各种各样的太阳能产品，比如太阳能音响、太阳能帐篷、太阳能手表、太阳能手机、太阳能电脑、太阳能传真机、太阳能打印机、太阳能灯具、太阳能茶杯、太阳能电磁炉、太阳能烤箱、太阳能帽子、太阳能门铃、太阳能监视器……太阳能桌子从表面上看就是一张普通的玻璃面桌子，但那块玻璃其实是一块薄膜电池板，在电池板下面看不见的角落里有若干插头，可以为手机、电脑等充电。

能源移动终端产品将推进光伏终极替代，在这一替代过程中，谁会是消费主力呢？答案就是我们常说的“90后”和“00后”。这一过程既是第三次工业革命从出发到高潮的过程，也正是“90后”、“00后”一步步接管世界的过程，他们的价值观决定了第三次工业革命的历史进程。

高技术、大规模、广应用“三位一体”是光伏产业发展的必备条件。其中，广应用即广阔的市场是最重要的。因为高技术要靠大规模制造来支撑，大规模制造又要靠广阔市场实现其效益。

> **没有广阔的市场，高技术和大规模制造都难以实现和持续，而中国恰恰有非常广阔的市场！**

投资光伏产业

中国在改革开放之后的30多年时间里，一直保持着平均9.8%的经济增速。在未来的10~20年里，中国仍然可以继续保持7%~8%的高速增长。一些机构已经做出预测，也许到2025年或2030年，中国的国内生产总值将超过美国，成为世界第一大经济体。

这一预测的基本根据很简单：中国处于工业化的中后期，处于城镇化的中期，即仍处在经济发展的青春期，必然活力十足。中国是一个幅员辽阔、人口接近14亿的大国，不仅拥有世界最丰富的劳动力资源，在制造业领域保有强大的国际竞争力，更重要的是拥有潜力最大、前景最广阔的内需市场。中国拥有后发优势，可以一步到位，直接采用当今世界最先进的技术成果。

2008年国际金融危机发生时，有人曾担心中国也会出现巨大的波动。但我们坚信不会，因为中国经济的基本面没有变。数年来，虽然国际金融危机没有发生根本好转，再加上后来的欧债危机，世界经济仍然没有走出低谷。在这种情况下，中国经济仍然保持着7%~8%的增长速度。党的十八大确定，2010~2020年要实现两个目标：国内生产总值翻一番，人均收入翻一番。要想实现这个目标，中国经济保持在年均7.6%以上的增长速度就可以了。这就是中国经济的基本面。

中国当下依然是一个投资驱动型的经济体。资金往哪里投，不仅关系到当期国内生产总值的增长，更关系到中国经济的长期、健康、可持续发展。

2008 年世界金融危机以后，中国实施积极的财政政策，增加了 4 万亿投入，用于“铁公机”（铁路、公路、机场）基础建设。之后，2009 年的国内生产总值提高了 8%还多，但维持了将近一年，然后就连续下降。2012 年 4 月和 5 月，国家再次加大投资力度。有的地方还提出“大战一百天，大投资、大建设、大繁荣”的口号，但效果并不是很明显，仅仅在 2012 年第四季度提升了 0.9%，2013 年第一季度就又降了下来。经济学上的投资报酬递减规律以及现实情况已经说明，这种短期救市的方式越来越不灵验了。

房地产投资是一个吸金大户，大量的资金沉淀在房地产市场。虽然房地产市场的调控政策已经实施多年，但实际情况却仍是“空调”，而且越调越高。2013 年 5 月，全国 70 个大中城市的房价只有 1 个是下降的。在这种情况下，各路资金逐鹿房地产的热情只增不减。根据国家统计局的数据，2013 年前 5 个月，全国房地产开发共投资 2.68 万亿元，同比增长 20.6%，增速只是象征性地比 1~4 月回落 0.5%。而且我们看到的仅仅是 2.68 万亿元的开发投资，还有比这个数额多得多的投资性和投机性资金进入存量二手房市场。房价过高已经成为社会的热点问题，为抑制房价上涨过快，国家连续出台了一系列的政策，持续而坚决地遏制房地产的投资需求和投机需求。

汽车，特别是轿车产业，也是过去那几年的投资热点。但从 2011 年起，中国已经成为世界第一大汽车销售国，汽车保有量已经达到一亿辆，再加上一线城市汽车拥有量饱和，汽车污染引起的环境问题，一些大城市采取了限购措施。汽车产能相对过剩必然使汽车产业的投资受到极大制约。

资金应该往哪里投？资本怎样配置才更有效？如前文所述，中国转型过程中新的经济增长点非新兴太阳能产业莫属。金融不仅要服务于实体经济，更需要关注、扶持光伏产业。

欧美“双反”以后，中国光伏企业遇到的最尖锐的问题就是资金问题。企业由于资金流转不畅，面临着巨大的财务压力。全国生产多晶硅光伏产品的前十位大企业，被曝累计负债超过 1 100 亿元。金融机构一见“大事不妙”便卡死银根。结果是，2013 年 3 月 18 日，尚德太阳能电力有限公司债权银行联合向无锡市中级人民法院递交破产重整申请。赛维的经营状况当时也没能得到改观。

但 2012 年，在全球市场普遍萎缩的背景下，中国清洁能源投资总额达到 677 亿美元，成为全球可再生能源利用的领先者。由于太阳能行业的迅速发展，其投资额创下历史最高纪录，同比增长了 20%，总量超过排名第二位的美国（442 亿美元）50%以上。随着政府一系列措施的出台，2013 年光伏装机容量的增长速度可能达到三位数，而这仅仅是一个开始。据政府部门预测，到 2015 年，光伏装机容量将达到 40GW，按照 8 元/瓦计算，总投资额将达到 3 200 亿元。

从本质上讲，“双反”引起的资金危机是因为金融机构对当前部分光伏企业“两头在外”的模式失去了信心，认为“大事不妙”，必须卡死银根。

光伏产业不仅是技术密集型产业，同时也是资本密集型产业：不仅前期投入很大，而且资金回收期较长。从整个产业链来看，从厂房建设、设备购置到原料的提炼和购买，到电池和组件的生产和制造，到电站的建设和运营，都需要资金投入，只有等到电站发电后有电费收入，才能实现真正意义上的资金回收。做全产业链经营的光伏企业的资金流转必须经受得住这么长周期的“考验”，即便不是全产业链经营的企业，也会受到这种特点的影响和制约。

事实上，中国的确资金雄厚。中国人民银行 2013 年 7 月 12 日发布的数据显示，截至 6 月末，中国人民币存款余额达 100.91 万亿元，首次突破百万亿元大关，外汇储备达 3.5 万亿美元。

近年来，中国人民币存款呈加速增长态势：2008 年 5 月突破 50 万亿元大关，2010 年年底突破 80 万亿元大关，2012 年 11 月突破 90 万亿元大关。仅仅是在 2013 年 6 月，人民币存款就增加了 1.60 万亿元，上半年人民币存款共增加 9.09 万亿元。

不仅资金雄厚，中国境内的资金流动性也不错。在贷款方面，2013 年 6 月中国新增人民币贷款 8 605 亿元，助推上半年新增贷款达 5.08 万亿元；上半年社会融资规模为 10.15 万亿元，比 2012 年同期增长 2.38 万亿元。

截至 2013 年 6 月末，中国广义货币余额为 105.45 万亿元，同比增长 14.0%，比 5 月末低 1.8%，比 2012 年年底高 0.2%；狭义货币同比增长 9.1%，比 5 月末低 2.2%，比 2012 年年底高 2.6%。

要素优势2：产业、成本、技术

> 改革开放为中国光伏业带来了无可比拟的产业优势和成本优势，这是我们在享受的“改革红利”。
>
> 在转化率、电池产量、未来装机容量等代表光伏产业核心竞争力的技术指标上，我们已经领先于欧美，中国太阳能做到世界第一指日可待。

改革红利：产业优势，成本优势

从国际竞争角度看，中国光伏产业的低成本是强大的竞争力。中国光伏产业的低成本优势来源于中国作为制造大国的产业环境。

2013年年中，一张“揭示全球制造业格局的逆转”的图片在网上广为流传，与此相伴的是两条消息：第一条是，汇丰银行公布的7月汇丰中国制造业采购经理指数（PMI）[2]预览值为47.7，创11个月以来最低；第二条是，欧元区制造业活动性扩张，数据机构麦盖提7月24日公布的数据显示，欧元区 7 月份的采购经理指数初值从 6 月的 48.7 跳升至 18 个月以来的最高点——50.1。

如图 3–1 所示，中国 PMI 曲线已经落到欧元区 PMI 曲线的下方。此消息引发了市场忧虑和中国制造业是否优势尚存的讨论。

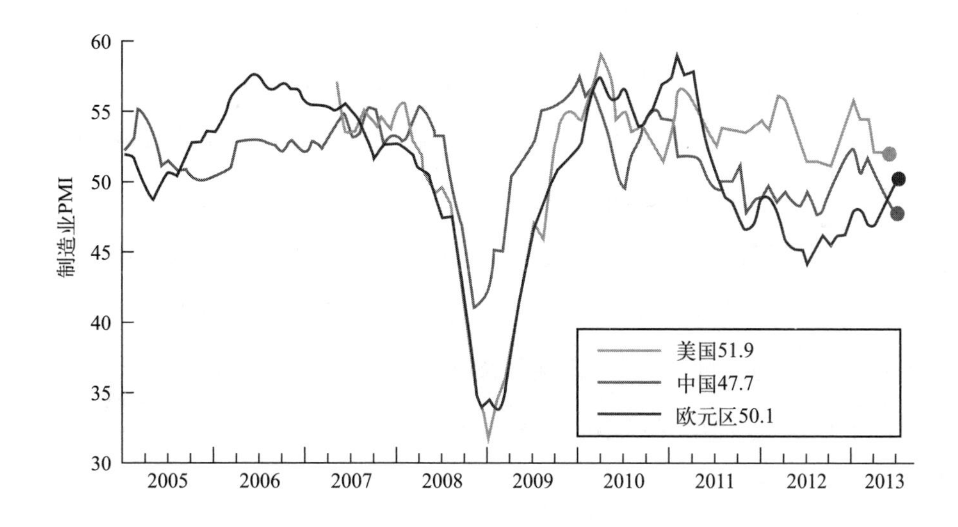

图 3–1　全球主要经济体 PMI 指标走向

资料来源：汇丰银行公布的 2013 年 7 月《汇丰中国制造业 PMI 报告》。

最近 10 年来，在经济全球化不断加深的背景下，世界产业结构正在经历新一轮大规模的深刻调整。以信息技术为核心的新技术得到广泛采用，引领产业结构朝着技术密集、知识密集、服务密集的方向升级；以放松管制、强化竞争、要素流动自由化为特征的制度创新扩大了产业发展和全球转移的空间；以资源节约、环境友好为标准的可持续发展理念深入人心，对产业结构调整提出了更高的社会责任要求。产业结构调整升级，对发达国家经济增长方式进一步优化做出了重大贡献。其技术优势和产业竞争优势不断增强，资源消耗和污染排放相应减少，经济增长的科技含量和附加值持续提高。同时，产业全球转移对发展中国家转变粗放的经济增长方式，既带来了难得的机遇，也带来了不可忽视的挑战。

在30多年的改革开放中，中国正是抓住了世界产业链转移的机会，积极地进行着体制变革和机制创新，在承接全球产业转移的过程中，获得了奇迹般的增长，并逐渐取代英美、日本，成为世界工厂。

中国拥有充足且优质的劳动力资源，建立了完整的产业链和雄厚的产业基础，培养出了一批创新能力、规模与品牌位居世界前列的创新型领军企业。中国围绕做大做强新能源、生物工程、新一代信息技术等战略性新兴产业，有望突破一批重大关键技术，转化一批重大科技成果，打造一批具有国际竞争力的创新集群，以技术领先抢占新兴产业发展制高点。

以光伏产业为例，我们可以对比一下中、美、欧、日光伏电池产量的数据指标。

电池产量代表了各个经济体在太阳能中游制造环节的势能。2005年，日本的产能为0.762GW，占全球总产量的46%，高居第一。欧盟和美国则分别以28%和9%的市场份额位列第二、第三位。然而到了2010年，中国太阳能光伏产量已经占据全球47.8%的市场份额，取代日本成为第一。欧盟和日本共占近30%的市场份额，成为光伏生产的第二阵营。美国以5.74%的市场占有率处于第三阵营。

我们还要看到，中国的光伏产业因电池和组件的成本急速下降而形成了低成本优势。2006年，光伏电池和组件的成本高达5.4美元/瓦，在中国光伏企业的努力下，2009年降到1.79美元/瓦，2011年降到1.035美元/瓦，2012年则降到0.8美元/瓦。

全球竞争形势已经十分明晰，中国凭借全球领先的技术和所向披靡的大规模制造能力，已经将太阳能技术强国的骨架搭建起来，所缺的无非是血肉——应用。

目前有一种论调，全球制造中心正在向劳动力成本更加低廉的东南亚转移，中国的人口红利正在消失，相应的成本优势也会消失。我认为这个观点并不可信。

> **我一向反对唱衰中国制造业的论调，因为没有中国制造就没有全球商品的低价格；没有中国光伏制造，欧美国家就需要花费纳税人更多的钱去补贴太阳能，否则新能源发展就会停滞不前，西方国家的人民就会继续生活在传统能源时代。**

人力资本并非简单的劳动力人口，更是一个“质”的概念，它指的是“通过投资形成的，依附于劳动者人身的知识和技能综合”，“蕴含于劳动能力中并能够产生经济价值的知识、技能、资历及包括创造性在内的其他社会及个人属性的积累”（维基百科）。人力资本的增长主要取决于人口和劳动力数量、年龄结构、城乡结构及受教育程度、劳动参与率等因素的变化。

据国务院发展研究中心“中长期增长”课题组测算，2012 年中国人力资本总量达到 41.3 万亿元，比 2011 年增长 1.64%。人力资本存量与国内生产总值的比值为 1.31 ： 1，即平均每 1.31 元的人力资本存量产生 1 元的国内生产总值。而在人力资本增长的源泉中，劳动力数量增长的贡献较小。 2012 年中国劳动年龄人口（15~64 岁）总量为 9.889 亿人，比 2011 年增长 0.4%，但其占人力资本总增长的比例只有 24.3%，即劳动力数量增长对人力资本增长的贡献仅为25%左右。并且，劳动力数量增长对人力资本增长的贡献率还在不断降低。根据预测，2013年中国劳动年龄人口总数约为9.92亿人，比2012年增长0.31%，占人力资本总增长的比例为20.1%，劳动力数量增长对人力资本增长的贡献率约为20%，与2012年相比显著缩小。2013年人力资本总量预计将达到41.9万亿元，比2012年约增长1.53%。

总体来看，1990年以来，中国人力资本存量持续增长。尽管劳动年龄人口减少，人力资本增长的速度将下降，但由于教育投入、城镇化率的提高，未来10年仍将呈现增长趋势，人力资本依然是中国中长期增长的重要支撑力量。

针对目前部分制造业出现的"双转移"现象（向新兴经济体转移以及发达国家制造业回流），全国政协经济委员会副主任李毅中曾对媒体表示，要实事求是地分析我们面临的挑战。目前，中国的发展成本在上升，有些是刚性的，比如人力成本、土地成本等，跨国公司转移到东南亚等制造成本更低的国家是很正常的，"我们不必惊慌，我国的劳动力素质比东南亚国家要高，我国仍具备劳动力优势"。而且中国日益形成了完善的工业产业链，劳工技能水平、先进的基础设施、契约精神、履约效率等构成中国制造的新优势。

发达国家提出"再工业化"，这对我们来说既是挑战也是启示。中国仍处于工业化中期，要在2020年基本实现工业化，还需要长期艰苦的努力。我们要转型升级，从低端转向高端，从制造业向服务业延伸，增强、延长产业链，增加产品附加值，摆脱来料加工的生产模式，不断升级并参与到设计、品牌等高附加值的环节当中。

我们可以看到，中国制造的光伏产品的产量已居世界第一位。据媒体报道，2012 年，中国太阳能电池及组件出口额占全球光伏产品出口额的 64.2%。更重要的是，这种巨大的制造规模是建立在高质量和低成本的基础上的，因而这个优势就变得更加突出。依靠技术进步和运营改善，中国光伏产业的成本还会以出乎意料的速度降低。

通过这些年的摸索，中国光伏企业已经找到了适合的经营模式，这也是成本优势之一。一般来说，如果只局限在制造电池组件这一环节，成本和价格之间的关系是比较紧张的，但如果进行全产业链经营，企业不仅出售产品，还提供融资、设计、采购、施工、电网连接、发电运营和长期维护的系统服务，则会有更大的盈利空间。2009 年 3 月，南通强生科技公司宣布，它们将在江苏如东港建设国内首座普及型光伏电站，全部使用该公司自己生产的薄膜电池，成本只有使用多晶硅电池的 40%。

30 多年的“中国制造”为今天的光伏产业赢得了产业优势和成本优势，中国光伏产业的全球竞争力岂能不强？

核心竞争力：技术优势

技术是光伏产业的核心竞争力。应该承认，在许多产业，中国的技术都不如发达国家，但这个结论不能笼统地套在光伏产业上。在光伏技术上，中国不仅已经是世界第一阵营的成员，而且在许多关键技术上，已经占据了世界领先地位。

中国光伏企业通过自主创新、引进技术、技术贸易和并购企业等多种途径，在技术方面已经位居世界前列。随着汉能对 Solibro、MiaSole 和

Global Solar Energy的并购，中国光伏企业已经拥有7条薄膜技术路线，其中的3条与第一阵营的国家持平，另外4条已经领先于美、欧、日。

生产太阳能电池主要原材料的江苏中能硅业创造了“硅烷流化床”新工艺，产品纯度可以达到11N（小数点后11位），成本却不到改良西门子法的一半。这意味着中国光伏产业不仅在技术方面已经领先于欧美，同时还拥有十足的后劲。

2011年8月，时任国家副主席习近平到汉能双流基地参观了汉能两个月前刚刚建成的硅基薄膜生产线。我亲自担任讲解员。我告诉他，这是中国自主研发的具有世界领先水平的生产线，而且是世界上最大的硅基薄膜电池项目，一期年产能可达0.3GW、电池光电转化率可达到10%。习近平同志要求我们“要坚持把增强自主创新能力作为战略重点”。

要素优势3：企业家精神

> 成功第一靠人，第二靠人，第三还是靠人。我们有城镇化带来的“人口红利”，更有引以为豪的企业家精神。
>
> 当前，除美国始终保持着比较好的创业精神、企业家精神外，欧洲、日韩都因为企业大部分已经不是由创始人掌控，而是变成了“首席执行官+职业经理人”模式，创新精神已经大不如以前。而中国企业家最大的一个特点就是“创始人+首席执行官”模式。

“创始人+首席执行官”模式

过去的30年是中国企业家队伍成长的30年，也是中国企业家创造中国奇迹的30年。这些中国创业家披荆斩棘、呕心沥血，没有机会创造机会，没有需求创造需求，没有条件创造条件，在一穷二白、百废待兴的岁月里，创造出了一个个经济奇迹。

中国光伏产业有近百万名从业人员，这是世界上最庞大的一支光伏产业大军，其中的骨干是熟练工人和掌握世界先进技术的科技人才。这批科技人才既包括中国本土的人才，也包括世界各国的优秀人才。尤为重要的是，有一批优秀企业家担任这支队伍的领军人物，我认为这是中国在光伏革命中可以领先的关键因素之一。

经济学大师熊彼特说，企业家的职能就是创新，即“建立一种新的生产函数”，把一种从来没有见过的关于生产要素和生产条件的“新组合”引入生产体系。一个国家的崛起往往伴随着一批优秀企业的崛起，正如韩国之所以崛起，就是因为有三星、现代等一批世界级企业。

2013 年 8 月 14 日，联合国副秘书长米歇尔 · 西迪贝走访汉能。他告诉我，他的父亲从小就教导他：一个领导人必须具备三点要素——战略前瞻性、行动力、用心，只有这样才能取得成就。

> **“战略前瞻性、行动力、用心”这三个领导人必备的要素在“创始人+首席执行官”的企业家身上体现得尤为明显。正因为“创始人+首席执行官”模式的广泛存在，中国不缺企业家精神，不缺具备创业精神的优秀企业家。**

当前，除美国始终保持着比较好的创业精神、企业家精神外，欧洲、日韩都因为企业已经不是由第一代创始人掌控，而是变成了“首席执行官+职业经理人”模式，创新精神已经大不如以前。中国企业家最大的一个特点就是“创始人+首席执行官”模式，包括汉能在内的许多企业都是如此，而欧洲、日韩很多国家都是“首席执行官+职业经理人”模式，和创业者的感觉完全不一样，缺乏开拓精神、创造精神。

柳传志的故事

中国的“创始人+首席执行官”模式弥足珍贵，这一点我是深有体会的。2011 年 9 月，我随同时任国务院副总理王岐山去参加中英经济对话，由于活动没能按时举行，嘉宾们需要等待 1 个小时。期间碰巧遇到某著名银行的首席执行官，刚开始他们并不了解中国民营企业，一脸藐视的表情。但是，在我和他进行了 20 分钟的交流之后，局面出现了逆转，他们开始对我肃然起敬。我的体会是：他们之所以最终转变态度，并不是因为汉能的规模够大，而是因为他们的首席执行官是一个职业经理人，缺乏企业家精神：他们大部分循规蹈矩，缺乏创新精神和承担风险的勇气和魄力。而中国企业家是在经历了无数的艰难挑战后成长起来的，永远在风浪中前进。

柳传志的故事就是明证。柳传志被称作中国教父级的首席执行官，是我最尊敬的企业家，也是典型的“创始人+首席执行官”。

柳传志生于 1944 年 4 月，祖籍江苏镇江市。1961~1966 年，他就读于西安军事电子工程学院（现在的西安电子科技大学）雷达系；毕业后在国防科委十院十所工作， 1968~1970 年被下放到广东珠海一个农场锻炼，而 1968 年正是IT（信息技术）巨头英特尔公司成立的年份；1970~1983 年，进入中国科学院计算机所（外部设备研究室），担任助理研究员，用他自己的话说，“做了 13 年磁记录电路的研究”；1983~1984 年，他又到中国科学院人事局领导干部处。1984 年，中科院计算机所开始改革，有机会下海，柳传志觉得这才是自己真正想要的，于是“又赶紧往回蹦”。

他向时任院长周光召申请，得到了传达室旁边的两间小屋、20 万元的启动资金、两个合作伙伴和一个副总经理的头衔。联想就这样悄然诞生了。

在柳传志掌舵的情况下，联想控股有限公司已经成为庞大的企业，2012 年的综合营业额为 2 266 亿元，总资产为 1 872 亿元，员工总数为 60 026 人。先后打造出联想集团、神州数码、君联资本（原联想投资）、弘毅投资和融科智地等 5 家子公司，其中联想集团于 2004 年收购IBM（国际商用机器公司）的个人电脑业务，成为一家国际化公司。柳传志总结了“建班子、定战略、带队伍”的“管理三要素”，培养出了新一代的明星企业家，将联想建成“没有家族的家族企业”。

而让我印象最深刻的是柳传志复出的故事。

柳传志于 1984~2001 年担任联想集团董事长兼总裁，2002 年任联想控股董事长兼总裁，同时担任联想集团董事长。2004 年，联想集团董事长由杨元庆接任。

2008~2009 财年，联想集团全年亏损 2.26 亿美元。2009 年 2 月，联想集团在连续亏损 11 个季度后宣布由“柳传志复出担任董事长”，第二天，联想的股票狂涨 11%。按照当时的市值计算，联想的股票市值增加了 33 亿港元。

柳传志在当时接受媒体采访时说：“如果你家小孩在马路上玩，汽车眼看着要过来了，你是冲上去拉他一把，还是先考虑万一把我撞死了怎么办？联想就是我的命根子，如果需要我，我随时会上。”

在复出担任联想集团董事长 2 年零 9 个月之后，2011 年 11 月 2 日晚，

67 岁的柳传志再次辞去联想集团董事长职务，宣布“退隐”。这展示了柳传志高瞻远瞩的战略眼光，在复出后近 3 年的时间里，柳传志频繁地为杨元庆为首的联想管理层站台背书，确定了以中国市场为核心展开自救的战略基调，但在具体运作上并没有过多干预，而是给杨元庆为首的联想管理团队留下了足够的发挥空间。

柳传志说：“经过 20 多年的合作，我和元庆已经互为对方生命的一部分。”他坚信：“杨元庆完全有能力胜任董事长兼首席执行官的职位，他会带领联想飞得更高，让全世界都看得到。”当晚，联想集团公布了截至 2011 年 9 月 30 日的第二季度业绩。数据显示，联想全球个人电脑销量连续十个季度超越市场平均增幅，连续 8 个季度成为全球前四大电脑厂商中增长最快的厂商，并以 13.5%的市场份额再创新高，一举成为全球第二大个人电脑品牌，迎来了联想历史上“最好的时刻”。

优秀的中国光伏人

汉能同样是一家采用“创始人+首席执行官”模式的民营企业。作为全球负责艾滋病预防的第一人，联合国副秘书长米歇尔 · 西迪贝参观过很多企业，与很多知名企业家有过交流，但以访问汉能的印象最为深刻，他说自己在这里看到了战略前瞻性、行动力以及用心。

毋庸置疑，汉能是拥有战略前瞻性的。在我们建设金安桥水电站的过程中，在我们加入发展薄膜太阳能行列的时候，我都有一种强烈的感觉，即我们能干成这件事。

金安桥水电站建设历时 8 年，在这 8 年里，汉能面对了前所未有的挑战，得到了非比寻常的历练，当然也获得了巨大的成长。金安桥成功发电的意义远远超越了项目成功本身。所以我常说："要努力到上帝出手相助时。"

金安桥水电站项目始于2002年。当时，中央统战部、全国工商联开展光彩事业，组织民营企业赴云南进行投资考察。在游览金沙江的时候，我了解到当时云南省有1亿千瓦水电资源处于待开发状态，省委省政府迫切希望民间资本进入。我觉得这是一个历史机遇，于是当即决定投资10亿元，开展金沙江中游流域水电项目的可行性研究工作。云南省委省政府高度认可并支持我们的工作，在很短的时间内双方就正式签署了前期可研协议。同年9月29日，汉能与云南省签署了《云南省金沙江金安桥水电站投资开发协议书》，该项目投资200亿元，一期240万千瓦，两期总装机300万千瓦。这个项目也成为国内第一个也是唯一一个由民营企业建设的百万千瓦级特大型水电项目。

水电行业投资规模大，资本回收周期长，尽管投入了上百个亿，但在短期内根本看不到任何经济效益。民营企业很少涉足这样的项目，只有实力雄厚和政府支持的国有企业才有能力承担。比如，葛洲坝水利枢纽工程总装机容量271万千瓦，于1971年开始兴建，国家动用了5.5万人的军队、倾全国之财力、耗时16年才建成。

汉能这样一家名不见经传的民营企业要自建一座超过葛洲坝总装机容量10%的特大型水电项目，无疑会饱受质疑。有人说李河君疯了，也有人认为这是汉能在炒项目，然后转手卖钱。一些国务院领导则力主给民营企业一个机会。在公司内部，我力排众议，说服大家立马着手金安桥项目的启动工作。我坚信金安桥项目就是我要做的事情，更重要的是，汉能在水电行业积累的经验让我相信汉能一定可以把这个工程做好。

困难远远超出了我的想象。金安桥建设长达 8 年，每一天的资金投入都像磨盘一样压得我喘不过气来。为了应对金安桥水电站项目高峰时每天 1 000 万元的投入，汉能把前些年建设的效益好的优质电站一个一个地出售，这些项目都凝聚着汉能人的心血，其中最可惜的是青海的尼那水电站——汉能在 2003 年以 12 亿元收购，当时已经并网发电。当时中国的金融、房地产市场正风生水起，很多人劝我把金安桥项目卖掉，去市场上赚快钱、赚大钱，一些实力雄厚的企业也找到我并给出了很诱人的价格，但都被我一一谢绝了。当时的我似乎不是为了一个 300 万千瓦的电站而坚持，而是为某种信念而战斗了，这种信念也许就是清洁能源。“为清洁能源而战”的意识就这样一点一滴地渗入到汉能人的血液中。

坚持就要付出代价：在最困难的时候，汉能将多年积攒下来的风险准备金全部投了进去，金安桥水电站项目却像无底洞一样总也填不满，最后我们甚至从汉能高管个人和家里借钱投资金安桥……2007 年，一位部级领导对我说：“如果汉能把金安桥这个项目的难关跨过去了，未来没有什么事情会过不去。”当年，全国工商联主席黄孟复去金安桥考察时也讲过：“金安桥是中国民营企业的奇迹。”

苍天不负有心人，2011 年 3 月 27 日，金安桥水电站正式并网发电。望着金沙江上那巍峨耸立的大坝，望着那奔腾而下的激流，望着那指向天边的高压线塔架，我感慨万分。

金安桥水电站建设前前后后经历了 8 年时间。在这 8 年里，我深深地体会到了一个民营企业家的艰难，同时也认识到了国家对于民营企业的扶持是多么重要，更意识到了民营企业与国家的未来息息相关，用新能源为国家服务、为人类幸福做贡献成为汉能的企业使命。

和柳传志为联想集团定调“以中国市场为核心”类似，中国光伏企业也来到了市场选择的战略十字路口，而“中国市场”就是一把神奇的钥匙，将开启一扇巨大的财富之门。

光伏产业的企业家绝大多数是民营企业家。这批企业家有以下几个特点：第一，他们都是在改革开放的大环境中生长起来的，因此大多具有较强的改革意识和放眼世界的开放思维和长远目光。第二，他们大多是创业者，在企业从无到有、由小到大的过程中，经历了各种磨难，因而历练出了不畏艰险的顽强意志和应对各种局面的本领。第三，他们的成功都和国家政策、国家发展密不可分，因而都具有强烈的感恩社会和产业报国的思想，都把“强国富民”作为企业的使命。

中国企业家不缺乏魄力，也不缺乏战略眼光和创新精神，缺乏的是战胜自我、抵挡诱惑的反向修炼。柳传志常用的比喻之一是“登珠峰”，他在一个中国商业文化断代的时期，依靠内心的力量，勾勒出了一座珠峰，并依靠强大的自控力做对一件件小事，最终成就了一个宏大的目标。

在20世纪短短的10余年时间里，中国光伏产业在世界范围内迅猛崛起，证明了这些企业家精神的作用；在未来的新能源革命中，在实现中国光伏产业领先世界的征途上，这批领军人物必将发挥更大的作用，展示更加耀眼的风采。

中国企业的光伏实践

10年来，如果有一个行业所笼罩的光环能与互联网相媲美，那一定是光伏；如果有一个行业的造富能力能与互联网相媲美，那一定是光伏；如果有一个行业吸引资本的能力能与互联网相媲美，那一定是光伏。

然而好景不长，这个行业经由疯狂的产能扩张而带来的国际反弹最终成为压倒“太阳神”的最后一根稻草。

危机，危中有机。实践证明，中国光伏产业的产能扩张、两头在外的道路已经行不通了。这次危机正是一个从跟风转为引领、从产能扩张转为技术进步、从无序走向健康发展的绝佳机会。

第一代光伏企业：晶硅的崛起与挫败

据《华西都市报》报道，2013年3月20日，无锡市中级人民法院依据《破产法》裁定，对无锡尚德太阳能电力有限公司实施破产重整。同样，位于产业链上游的赛维的处境也不容乐观。然而，不能否认的是，尚德电力与赛维曾经是这个朝阳产业中生命力最旺盛的两家代表性企业，可并称为光伏“双雄”。两家企业的创始人——施正荣和彭小峰都是新生代企业家，他们本人及其所创建的公司对行业前期发展起到了标杆作用。短短几年间，中国光伏产能占到全球的一半以上，全球前十大光伏组件生产商的前五名都是中国企业。

据媒体报道，2000 年，37 岁的施正荣博士从澳大利亚回国。初到无锡的他只有一台笔记本和几页商业计划书。据无锡市创业投资有限责任公司总经理洪汝乾事后回忆，2000 年 10 月，在无锡市中山路的政府招待所里，施正荣向他和科技局的几位官员演示了他的商业计划。“我们感觉风险很大，因为 2000 年的时候国内电力并不紧缺，当时的情况是过剩。搞太阳能发电，我们在国内看不到需求，也不了解海外市场，所以无法判断其商业前景。”

洪汝乾曾任无锡机床厂厂长，有十几年的企业管理经验，后担任无锡市财政局副局长。1999 年，国家科技部推出一个推动技术创新的工程，无锡是试点城市之一，由政府出资成立创业投资有限责任公司，挂靠在市科技局。考虑运作这笔资金风险很大，最后决定由刚退休的洪汝乾担任总经理。与施正荣的合作是创业投资有限责任公司面对的第一个项目。

洪汝乾拿着施正荣的商业计划书，专门请无锡华晶集团的高级技术人员提意见。华晶集团是当时国内最大的集成电路芯片生产商，上游原料也是硅材料。10 天后，洪汝乾得到的答案是：项目非常好，技术水平也高，具备商业可行性，只有一点疑问，即投资时间是否略早。洪汝乾问道："是否愿意和我们一起投？"对方表示暂时不感兴趣，事实上，当时很多企业都不敢涉足这一领域。

2001 年 1 月，施正荣说服无锡市政府支持这个项目。公开资料显示，公司注册资本金为 800 万美元。施正荣占 25%的股份，其中技术股占 20%，折合 160 万美元；现金股占 5%，折合 40 万美元。另外的 600 万美元则由其他 8 家股东出资，分别是无锡市创业投资有限责任公司、无锡市高新技术风险投资股份有限公司、无锡市科达创新投资有限公司、无锡市国联信托投资有限公司、小天鹅集团、无锡水星集团、无锡山禾集团、上海宝来投资管理有限公司，后面 5 家全部是标准的法人股东，其中上海宝来投资管理有限公司始终未出资，股份最后由其他几家按股权比例再次分配。

2002 年 9 月，尚德电力的第一条 10MW 太阳能电池生产线正式投产，产能相当于此前 4 年全国太阳能电池产量的总和，一举将中国与国际光伏产业的差距缩短了 15 年。

然而，曾在太平洋太阳能电气有限公司担任 6 年多研发负责人的施正荣并没有延续在薄膜技术上的优势，而是结合中国的制造优势，生产传统型晶硅电池。

在初创阶段，尚德电力的日子并不好过。据《中国企业家》报道，2002 年，尚德电力的销售额为 1 000 多万，亏损 700 多万；2003 年年初更加困难，为了获取银行贷款，能抵押的已全部抵押，创业团队也分崩离析。2004 年 8 月，尚德电力的第三条生产线投产，而此时公司已是内外交困，甚至连设备都要抵押给工程队。

幸运的是，几个国有大股东轮流为尚德电力担保贷款，无锡市也在2003~2004 年为尚德申请了 9 个政府基金项目，累计支持资金在 3 700 万左右，帮助尚德电力渡过了难关。

就在尚德电力第三条生产线投产的当月，局势终于峰回路转。德国政府修订了《可再生能源法》，对太阳能等新能源发放政府补贴，德国成为《京都议定书》生效后新能源消费的首个爆发国家，光伏电池的市场需求瞬间膨胀，推动 2004 年全球光伏市场同比增长 61%。

在大多数同行还没有足够的胃口吞下这块蛋糕时，尚德电力却突然迎来了丰收的季节，2004 年的净利润达到 1 980 万美元，而 2005 年前 3 个季度的净利润就达到了 2 000 万美元。这一次施正荣敏锐地抓住了光伏电池市场的细微变化，在资金最紧张的关口竭力扩产，最终跑赢了时间。

2005 年 10 月 19 日，尚德电力在纽交所上市，共募集到 4 亿美元，施正荣也因此成为当年的“中国首富”。

或许是尚德电力造富的示范效应，或许是彼时旺盛的海外市场需求，光伏一度成为中国最红火的行业，被视为中国唯一能与世界同步的高科技产业。除尚德电力外，还涌现出一大批明星公司。江苏、河北、内蒙古等多个省（自治区）将发展光伏产业作为重点工程。与尚德电力规模相近的同行不下 10 家，大大小小的光伏产品生产企业甚至有近千家。这些企业虽然良莠不齐，但总产能是巨大的。全球每年新增的太阳能发电容量大约为 29.79GW，而 2011 年中国光伏组件的产量为 30GW，两者几乎相等。

中国光伏产业迅猛发展之时，很多人似乎已经遗忘了这样一个事实：这是一个靠天吃饭的行业，而且靠的是别人的天。一旦欧美市场发生变化，各国政府对光伏市场的扶持力度大幅下调，中国光伏产品的出口就不可避免地遭遇巨大冲击。

在光伏产业进入寒冬的背景下，“先发劣势”正成为行业先行者的“阿喀琉斯之踵”。光伏产业具有资本密集的特点，激进的先行者为谋求先发优势，前期往往通过大量借贷来扩充产能。随着光伏产业规模的迅速扩张，设备和原料成本的下降幅度远远超出了人们的想象。

一家主营多晶硅料生产的新能源企业，它在2008年投产第一期项目时，每千克多晶硅产能的投资是110美元，而2011年3月，当其启动二期项目时，每千克产能的投资已下降至60美元。如果多晶硅料价格维持在400美元/千克以上的“暴利时代”，先行者比追随者多花的钱根本不成问题，但是如果多花的钱还没有收回来，行业就已进入到硅料只有40美元/千克的微利时代，那问题就大了。这也是坊间流传“重建一个赛维的成本都没有它的债务多”的原因。

产能扩张的无序与失控，以及由此带来的国际反弹，最终成为压倒“太阳神”的最后一根稻草。这是一场可以预见的危机，但中国第一代光伏企业并没有做好应对的准备，以至于在欧洲市场大幅萎缩的冲击下举步维艰。

第二代光伏企业：圆一个“薄膜梦”

然而，中国光伏企业探索太阳能的道路并没有停止。汉能、新奥等第二代光伏企业在吸取第一代光伏企业的经验教训的基础上，在技术路线和经营模式上另辟蹊径，开创了一片新天地。

汉能于2009年正式进入光伏产业，此时晶硅技术已经比较成熟，薄膜技术还在爬坡。业内业外看好晶硅的人居多，许多人甚至有“光伏就是晶硅”的片面理解。于是，如何选择技术路线就成了一个难题。

汉能决策层经过反复考虑，认为光伏产业是一个战略性新兴产业，必须按照这个产业的性质做决策。所谓“新兴”就是它未来有很大的发展变化余地，所谓“战略性”就是它关系全局和未来。从长远发展变化来看，薄膜化、柔性化是光伏技术未来的发展方向。晶硅技术存在的耗能多、分量重、刚性体等缺点是难以克服的，而薄膜技术恰好具备耗能少、分量轻、柔性体、弱光效应好等比较优势，更考虑到将来太阳能利用必然走向分布式电站和各种移动式发电模式，薄膜的优势无疑更加突出，而光电转化率和成本问题是可以通过技术进步解决的。而且，当时中国的光伏企业以生产晶硅为主，因此没有必要再“挤上加挤”。缺乏自身优势的追随者只能与他人展开同质化竞争，前景肯定一片暗淡。于是，汉能决定另辟蹊径，采取蓝海战略，毅然地选择了当时在国内还遭受冷遇的薄膜路线。

从现在的情况看，这个选择是正确的。欧美“双反”只反晶硅，不反薄膜，对汉能来说，这似乎是一个偶然的幸运，但更重要的是，薄膜技术确实如预期那样得到了迅速提升。仅仅经过两三年的时间，薄膜电池组件的转化率已经提高至18.7%，已经与晶硅持平甚至有所超越，而生产成本却远远低于晶硅。

技术领先是光伏企业发展的关键所在。人们常常说产能规模过大会带来风险，但事实上并不是规模本身的问题——规模大、无市场才有风险。

技术低、成本高才会无市场，所以关键是技术。汉能因为掌握了世界最先进的薄膜技术，才有底气和信心迅速扩大规模。

2012 年，英国《金融时报》和美国《华尔街日报》在 5 个月内连续两次刊登了汉能海外并购的消息。路透社更是以四五千字的篇幅刊出了对汉能海外并购负责人的专访。国际知名媒体频频关注汉能，引起了海内外的广泛关注。“光伏产业退潮期为中国企业捡拾‘珍珠’提供机会”、“美国光伏初创企业被规模更大的亚洲工业企业挽救于水火的最新案例”的评论散发出浓烈的西方色彩。他们关心的并不是来自遥远中国的籍籍无名的收购者，而是被我们收购的那两枚熠熠闪光的“珍珠”——Solibro 和 MiaSole。

在国内，新华社和《21 世纪经济报道》转载了外国媒体的报道之后，全国媒体包括大量网站蜂拥而至，汉能再次成为舆论的焦点。

国内公众关注的焦点是：这两家公司是谁？为什么国际媒体给予如此高的关注？在欧美“双反”的背景下，汉能逆势收购是出于什么目的？

根据有关规定和遵守合同约定的承诺，汉能当时没有向外界发布任何消息，国内媒体基本上都是援引外国媒体的报道内容，个别媒体则依据部分人士的看法对汉能的动机进行了分析。相比之下，路透社的报道更具有国际视野，该通讯社在报道中指出：“此番收购成功后，汉能将与全球最大的薄膜电池厂商——美国第一太阳能公司展开竞争。”

第一太阳能公司是目前全球光伏产业的老大，2009 年取代 Q-Cells 成为全球产能最大的光伏企业，2012 年的电池组件产能达到 2.5GW。第一太阳能公司和汉能一样，走的也是薄膜路线，是全球除汉能外，唯一一个把成本降下来的薄膜企业。该公司掌握着薄膜光伏技术之一的碲化镉，与德国碲化镉薄膜电池制造商Antec Solar共享该技术的垄断权。该技术的测试电池转化率已达到17.3%，并获得美国国家可再生能源实验室的证实。有人甚至称第一太阳能公司为美国的“国宝”。

汉能把第一太阳能公司作为最重要的竞争对手。2009年，汉能决定要在2012年年底突破3GW的产能目标，进而超越第一太阳能公司。当时一半以上的老员工和高层都不相信，因为国内当时最大的产能才几十兆瓦。然而2012年12月，汉能宣布3GW产能建成。

那么，汉能收购Solibro和MiaSole，会对第一太阳能公司造成什么影响呢？

首先是转化率。Solibro是薄膜太阳能转化率的世界纪录保持者，其小尺寸冠军电池已实现铜铟镓硒全球最高的转化率（18.7%）。当然，这是实验室的转化率，也就是说，大批量生产出来的电池组件并不能达到这么高的转化率。那么，量产转化率是多少呢？Solibro的量产转化率已达14.7%。太阳能电池转化率每提升1%，发电成本就能降低8%左右。[3]

Solibro是一家令人尊敬的公司，诞生于瑞典。瑞典是欧洲的研发重镇，科研支出占国内生产总值的4%（中国为1.83%），居欧盟之首。Solibro的创始人全部来自北欧最古老的学校乌普萨拉大学，这里是知识的天堂。想象一下和知识比邻而居的感觉就知道这所大学的价值了。铜铟镓硒技术就是1983年在这所大学的埃格斯特朗太阳能中心研发出来的，这项技术的领头人拉尔斯·斯托特（现任Solibro首席技术官）也因此被称为“铜铟镓硒薄膜太阳能之父”，他后来和乌普萨拉大学的同事们一起创立了Solibro，2009年被当时的世界级太阳能巨头Q-Cells收购。

美国的MiaSole也是第一太阳能公司强有力的竞争者，其生产的铜铟镓硒薄膜太阳能光伏组件的量产转化率为15.5%。

MiaSole位于美国硅谷，在硅谷200多家新能源企业中，其技术指标和技术力量均排在第一位。其研发团队多数来自全球计算机行业霸主英特尔，是硅谷从信息革命转向能源革命、变身“太阳谷”的集中体现。其投资人约翰·杜尔先生有“投资界的比尔·盖茨”之称，曾经投资电脑业巨头康柏、互联网巨头谷歌和亚马逊。约翰·杜尔先生为这家冉冉升起的硅谷之星投入了5.5亿美元。

汉能为什么同时收购两家拥有铜铟镓硒技术的企业？这个问题的答案就是汉能的“全球技术整合战略”。汉能从全球包括美国、欧洲、日本、以色列、中国大陆在内的众多薄膜光伏企业中筛选出20多家领先者并进行了实地考察，第一太阳能公司也在其中，但在最后审定时被删除，原因在于它所采用的碲化镉技术排放的镉具有毒性，虽然目前已经有了回收技术，但不符合汉能做清洁能源的理念。最后汉能锁定了5家企业作为并购对象，这5家企业的技术路线各不相同。Solibro和MiaSole虽然都是铜铟镓硒技术，但前者采用的是共蒸发法，后者采用的是溅射法。拥有多种技术路线有两大好处：一是产品多样化，可以适用于不同的应用，比如Solibro的产品偏重于刚性，MiaSole的产品则偏重于柔性；第二，专利共享可以极大地推动技术进步。目前，欧、美、日的技术研发相对封闭，比如碲化镉技术就被第一太阳能公司独家垄断。汉能的多条技术路线可以在开放的环境中互相参照和促进，这就是我们整合全球技术的目的所在。

这也许才是西方知名媒体高度关注这两宗收购案的根源所在。不过西方媒体对于来自遥远东方的汉能还不够了解，如果它们了解到汉能的产能于2012年年底已经达到3GW，也许会有进一步的解读。

同样借鉴了第一代光伏企业“两头在外”的教训，汉能采取了“高、大、全”的经营模式。所谓“大”就是大规模。有人提出疑问：汉能连续建立了9条薄膜电池生产线，又兼并了三家外国企业，在如此短的时间内，薄膜电池的产能就达到了世界第一位，是不是“盲目扩张”？他们不理解，在自己实力可以达到的范围内，迅速抓住机遇并扩大规模具有长远的战略意义。

光伏产业是高技术产业加能源产业。高技术产业的自然禀赋是大规模。技术领先就要加大研发投入，没有实力就不能加大投入，如果没有规模，实力又从何而来？领先的高技术企业一般都是大型企业。2009年，汉能在购买高端设备的时候接触过两个企业，一个是瑞士的欧瑞康，另一个是美国应用材料公司。汉能提出要实现3GW的产能，对方认为是在开玩笑，因为当时世界最大的美国第一太阳能公司的产能还不到2GW。这两家公司虽然技术先进，但因为规模太小，成本难以降下来，后来一家被收购，一家退出了薄膜领域。

能源产业的自然禀赋也是大规模。能源产业是覆盖全社会的产业，因而其产品销量必然很大；能源产品又是支撑经济和社会发展的基础产品，其价格不可能像某些最终产品或奢侈品那样高，其效益必然来自“规模效益”。世界上几乎所有成功的能源企业都是大型或特大型企业。

两个具有大规模自然禀赋的产业相加的光伏产业，其生存和发展也必然要求大规模。这就是汉能把第一阶段的产能规模一下子就定到3GW的原因。

在汉能人看来，这只是一个初步格局，到2015年还将达到20GW。许多人可能认为这是一个天文数字，但事实上并非不可实现。因为太阳能电站实际发电小时只有传统电站的1/4，2 000万千瓦（20GW）的太阳能装机容量只相当于500万千瓦的水电装机，汉能目前的水电装机容量已经达到600万千瓦了。如果汉能到2020年实现100GW的目标，薄膜光伏产能达到全球的1/4，也许算是符合汉能人心目中的“大”了。

所谓“全”就是全产业链。与许多光伏企业的光伏业务不同，汉能并不仅仅生产光伏电池和组件，其产品涵盖了光伏的整个产业链。上游高端设备制造、中游薄膜电池制造、下游电站建设共同构成了汉能的“全产业链经营模式”。其经营业务包括：原材料开发、技术研发、设备研制、产品制造、系统设计、电站建设、电站管理和运营等。全产业链经营更能发挥企业的研发优势、技术优势、制造优势和工程优势，同时也更能解决光电成本和企业效益之间的矛盾。

近来，当人们知道汉能的产能已经达到3GW的时候，总会问这么一个问题：“这么大的量，卖不出去怎么办？”他们不了解，汉能本质上是一个发电企业。盈利模式不仅是获得制造利润，其利润的主要来源是提供系统解决方案、太阳能应用和发电。

从2009年7月1日汉能的广东河源光伏生产基地开始建设一直到现在，太阳能电站的建设始终与生产基地建设同行，汉能目前年产3GW的规模怎么能算得上过剩呢？

早在进入光伏产业的第二年（2010年），汉能就在美国旧金山注册成立了汉能控股（美洲）有限公司，在佛罗里达建造了两个小型太阳能电站，目前已经投入使用，这可以看作是进入美国市场的跳板。

无独有偶，同样走硅基薄膜技术路线的新奥集团在2012年2月举行的中美经贸合作论坛上，与美国内华达州签订了合作意向书，计划在内华达州投资50亿美元建设包括光伏发电基地和光伏组件制造基地在内的清洁能源生态中心。

汉能还利用全产业链的优势，在太阳能推广应用中进行多种方式的拓展。除了在意大利、希腊为一些商业项目提供分布式发电服务外，还在国内积极尝试和一些著名的商家合作。汉能和宜家合作推出“绿色家园战略”。在3年的时间里，汉能将为宜家的中国店面及其67个供应商提供0.383GW的薄膜电池组件和分布式电站建设。这些分布式发电系统完成后，其发电量相当于宜家中国全年用电量的15%~20%，同时还可以百分百地满足宜家中国分拨中心的电力需求。

此前，汉能通过宜家在英国出售的家用小型太阳能发电系统颇受青睐。我曾经到一个英国客户家中拜访，他花4 950英镑[①]安装了25片薄膜电池板（3KW系统），平均每年可以发电3 600度。这项投资共有三个方面的回报：（1）每年可以获得576英镑的政府补贴；（2）每年可以节约261英镑的电费（一半发电量自用）；（3）售电收入为81英镑（多余的电量以每度0.045英镑的价格卖给电网公司）。总体而言，他每年可以获得918英镑的收益，相当于13%的年投资回报率。

长期以来，光伏产业一直有“一体化战略”和“专业化战略”之争。“专业化战略”是在产业链某一个环节上做精做大。“一体化战略”又分“横向一体化战略”和“纵向一体化战略”。横向一体化是与同行实行联合，纵向一体化则是沿着产业链向上和向下延伸。全产业链模式就是纵向一体化。从理论上讲，这些战略本身并没有什么优劣之分，关键在于是否与

① 1英镑约合9.97元人民币（2014年1月汇率）。——编者注

企业“匹配”。汉能根据自己情况以及对光伏产业的理解，选择了纵向一体化战略，这是寻求“匹配”和“差异化”的结果，而不是说这是唯一正确的模式。

全产业链经营有自身的条件、利弊和风险。这种经营模式最大的特点是，各个业务环节之间是内部交易，都依靠终端销售获得资本投入的回报，整个产业链形成正向资金流动可能需要较长时间。如果没有持续的融资能力，则很有可能半途而废。同时，全产业链经营模式要求企业及时而清楚地了解产业链上各个环节的现状和趋势，同时还必须具备相应的操作能力，避免因一个环节上的误判而影响全局。中国也有采取全产业链模式而失败的案例，大体都是持续力不足和某些环节的失误造成的。

汉能正着力打造“高、大、全”的第二代光伏企业经营模式。“高、大、全”三者之间有着内在的有机联系：技术高，才能做大；规模大、实力足，才能支撑技术研发，使技术不断升级；全产业链有助于把规模做大，也有助于解决效益问题，是持续提升“高”和“大”的保证。

世界光伏看中国

> 2013 年是中国光伏应用市场的转折年，从这一年开始，中国将彻底甩掉“光伏制造大国、应用小国”的标签，向光伏制造、应用“双强”大国转变。目前，国家已经在谋划光伏发展的中长期规划，所透露出的数字足以令业界振奋。中国光伏将引领世界光伏产业，从而引领新能源革命。

应用引领全球

2007 年之后，中国就一直是世界第一大光伏生产国，且全球占比逐年提升，即使欧美发起“双反”、提高准入标准，也不影响中国持续扩大光伏制造优势。2012 年中国大陆光伏电池产量达到 21GW，占全球光伏电池产量的 63%，如果加上台湾地区的产量，这一数字将达到 73%，绝对是名副其实的光伏制造大国。

之所以称2013年为转折年，是因为不出意料的话，中国光伏新增装机容量将在这一年首次达到世界第一的水平。中国过去90%以上的光伏产品都出口到国外，而2009年以后，随着光伏电价的出台，中国国内光伏应用市场迅速崛起，2012年的装机容量达到8.2GW。而在2013年，按照市场预期，德国新增装机容量要从7.6GW下降到5GW，而在中国，国家能源局年初宣布，希望我国的装机容量能够达到10GW，目前看来至少也能达到6~8GW，将超过德国成为世界第一。

计划往往赶不上变化。对于光伏应用市场的变化，中国此前也制订过多份在当时看来相对超前的发展计划，但最后都证明我们低估了市场的增长速度。2013年7月，国务院发布了《国务院关于促进光伏产业健康发展的若干意见》，将中国2015年光伏市场的总装机容量大幅提升至35GW以上。这意味着，在接下来的3年时间里，国内平均每年将会有10GW的新增市场容量。

政府的最新规划使得中国光伏装机容量的世界占比大幅提升，而和国内市场的增长形成鲜明反差的是，欧洲市场的容量正在锐减。汇丰银行的预测数据显示，整个欧洲市场在世界光伏装机总量中的占比将从2011年的68%下降到2013年的32%，而到2015年，这一数字还将下降到25%。而中国市场在世界光伏装机总量中的占比将从2011年的11%上升到2013年的27%，到2015年还将继续保持在23%，几乎和整个欧洲市场持平。2013年以后，中国和欧洲将成为全球最大的两个光伏应用市场。

目前，国家能源局正在委托相关机构协助制定光伏发展2030年规划和2050年规划，这两份规划将对中国未来几十年的光伏发展起到引导作用。据相关人士透露，中国到2020年前国内光伏装机容量将至少达到

100GW，这意味着，除掉 2015 年前 35GW 的装机容量，2016~2020 年年均装机将可达 15GW。而 2020~2050 年国内装机容量还会大幅提高，届时中远期规划可能会把这 30 年的光伏年均装机容量上调至 30GW，这意味着每年的新增装机容量将等同于新装 30 台 100 万千瓦的火电机组。

根据未来的能源需求进行预测，到 2030 年中国整个能源需求将达到 75 亿吨标准煤，而届时可再生能源将发挥巨大的替代作用。按照规划，2050 年光伏发电装机容量将达到 10 亿千瓦。10 亿千瓦的数量等级已相当于目前国内总的电力装机容量。截至 2012 年年底，全国总装机容量为 11.4 亿千瓦，也就是说，到 2050 年，这 11.4 亿千瓦可以完全由光伏替代！

而根据中国现有资源储备情况，光伏中远期规划也显示出光伏大规模发展的必要性。随着经济的发展，中国和世界很多国家一样面临着能源和经济的双重压力，中国现在是第一大能源消费国、第一大电力消费国、第一大煤炭进口国、第一大二氧化碳排放国。作为一个能源消费大国，我们的常规能源究竟有多少呢？实际上前面已提到，中国的煤炭和天然气都只够开采 33 年，石油还不到 10 年。也就是说，30 多年以后，我们将面临无煤可挖、无油可采、无气田可开的困境。为了中国能源和环境的可持续发展，发展光伏发电和可再生能源是唯一出路。中国必须在今后的 20~30 年内完成能源转型，从现在的常规能源占比 80% 的能源结构变成以可再生能源为主。

既有必要性，也有可能性，再加上国家政策的鼓励以及国内光伏制造强大的产业基础，中国光伏应用市场的爆发指日可待。当很多国家的政策出现摇摆，市场出现下滑，市场的主导权也就能轻而易举地落到中国手上，中国将引领全球光伏产业甚至新能源革命。

技术、制造双引擎

中国光伏市场的大规模爆发式增长不仅是一场光伏革命、一场能源革命，更是一场投资革命。国家将新能源列为七大战略性新兴产业之一，也正是看中了新能源潜藏的巨大经济效益。不仅仅是新能源这一产业，与光伏相关的还包括节能环保、高端装备、新材料等三个战略性新兴产业，其未来前景可谓一片光明。按照目前的发展预期与规划，预计未来光伏的投资规模将超过任何一个产业，而如果全面替代化石能源，其资产规模将远远超过现有产业的固定资产总和，也将是推动未来 30~50 年持续高速发展的动力。

因此，我们不能错失此次引领世界光伏发展的机会，在强化市场预期的同时，也应继续重视整个光伏产业链的升级。技术和制造将是促使中国成为光伏大国的基础。与石油、天然气和煤炭等化石能源不同，太阳能资源是无法垄断的，而竞争的基础在于技术，谁拥有核心技术，谁就能在竞争中立于不败之地。

过去 10 年，国际光伏发电的年均增长率达到 50%，此前没有任何一个产业能够拥有如此快的发展速度，其中中国光伏产业的发展绝对功不可没。现任世界可再生能源委员会主席沃尔夫冈 · 帕尔茨评价说，中国的光伏组件制造企业对世界光伏的发展发挥了难以替代的作用。中国企业下大力气提高生产效率和管理水平，使光伏组件成本和价格在有限的时间内大幅降低，从而大大提高了光伏发电与常规电源的竞争力，赋予了市场快速发展的动力和能力，没有中国企业，就没有世界光伏产业的今天，也就没有光伏行业 80 万个就业岗位。

目前，光伏组件每瓦造价已降至4.5元，光伏系统的每瓦造价也已降至8~9元，这使得光伏发电成本在短短几年内降低80%；2006年的光伏电价约为4元/度，现在已降至1元/度以下。这些都是中国光伏企业取得的瞩目成就。

这些成就的取得离不开中国在光伏制造业的技术进步，光伏的发展就是以制造业为基础、以高新技术为核心的，两者缺一不可。目前，中国在这两方面都具备优势，特别是制造业。尽管目前光伏制造业存在产能过剩问题，但这只是临时性的、结构性的。近期，国家将众多行业列为产能过剩行业并加以调控，但光伏行业并不在其中，这正说明光伏的产能过剩并非真正的过剩。产能过剩只是阶段性的，在现阶段它可能表现为产能过剩，但今后甚至有可能连国内市场都满足不了。按照中长期规划，2020~2050年装机容量平均要达到30GW，所以将来如果加上国际市场，光伏的产能还远远不够。

之所以说光伏产能过剩是结构性的，原因还在于，随着分布式光伏发电的发展，国内对薄膜电池的需求将会大增，这会使薄膜电池处于紧缺状态，而过剩的只可能是晶硅电池。

目前，世界上光伏技术的发展也是从晶硅向薄膜方向逐步转变，后者已成为世界光伏发电的主流。这方面中国已把握了先机，这也是我们有信心发展光伏产业的基础所在，因为赢得了薄膜，也就能赢得光伏的未来。我们不仅能在晶硅领域做到世界第一，也能在薄膜这种更先进的光伏领域做到第一。

2012年年底，汉能薄膜太阳能产能已达300万千瓦，超越美国第一太阳能公司，成为全球薄膜太阳能行业的领导者。

汉能在光伏陷入低迷之时逆势发展，不但使中国新能源技术实现了跨越式发展，同时也为全球薄膜特别是硅基薄膜和铜铟镓硒这两条技术路线做出了战略性贡献。如果没有汉能，全球最先进的铜铟镓硒技术和硅基薄膜技术可能就流失了。汉能通过技术收购使这两种技术在中国实现了规模化量产和升级。

通过全球技术整合，汉能拥有了非晶硅—锗、非晶硅—纳米硅、铜铟镓硒等 7 条产品技术路线，目前铜铟镓硒技术最高的小尺寸冠军组件转化率已达 18.7%，领跑全球薄膜太阳能行业。汉能目前正继续整合全球薄膜技术，从众多企业中选了 5 家企业准备进行技术并购。如果这些并购全部实现，未来中国企业将在全球新能源技术领域持续领先。

汉能的薄膜技术不仅在国内是第一，在世界上也是最先进的，而且拥有自主知识产权。其领先地位主要表现在以下几个方面：第一，原材料消耗少；第二，能量回收期短；第三，薄膜组件的温度系数较小，弱光效应好；第四，可制成柔性薄膜组件；第五，产品多样化。

而汉能的领先也意味着中国的领先，目前中国在薄膜太阳能技术方面已经领先于西方传统光伏强国。如果政府能明确将具有环保、柔性化、应用广泛等多种优势的薄膜技术路线确定为太阳能产业的发展方向，并从资金、技术、市场等领域给予薄膜光伏产业以大力支持，中国的太阳能产业在全球竞争中将更具优势，更能引领世界光伏革命的发展。

德国 Solibro 公司产业园

olibro 公司是全球太阳能铜铟镓硒电池技术商业化的先驱者和开拓者，其组件量产转化率达到 14.7%，冠军转化率高达 18.7%，处于国际一流水平，是最早实现铜铟镓硒商业化生产的少数公司之一，拥有完整的 UL（美国保险商实验室）和 IEC（国际电工委员会）认证。

用Solibro组件安装的薄膜光伏幕墙

位于瑞典乌普萨拉的光伏一体化建筑，采用Solibro生产的薄膜太阳能组件

汉能在英国宜家出售的家用小型太阳能发电系统的展台

在英国，一个家庭花费 4 950 英镑就可安装 25 片薄膜电池板（3KW 系统），平均每年可以发电 3 600 度。这项投资共有三个方面的回报：(1) 每年可以获得 576 英镑的政府补贴；(2) 每年可以节约 261 英镑的电费（一半发电量自用）；(3) 售电收入为 81 英镑（多余的电量以每度 0.045 英镑的价格卖给电网公司）。总体而言，这个家庭每年可以获得 918 英镑的收益，相当于 13% 的年投资回报率。

工人正在英国居民屋顶上安装Solibro薄膜光伏组件

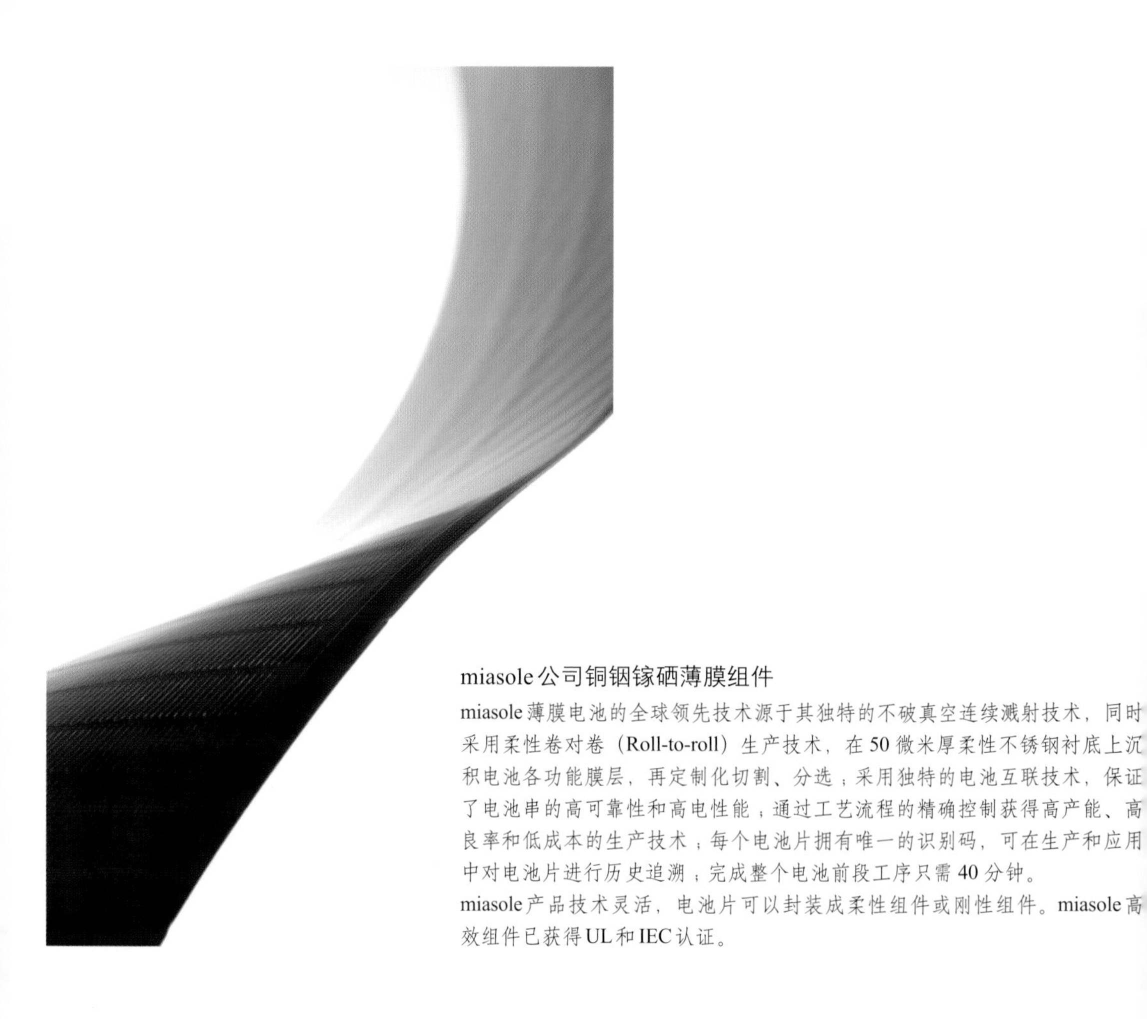

miasole公司铜铟镓硒薄膜组件

miasole薄膜电池的全球领先技术源于其独特的不破真空连续溅射技术，同时采用柔性卷对卷（Roll-to-roll）生产技术，在50微米厚柔性不锈钢衬底上沉积电池各功能膜层，再定制化切割、分选；采用独特的电池互联技术，保证了电池串的高可靠性和高电性能；通过工艺流程的精确控制获得高产能、高良率和低成本的生产技术；每个电池片拥有唯一的识别码，可在生产和应用中对电池片进行历史追溯；完成整个电池前段工序只需40分钟。

miasole产品技术灵活，电池片可以封装成柔性组件或刚性组件。miasole高效组件已获得UL和IEC认证。

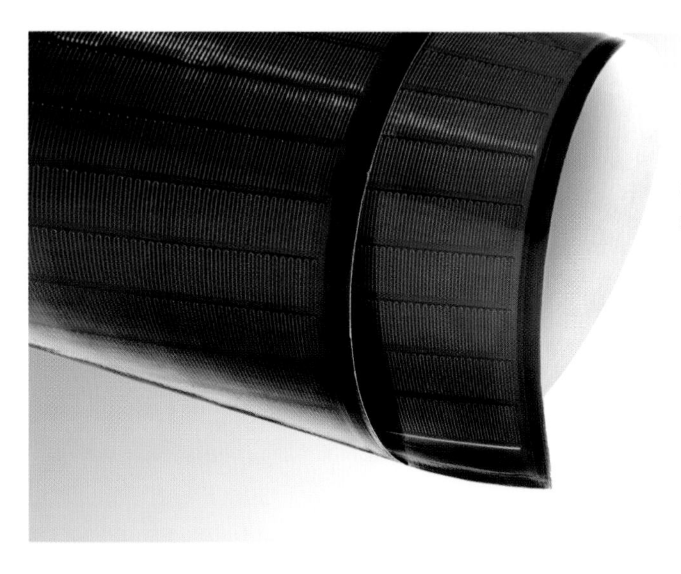

美国miasole公司铜铟镓硒柔性薄膜组件

miasole柔性薄膜组件可广泛应用于广大农村地区的农业大棚，在农网改造、解决边远无电地区人口用电问题方面，将是一条重要途径。

位于美国亚利桑那州图森市的GSE（Global Solar Energy）公司，其厂房四周为太阳能电站示范项目

自2003年以来，GSE公司一直引领便携式柔性太阳能组件行业的发展，拥有铜铟镓硒共蒸法的独立知识产权。GSE公司的柔性组件拥有全球最高的转化率，其平均转化率为12.5%，最高转化率为15.8%。公司还计划在未来几年内将组件效率提高到17%。

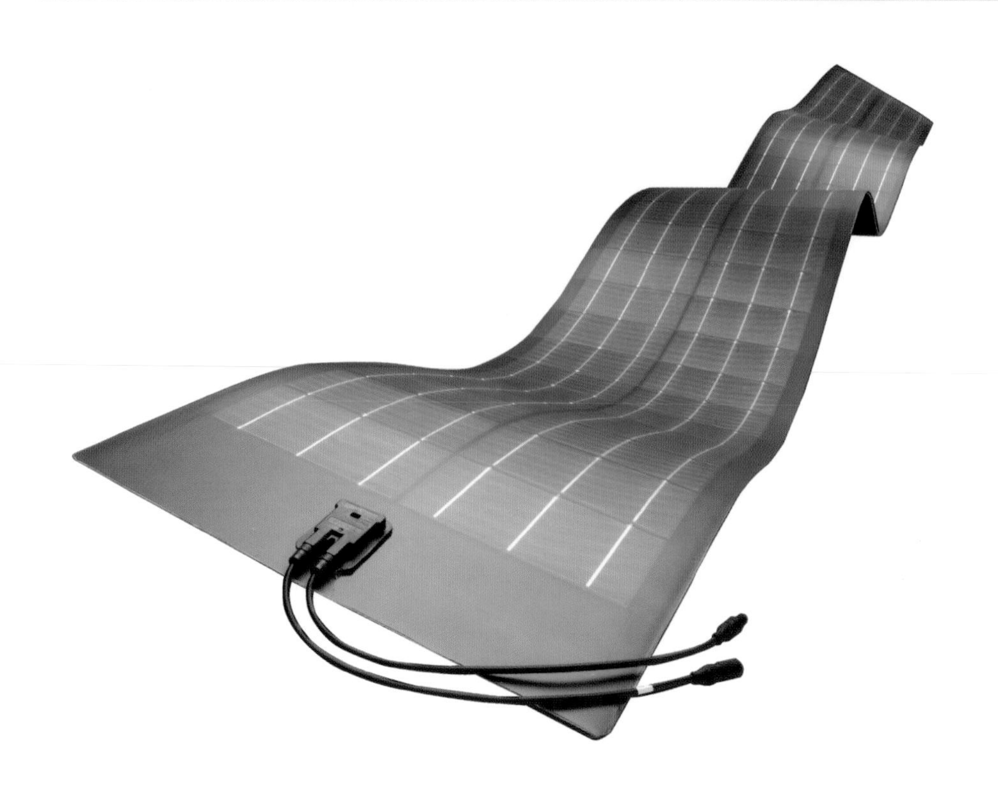

GSE公司柔性组件

GSE公司的组件产品为轻质组件，安装时不破坏房顶的整体结构，不需要搭建造价高昂的支架，可广泛用于全球各类建筑物，包括不允许进行破坏或搭建支架的轻钢屋顶、拥有承重限制的大面积水平房顶以及无法安装常规硬性组件的波浪形屋顶，甚至可以安装于各种车辆表面。

日本的屋顶电站

该电站采用的是GSE柔性薄膜太阳能组件，重量仅为每平方米3千克。

日本Yokosuka项目

柔性薄膜太阳能电池柔软可弯曲，可应用在各种有弧度的平面。

GSE柔性薄膜太阳能组件PowerFLE™应用在美国亚利桑那州的车顶上

位于美国密歇根州和科罗拉多州的家庭屋顶电站

太阳能组件采用的是Dow Solar的光伏瓦产品，其芯片由GSE提供，组件质量轻，可应用在斜面屋顶上。

能位于江苏武进光伏基地厂房的光伏幕墙

12 年 5 月 10 日成功实现并网发电，装机容量为 66.3KW。

意大利拉奎拉屋顶电站

意大利拉奎拉市最大的屋顶太阳能发电站，也是意大利“拆除有害的石棉瓦屋顶运动”的标志性项目。

…能海南藏族自治州共和县 50MW 光伏电站

…站位于青海省海南藏族自治州共和县恰卜恰镇光伏产业园区，是目前全球单体规模最大的薄膜光伏地面电站。

汉能广东河源“金太阳”示范工程项目

总装机量为 10MW，已于 2013 年 4 月 12 日并网发电。

第四章

国策：中国光伏产业的正途

导 读

中国光伏产业依然面临一系列亟待解决的问题：产能过剩、整合困难、产业链两头在外、资金紧张以及电网支持仍需加强等。

解决这些难题，任重而道远。

在思维层面，我们要以全局的、长远的、变化的眼光洞察全球经济，并据此调整我们参与全球化的方式；要从“以人为本”、“天人合一”的高度，深刻理解发展新能源尤其是光伏产业对“科学发展”的意义；要用“创新思维”取代“惯性思维”，寻求能源问题的解决之道；要走出“只看到眼前的直接效益，而不认真考虑战略效益”的误区，将新能源革命提升到一个恰当的战略地位；要始终保持积极心态，充分发挥中国新能源产业的后发优势，坚定地实施赶超战略。

具体到实践，政府需要在四个方面做“到位”：战略到位，规划到位，政策到位，措施到位。只有这样，新能源对传统化石能源的“三步替代”战略（增速替代、增量替代、主体替代）才可能落到实处，“用清洁能源改变世界”的梦想才能实现。

现在，万事俱备，只欠东风。

光伏市场失衡的背后

从产业链的视角考量中国光伏业今天的结构和状态，你会发现，一个有竞争力的产业体系仍未形成。可以说，中国光伏业还处于“战国时代”。

其中，“八大问题”尤为突出：产能过剩，整合困难，产业链两头在外，国内市场启动太慢，电网支持亟须加强，晶硅技术仍是主流，海外市场已发生结构性调整，企业资金链紧张。

为了解决这些问题，我们必须先对它们进行分析。

失控的产能

《全球新能源发展报告》（2013 年）的统计数据显示，2012 年，全球光伏新增装机容量高达 30.3GW，创下新的历史纪录。不过，当年全球仅晶硅电池片的产能就高达 60.1GW，其中中国的产能高达 38.7GW（接近全球总产能的2/3)。也就是说，即使2012年全球的光伏订单都是晶硅产品，并且均由中国公司提供，中国光伏产业的产能依然大大过剩。

中国光伏产业目前的产能过剩主要归因于企业和地方政府对市场前景的预期过于乐观。

2010年，全球光伏产业终于从2008年的全球金融危机中恢复了生机。这一年，全球光伏新增装机容量增至16.8GW，相比2009年的7.4GW，增幅高达127%。2011年，全球光伏新增装机容量的增幅高达65%，达到27.7GW。2012年5月，EPIA在一份报告中预测称，在最乐观的情况下（各国政府对光伏市场施以有效的政策驱动），2012年，全球新增光伏装机容量将达到40.2GW，而到2016年，这一数字将升至77.3GW。不过，在温和状态下（不考虑政策驱动因素），EPIA对2012年和2016年新增装机容量的预测值，则分别低至20.2GW和38.8GW。

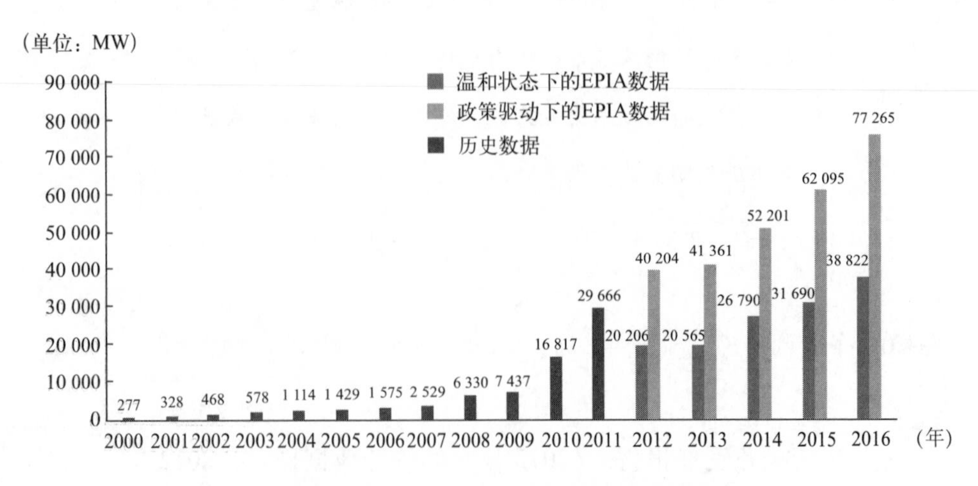

图4–1 2011~2016年全球光伏装机容量预测

资料来源：EPIA。

EPIA对光伏产业“市场前景”的两种预测方式有一个“隐含前提”，即光伏产业的发展依赖政府政策。

2010年，在全球光伏产业反弹之后，中国光伏产业的参与者们更多地看到了市场乐观的一面。值得注意的是，中国光伏产业从一开始就是“自下而上”发展起来的：早期，整个产业主要是由那些获得地方政府支持的科学家、企业家主导的，而在国家层面，有效的“上层规划”长期缺位。

一方面，目前的产能过剩是阶段性的，在很大程度上是“海外订单减少”而“国内需求一时跟不上”导致的“青黄不接”造成的。一旦市场环境发生变化，这种过剩就会改变。另一方面，中国光伏目前的“产能过剩”主要是多晶硅电池产能的过剩，而薄膜电池的产能不但不过剩，反而严重不足。

2010年之后，由于地方政府对产值、利税和就业的急切需求，更深层的产业转型升级的压力，企业家、金融机构对产业前景的乐观预期，以及光伏产业此前惊人的“造富效应”，中国光伏产业引发了一轮近乎盲目的“产能扩张运动”。

浙江省太阳能行业协会的统计数据显示，2010年9月至2011年3月，仅仅半年时间，浙江就新增了78家光伏企业，平均每月新增13家。

这种现象并非浙江独有。据《中国能源报》报道，截至2011年12月，我国先后有31个省、市、自治区宣布优先扶持光伏产业，300多个城市积极发展光伏产业，其中100多个城市提出了建设“千亿级光伏产业园区”的目标，并形成以环渤海、长三角、西南、西北等为核心的产业集聚区。

还是以浙江为例，2011 年前 7 个月，浙江光伏企业的总产能已是 2009 年总产能的 2.3 倍以上。而国家发改委的统计数据显示，截至 2011 年年底，中国的晶硅电池片产能已高达 40GW，较 2010 年的 21GW 增长了近 1 倍。也就是说，中国目前的晶硅电池产能几乎都是在 2012 年之前实现的。

2010 年以来，中国光伏“大踏步”式的发展最终形成了这样一种局面：企业遍地开花，数量众多但良莠不齐；产能激增却找不到释放的出口。

早在 2010 年 9 月 19 日，在江苏无锡召开的新能源大会上，时任国家发改委能源研究所副所长李俊峰就已断言：“由于中国产能增加过快，中国光伏市场明年出现过剩是必然的。”然而，虽然很多人都对李峻峰的基本判断表示认同，但在“谨慎乐观”的情绪之中，没有人愿意错失似乎近在眼前的光伏市场大发展的机遇。

同样是在这次新能源大会上，针对产能过剩问题，加拿大太阳能公司（CSI）首席执行官瞿晓铧表示：“以中长期的角度来看，新能源行业肯定没有过剩现象。（虽然）短期内可能有一些发展不平衡，（但）这个行业在未来 5 年时间还是有很大发展空间。”当时，加拿大太阳能公司的电池片产能已经从 2009 年的 420MW 快速扩张至 2010 年 9 月的 720MW，而其 2012 年的计划是，将产能再度扩张至 1.3GW。而中国光伏产业当时的领军企业、总部位于无锡的尚德电力，则在 2010 年将产能从 2009 年的 1.1GW 一举提高至 1.8GW，摘下了“全球最大光伏电池生产商”的桂冠。

然而，全球光伏市场最终并未按照中国光伏产业界的“乐观预期”发展。《全球新能源发展报告》（2013 年）的统计数据显示，2012 年，全球光伏新增装机容量仅为30.3GW，比EPIA的乐观预期（40.2GW）低了25%（近10GW）。美国对中国光伏产品的“双反”、欧洲市场萎缩及欧盟随后发起的“双反”是中国光伏产业2011年之后经营状况持续恶化的三大外部因素。

当然，对中国光伏产业目前的“产能过剩”，我们也要做具体分析。

艰难的整合

在中国光伏业的产能达到“历史峰值”几个月之后，2012年5月，中投顾问产业研究中心（以下简称“中投顾问”）在《2012~2016年中国太阳能光伏发电产业深度分析及发展规划咨询建议报告》中总结说：“光伏产业大整合或将发生于明年（2013年）。”这份报告指出：“在市场行情发生变化的初期，大部分企业凭借已有的积累勉强可以支撑下来。但随着时间的推移，部分企业的资金链开始断裂，难以支撑下去。可以说，光伏企业最难熬的日子刚刚开始，今年（2012年）下半年和明年（2013年），将是光伏企业最难熬的时期，光伏行业真正的挑战才刚刚开始。”

这样的市场判断在半年后得到了国家政策层面的回应。2012年12月19日，由时任国务院总理温家宝主持召开的国务院常务会议认为，当前的主要问题是：产能严重过剩，市场过度依赖外需，企业普遍经营困难。此次会议还研究确定了促进光伏产业健康发展的政策措施。针对当时已经极其严峻的“产能过剩”问题，国务院常务会议明确提出：一方面，要“加快产业结构调整和技术进步，善加利用市场‘倒逼机制’，鼓励企业兼并重组，淘汰落后产能，提高技术和装备水平”；另一方面，要“规范产业发展秩序”、“积极开拓国内光伏应用市场”、“完善支持政策”。会议还明确要求，“要充分发挥市场机制作用，减少政府干预，禁止地方保护”。

2012 年下半年，中央政府和从业者就已经意识到，中国光伏产业“产能严重过剩”的现状必须通过“重组”来改变。不过时至今日，真正被重组的大型企业或许只有赛维一家。而“重组赛维”的曲折过程以及那个仍由地方政府主导的最终结果，充分显示了中国光伏产业在诸多地方利益牵制下的“重组之难”。

据媒体报道，2012 年年初，“赛维可能破产”的传闻一度震惊了整个中国产业界。不过，在全球光伏尤其是晶硅光伏产能严重过剩的背景下，这个当时全球规模最大的多晶硅片生产商陷入这样的困境，并不难理解。公开资料显示，截至 2012 年 3 月 31 日，其总资产为 66.37 亿美元，总负债高达 59.62 亿美元，资产负债率达到了创纪录的 89.82%。

2012 年 2 月之后，随着赛维危机的逐步显现，有关它即将引入重组方的传闻越来越多，“绯闻对象”包括平煤神马集团、英利、保利协鑫、晶科能源，中材集团、中节能、中建材、国电集团、有“中投二号”之称的国新公司，以及包括江铜集团在内的江西国企等。[1]

公开资料显示：2012 年 10 月 22 日，赛维宣布将 19.9%流通股权出售给由当地政府持股的恒瑞新能源有限公司。恒瑞是一家新设立的从事太阳能、投资和相关事业的公司，其 60%的股权由北京恒基伟业投资发展公司拥有，另外的 40%股权则由新余市国有资产经营公司持有。在外界看来，赛维的此次重组更多地体现了江西省新余市市政府的意志，甚至可以被视为某种意义上的“国有化”。

公开资料显示，2005年，江西省新余市筹措2亿元配套资金，支持彭小峰创立赛维，这在当时被视为一大壮举。而短短几年之后，它便获得了超额回报。2010年，赛维已成为全球最大的硅片生产企业，硅片产能达3GW，销售收入超过200亿元。也正是这一年，新余地方经济成功实现了“三级跳”：新余市的财政收入由2008年的30亿元、2009年的50亿元增至2010年的80亿元。新余市2010年的生产总值也攀升至605亿元，是2005年赛维刚投产时的2.1倍，年均增长15.5%。

2011年，在新余市的新能源、新材料及钢铁等三大产业中，以光伏为核心的新能源产值已超过一半。而在此之前，钢铁业一直是新余市的支柱产业，财政贡献率最大，就业安置人数也最多。2011年，赛维上缴税收13.6亿元，成为新余市财政贡献第一大户。当年，新余的财政总收入为111.3亿元，是赛维创立（2005年）之前的8倍左右。

然而2012年上半年，在赛维陷入危机之后，新余市规模以上工业实现利润16.07亿元，较2011年同比下降了52.7%。事实上，新余市已经与赛维连体共生……依附在赛维身上的，除了新余市已布局的预期产值1 500亿元、后期规划5 000亿元的光伏上下游产业链企业外，更有数万人的就业及新余市经济发展的重担。[2]因此，地方政府不希望看到赛维衰落甚至破产。

据媒体报道，2012年2月，在赛维资金链随时可能断裂的情况下，新余市启动了一个20亿元的“发展稳定基金”，对困境中的赛维进行大输血。6月，为了偿还一笔即将到期的5亿元的信托贷款，新余市市政府甚至以市财政资金保证的方式，帮助赛维“叙作了一笔期限3年、金额5亿元的信托业务”。

当然，就“拯救赛维”这个艰巨的任务而言，由地方政府用财政资金进行“输血”只是应急之策，引入有实力的战略投资者对赛维进行重组才是长久之计。

曾经与赛维有合作传闻的众多潜在战略投资者都可谓实力雄厚，但最终却与横空出世的、由新余国资持股40%的恒瑞新能源修成了正果，尽管它当时仅仅为赛维带来了2 293万美元的资金。

其中的曲折过程目前还不为外界所知，但对于新余市市政府和江西省省政府来说，这一结果至少有这样几点利好：赛维这样一个“名片企业”依然会留在新余，留在江西；未来，赛维若能重新崛起，依然能够为当地政府贡献巨额的利税收入，并提供大量的就业岗位；更重要的是，有赛维作为基础，新余已经布局的“预期产值1 500亿元、后期规划5 000亿元”的光伏上下游产业链企业依然有可能成为现实。

然而在我看来，类似这样的重组并未充分发挥市场机制的作用，至于能否有效淘汰落后产能，还有待观察。

2012年的欧美“双反”虽然对中国的光伏产业不利，但如果把这种压力变成产业重组的动力，也可以把坏事变成好事。

而正在进行中的尚德电力破产重整或许会成为中国光伏业一个更为市场化的重组案例。2013年8月，中投顾问光伏行业研究员任浩宁对媒体表示，中国光伏行业现有上百家（上规模的）企业，但在未来将会进一步兼并整合，估计最后会形成3~5家巨无霸企业。

两头在外

很多人会疑惑，像赛维这样的“全球最大的硅片供应商”，为何会在短短的一年之内就从世界之巅坠至濒临破产的低谷？在我看来，其中一个最重要的原因就是，中国光伏产业结构的先天性缺陷——两头在外。

以晶硅光伏为例，此前的主要发展模式是：先对晶硅原料进行粗加工，然后将其运到国外精加工，再返回来做成电池及组件，最后把产品销往国外，中国企业几乎成了全球光伏产业的“车间”。而按照宏碁集团创始人施振荣先生的“微笑曲线”理论，在整个价值链中，价值最丰厚的区域集中在价值链的两端（研发和市场）；没有研发能力的企业就只能做代理或代工，从中赚一点儿辛苦钱；没有市场能力的企业，即使其生产的产品再好，产品周期过了也只能作为废品处理。因此，一家企业只有不断往附加价值高的区块移动与定位，才能持续发展与永续经营。

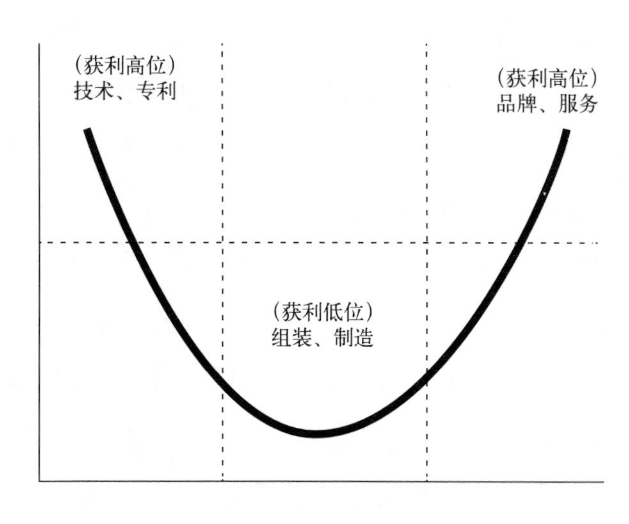

图 4–2 “微笑曲线”理论

在产业链布局先天不足的格局下，作为市场追随者的中国企业，在拥有了制造能力这个立身之本之后，必须思考“向产业链、价值链的两端移动”的问题。当下，这也是关系到中国光伏产业结构优化的最重要的命题。回顾中国光伏产业的发展历程，我们不难发现一条清晰的轨迹——在全球光伏产业链中，从加工、制造环节切入的中国光伏产业是时候在研发和市场两端有所作为了。

自 2007 年起，中国光伏电池的产量跃居世界首位。2009 年，中国光伏电池的产量已经占据全球总产量的 40%。然而，制造大国并不等同于产业大国，比如，钢铁产量世界第一并不能掩盖中国钢铁企业在“铁矿石定价权”上的全面溃败；全球最大的汽车产量也并没有培育出中国自己的大众或克莱斯勒。2011 年之前，在中国光伏产业光鲜的外表之下，掩藏的是产业链困境与企业的无奈。

以晶硅光伏为例，其产业链大致可分为六个环节，自上而下依次是：光伏级硅料、硅锭、硅片、电池、组件、系统集成。在整条产业链中，上游的晶体硅制备、切片环节的技术门槛最高、利润回报最多，而下游的电池、组件制造环节的技术门槛较低、利润回报较少。尤其是组件环节，成本竞争最为激烈，企业的抗风险能力也最低。

然而，中国的光伏企业恰恰集中在产业链中下游的电池、组件制造环节，而上游的晶体硅料主要被欧美和日本的传统七大厂商垄断。2008 年，这七大厂商控制了全球 70%以上的多晶硅料供给量。下游的光伏发电市场则主要集中在欧洲，2008 年，其光伏系统装机容量占全球的比例接近 80%。在这样的产业格局下，中国作为所谓的“光伏大国”，也只不过是“制造大国”。或者再准确一些，中国仅仅是“电池和组件制造大国”。我们必须意识到，在这样一个新兴产业当中，中国依旧没能摆脱“世界工厂”的角色。资金、技术、市场等战略制高点、高附加值区域都留在了海外，而低附加值的下游产品制造环节则被引入了中国。

这种先天不足带来的后果是相当严重的。由于上游晶体硅料、下游发电市场“两头在外”，中国光伏产业陷入了议价能力低、抗风险能力低的“双低”困境。

总体而言，由于“两头在外”模式，我国光伏产业难以形成完整的产业链，最终形成了“畸形发展”的局面。同时，由于产业链被切断，中国光伏企业在经营上也必然受制于人，而且企业的规模越大就越受制于人。这种状况必须改变，也正在改变。

从上游来看，以国外传统七大厂商为首的晶体硅料供应商在面对众多的电池、组件制造厂商时，具备非常强的议价能力。2005 年以来，全球光伏产业的爆发式增长造成全球多晶硅料紧缺，其价格也随之暴涨：2004 年，光伏级硅料的价格仅 30 美元/千克；2005 年，由于市场需求的急剧增加，硅料的价格超过 40 美元/千克；到 2007 年 12 月，硅料的价格已高达 400 美元/千克；2008 年 9 月甚至创下近 500 美元/千克的历史最高价。“拥硅为王”的上游硅料的暴利可见一斑。

也许并不是基于优化产业结构的考虑，但硅料高额的利润依然吸引了众多的中国企业，硅料生产投资一时成为热潮。截至 2010 年，中国有近 50 家公司正在筹建、建设和扩建多晶硅生产线，总建设规模超过 10 万吨，总投资超过 1 000 亿元。在此期间，中国在全球硅料市场所占的产能份额也从2006年的不到1%一路上升到2007年的8%。到2008年，中国已拥有全球37%的多晶硅产能。

不过，随着2008年全球金融危机的爆发，全球光伏市场萎缩，硅料的价格也随之大跌。2009年以来，硅料价格一路从300美元/千克下跌至2012年年底的60美元/千克左右。很多2010年之前大举投资硅料项目的中国企业也因此陷入了困境。

在全球光伏产业链中，尽管“拥硅为王”的局面如今已随着金融危机的爆发而瓦解，但我们并不能因此否认上游（晶体硅制备环节）的重要性。它凭借自身的技术和资本优势，在整个光伏产业链中占据了主导地位。事实上，能否获得稳定的硅料、硅片供应，始终是中国电池、组件厂商最关心的核心问题之一。[3]

失衡的市场

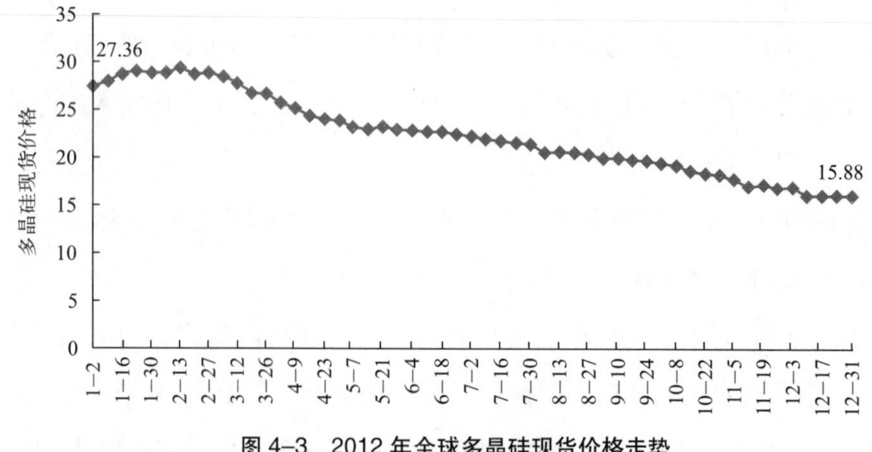

图4–3　2012年全球多晶硅现货价格走势

资料来源：《全球新能源发展报告》(2013年)。

与对海外硅料的依赖相比，中国光伏产业对于海外市场的依赖更严重。并且，这样的状况至今没有发生根本性的改变。

在中国光伏产业的产能大举扩张之时，美国、欧盟依次启动对中国光伏产品的“双反”调查。

据媒体报道，在美国拥有最高市场份额的尚德电力成为此次“双反”调查的最大受害者。当时，尚德电力投资关系部主管张建敏对媒体称，美国市场的出货量占尚德电力销售总额的25%。而在美国“反倾销”初裁结果公布后，尚德电力将被征收31.22%的反倾销税。张建敏坦言，如果按照31.22%的税率在美国销售光伏产品，尚德电力肯定不可能赢利。而尚德电力2012年一季报显示，其营业收入为4.095亿美元，毛利润仅为240万美

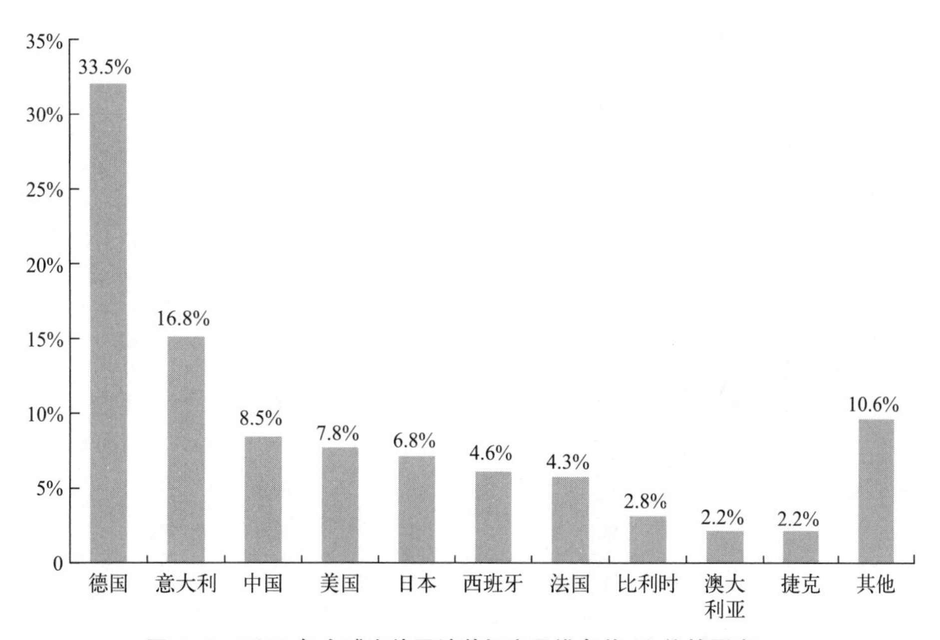

图4–4　2012年全球光伏累计装机容量排名前10位的国家

资料来源：《全球新能源发展报告》(2013年)。

元，而其缴纳的“惩罚性关税”却高达1 920万美元，当季，尚德电力净亏损1.33亿美元。[4]

对海外市场的依赖是中国光伏产业人所共知、老生常谈的话题。近年来，虽然中国国内光伏发电市场的发展速度加快，但全球主要市场仍旧分布在欧洲、美国和日本。截至2012年，全球光伏市场最大的10个国家的累计装机容量之和占全球总量的89.4%。而从区域分布来看，欧洲光伏累计装机容量达到了66GW，占全球累计装机容量的68.3%。也就是说，按平均值计算，2012年之前，在中国生产的所有光伏产品中，有近70%最终销往了欧洲，近8%销往了美国，近7%销往了日本，而中国国内市场只接纳了8.5%，且其中的大部分还是在2010年之后发生的。

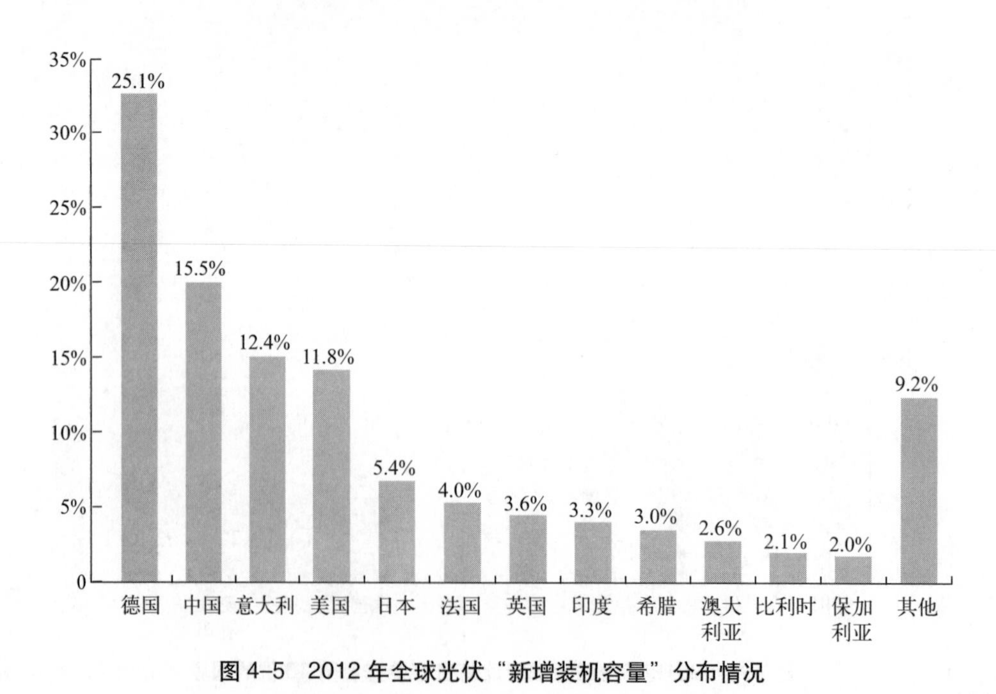

图4–5　2012年全球光伏“新增装机容量”分布情况

资料来源：《全球新能源发展报告》(2013年)。

但2008年全球金融危机爆发之后，西班牙市场的急剧萎缩，尤其是2010年之后德国光伏扶持政策趋冷，直接导致全球光伏发电市场增速放缓。而率先受到冲击的就是中国光伏企业，因为它们大多处在产业链中竞争最为激烈、技术门槛最低的组件和电池制造环节。[5]

随后，海外市场增速放缓，贸易战不断升级，中国光伏产业的产能过剩问题越发严峻，启动国内市场越来越迫在眉睫。

> **2012年，中国光伏产业陷入困境，美国和欧盟的“双反”只是导火索，根本原因还是国内外市场失衡，特别是国内需求没有启动。这一年，中国光伏电池的产能约为40GW，而国内需求却不到5GW，这种状况本身就是症结所在。所以，调整市场、扩大内需不仅是光伏产业克服困难的应急之策，更是发展中国光伏产业、推动新能源革命的战略措施，势在必行。**

“并网”难题

2009年3月全国“两会”召开，全国政协常委刘汉元因为提交了一份“全民发放消费券以有效拉动内需”（全民每人每年发4 000元消费券）的提案而名声大噪。不过，他提出的另一项与光伏相关的建议的影响或许更为深远，即“将光伏产业纳入扩大内需政策范畴”。

针对“光伏发电成本偏高难以普及”的现状，刘汉元建议借鉴欧洲的做法，强制要求国家电网对光伏发电按补贴性“上网电价”全额收购，国家将初期补贴性“上网电价”确定为每度1.5~2元，今后每隔3年或5年可对价格进行一次调整；同时，在有条件的地区推行百万或千万屋顶计划，将太阳能光伏发电系统装在家庭屋顶上。对参与该计划的家庭，提供低息甚至无息贷款以资助其购置太阳能光伏发电系统，按补贴性价格收购家庭上网电力，让这些家庭获取额外收入。

身为政协常委的刘汉元在全国两会上提出这样的建议，与他的另一个身份有关，即通威集团董事局主席。通威集团不仅是全球最大的水产饲料生产企业，也是四川省最大的光伏企业之一。早在2007年，通威集团就已斥资50亿元在乐山打造了一家多晶硅生产企业——四川永祥股份有限公司。

值得注意的，在2009年的这份提案中，刘汉元明确提出要“强制要求国家电网”按补贴性“上网电价”全额收购光伏发电。电网企业的地位由此可见一斑。

的确，扩大光伏内需不仅需要建立更多的大型太阳能电站，更要与各种建筑物结合，建立分布式电力系统。而这些都需要国家电网的支持，否则光伏产业的发展会成为空谈。

> **未来，想要做到“光伏发电与电网的顺利衔接和运行”，就要处理好各类光伏电站和电网的关系、光伏电能和化石电能的关系、发电和供电的关系，以及各类相关利益主体的关系。这不仅有技术问题，还有运转问题、经营问题、政策问题和体制问题。新型“智能电网”既是技术和经济的结合部，也是发展和改革的结合部，必须下大决心、花大力气才能搞好。**

最近两年，“大型地面光伏电站”成为光伏业内最热的名词。上网电价出台、地方政府的招商引资热情似乎使组件积压的光伏企业抓到了救命稻草。2011年年底，为享受国家发改委1.15元/度的太阳能上网电价，诸多光伏企业在青海格尔木的戈壁滩上掀起了光伏电站抢建潮，但由于前期和电网公司缺乏沟通，建成的光伏电站中有不少并不了网，在相当长的时间里只能闲置在这片戈壁滩上。

当这些动辄投资上亿的光伏电站建成之后，新能源并网难的问题却在光伏领域重复上演：电网公司烦琐的申报程序至少要耗费光伏电站半年到一年的时间；各地电网公司不断变换的要求也使光伏电站的成本层层累加。

向电网公司申请并网手续烦琐是光伏企业面临的第一个挑战。一家电网电力交易中心发布的《新建发电机组并网服务指南》显示，在光伏电站调度的前期准备工作流程中，光伏企业至少需要跑50个（次）处室，递交材料，填写申请，整个程序跑下来，顺利的情况下也得四五个月。

而即便被批准并网，那些额外多出来的成本也常常使光伏企业感觉难以接受。比如，许多光伏企业原先并未计入成本的并网设备现在已经进入考虑范畴，从稳控装置、无功补偿装置以及有功功率控制设备、无功功率控制设备……据一位光伏企业负责人估算，一个电站做下来，不管规模大小，并网设备的花费高达五六百万元。

至少到目前为止，对于光伏企业来说，与电网公司打交道肯定不是一件轻松的事情。除了支付更高的成本，这些光伏企业还不得不面对专业领域之外的事情：建输电线路、变电站需要征用土地时，还得亲自和当地居民沟通。但它们在电网公司面前，并没有多少讨价还价的余地，因为电网公司对光伏电站并网与否拥有决定权。

一位业内人士对此颇有微词："接入电网所需要的具体花费能不能做到全国统一？即便各地有特殊情况无法统一，能不能做到公开、透明？"[6]

事实上，即便是"金太阳"这样的国家级示范工程，也同样面临"并网难题"。2012 年年初，在"金太阳示范工程"实施 3 年之后，一项在全国范围内开展的调查表明，当时已建成的"金太阳工程示范项目"的并网率仅为 40%左右。据《中国能源报》报道，"并网的最大阻力来自电网公司……由于金太阳政策鼓励用户侧并网、自发自用，并采取抵消电量方式，这造成了业主向电网公司购电量大幅减少，进而影响了电网公司的经营效益"，并且，"金太阳政策由财政部主推，政策执行之初并未和电网公司协调好，由此导致后期项目并网困难重重"。

一位业内人士也认为，"这一方面是电网公司担心并网会影响其经营效益，另一方面是对光伏的电能质量仍心存疑虑"，并且，"光伏发电如要并网，需要安装无功补偿设备，对于这块多出来的投资，电网公司也不愿承担"。

谈到包括光伏在内的"新能源并网难"问题，国家发改委能源研究所研究员王斯成表示："光伏入网最大的难题是缺乏明确的指导政策，而不是电网的不配合。"而国家能源局新能源和可再生能源司副司长史立山则认为，"新能源和常规能源的融合需要一个过程。近两年来政府、企业的认识不断加深，国家电网正在尽最大的努力解决并网、上网的难题"，"太阳能相对分布式的能源资源利用方式和我们长期形成的大电站大集中管理这样的制度不一致，很多人还不适应"。[7]

晶硅不是唯一

目前我们谈到的所有问题几乎都更多地与晶硅相关。但我想强调的是，光伏并不仅仅是晶硅。如前所述，当我们说到光伏产业产能过剩时，所指的实际上并非薄膜，因为薄膜的产能并不过剩。

据我所知，目前，在大型地面电站的建设中，晶硅技术与薄膜技术的应用没有大的差别。中国的多数企业目前采用的还是第一代晶硅技术，它存在一些难以克服的弊端，特别是在光伏建筑一体化的应用中。同时，薄膜光电“转化率偏低”的问题在技术升级后已经可以和晶硅技术持平甚至有所超越，而其成本又低于晶硅。

2011 年 9 月，太阳能电池领域的知名专家、清华大学教授张弓在“环保能源绿色产业论坛”上表示：要想解决光伏产业中太阳能电池成本过高的问题，就要想办法提高光电转化率和降低制造成本，而薄膜电池不用使用价格不菲的硅，所需材料少于多晶硅电池，能耗也明显低于多晶硅电池，因此，薄膜电池是“太阳能电池发展的必然之路，也代表未来的发展方向”。

而全球几乎所有的薄膜光伏企业之所以选择这样一条看起来有些偏僻的“小路”，就是因为它们坚信：与多晶硅电池相比，薄膜电池具备成本低、技术成熟、污染较小的优势。

中投顾问新能源行业首席研究员姜谦说：“与晶体硅电池相比，薄膜电池的成本下降潜力要大得多，这主要得益于薄膜电池的技术进步日新月异。薄膜电池预计未来的产能可能会达到整个太阳能行业的 20%，发展空间较大。薄膜电池现在发展面临技术突破，有很多物理方法，比如说离子束方法沉积纳米晶硅薄膜工艺，如果国内企业能够在这方面有所提升，将会非常有前景。”

“从成本角度分析，未来的薄膜电池将比晶体硅电池有明显优势，较之火电等常规能源，也具有明显的替代优势。”2011年年底，新奥光伏能源有限公司负责人在接受媒体采访时，对发展薄膜电池也给予了肯定。这位负责人还表示，随着光伏产业在全球能源中的占比逐步提高，薄膜电池在大型光伏电站等应用需求的推动下，将实现迅猛发展。

那么，为什么全球光伏产业目前仍以晶硅电池为主？《全球新能源发展报告》（2013年）显示，2012年，全球晶体硅电池的产能高达60.1GW（其中，中国为38.7GW），而当年，全球薄膜电池的产能仅有7GW。为什么很多晶硅企业都不做薄膜，甚至有些企业会放弃薄膜呢？原因很简单：第一，这些企业没有技术；第二，同样的产能，薄膜的初始投入是晶硅的8~10倍；第三，很多企业并非真正看好光伏产业的未来，只是想赚快钱。所以，之前大家都一哄而上去做晶硅了，而这也是中国晶硅电池产能严重过剩的重要原因之一。

对于晶硅和薄膜这两种技术路线的优劣，美国应用材料公司亚太区渠道总监肖劲松说过：“我并不否认晶硅电池的优势，事实上，两种电池各有优劣势。”在他看来，晶硅电池的发电效率较高，但成本也很高；薄膜电池的发电效率虽然低一些，但成本也比较低。更何况，薄膜电池还具有“弱光应用性强”、“温差适应性强”等优点，能够大规模应用于沙漠电站，以及土地资源丰富或温差较大地区的电站建设。

在我看来，薄膜电池更大的优势在于，其应用范围非常广泛。它能做成半透明和柔性电池，可以在军用、民用和光伏建筑一体化方面得到广泛应用。[8] 近年来，随着薄膜电池的快速发展，它此前面临的一系列问题，比如转化率偏低、原材料资源稀缺等，已经随着技术进步和产业规模不断扩大而逐步得到解决。

直到现在，包括业内人士在内的很多人还认为薄膜的转化率低于晶硅。事实上，薄膜的转化率已经与晶硅不相上下，甚至有所超越。2012年，汉能的薄膜组件的量产转化率已经达到15.5%，而国内晶硅组件的平均转化率也只有15%左右。

从发展前景看，薄膜电池技术还有很大的提升空间和发展潜力。从全球发展趋势看，薄膜才是主流。在美国硅谷，现在已经没有一家研发晶硅的公司了，全部都在研发柔性薄膜。

实际上，中国应该重点发展第二代技术，即薄膜技术。中国政府应该高度重视、全力支持已经在规模、技术方面走在前沿的、以薄膜太阳能为主导的光伏产业，选择几家薄膜太阳能企业作为试点，加大扶持力度，保持核心技术的全球领先地位，实现我国能源领域的跨越式发展。

失去的蛋糕?

在我看来，美国、欧美的“双反”并不意味着中国的光伏产业和国际市场从此隔绝，中国光伏企业、行业机构和中央政府依然可以通过处理好与国外企业、国际市场的关系，努力在全球扩大生存空间。

值得欣喜的是，2013年7月27日，由中国机电产品进出口商会牵头的95家中国企业与欧盟委员会就“中国输欧光伏产品贸易争端”达成价格“承诺安排”。虽然中国光伏产品在欧盟的市场份额有所下降，价格优势也受到了一定的限制，但毕竟保住了60%的市场，同时也避免了中国企业之间长期以来的恶性竞争。从某种意义上说，这也不失为一件好事。

未来，中国因“双反”而失去的多晶硅市场可以通过薄膜重新占领，而且，这块市场的份额还是很大的。2011年，中国企业在欧盟获得的市场份额为11.4GW，价值991.8亿元人民币，而美国则是1.1GW，价值95.7亿元人民币，两者共计1 087.5亿元人民币。

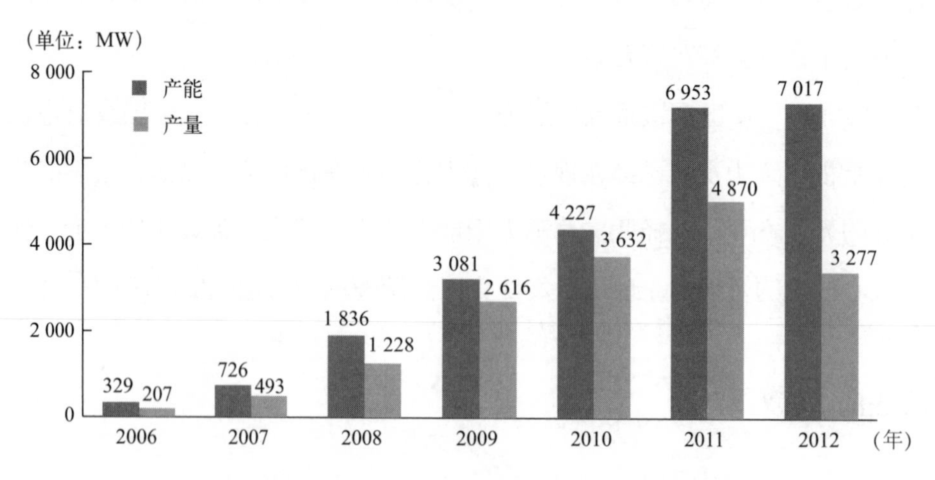

图4–6　2004~2012年薄膜电池的产能和产量

资料来源：《全球新能源发展报告》(2013年)。

资金链危机

2010年之后，在中国光伏产业遭遇整体性危机时，几乎所有企业都努力从外部寻找原因：海外市场萎缩，贸易壁垒，国内市场启动太慢，整个行业产能过剩，银行收紧信贷等。实际上，在客观评估这些外部影响的同时，我们也有必要从企业自身找问题。

过去十几年，中国光伏产业的跨越式发展造就了一批快速成长起来的世界级企业和一批成功的企业家。但这个行业的每个人都应该清醒地认识到，相比企业和企业家的努力，行业性的机会是造就成功的更主要的因素。想要真正做到基业长青、永续经营，中国的企业家，尤其是光伏这个新兴产业的企业家，还需要继续修炼内功。

由于 2011 年以来的全球市场疲软以及欧美“双反”，整个中国光伏产业陷入了困境，一些中国光伏企业中长期存在的问题也因此暴露了出来。比如，2012 年，中国光伏企业遇到的最尖锐的问题就是资金问题。

若企业资金流转不畅，随着而来的就是巨大的财务压力。据媒体报道，2012 年，中国生产多晶硅光伏产品的前 10 位大企业被曝累计负债超过 1 100 亿，资产负债率超过 80%。而造成这种困境的根源就是许多光伏企业头脑过热，靠大量借贷求得超常发展。而一旦整个行业急转直下，金融机构看到大事不妙，马上就会卡死银根。

2012 年年初赛维陷入困境之后，媒体对它进行了大量的报道。仅就报道的内容来看，我认为它遭遇的是典型的资金流转问题。

据《21 世纪商业评论》报道，2012 年 8 月，国内一家商业银行风险控制部门的负责人李华向媒体表示，赛维的全产业链扩张，以及彭小峰对资本密集型项目的偏爱，是其陷入困境的根本原因。“赛维一直在玩高资本密集型的项目，所以，它对资本的使用效率不是很敏感。而其他中国光伏企业大多是制造电池片、组件起家的，精打细算惯了，往往一看要投这么多钱，就算了，还是缓缓吧。”

彭小峰的高强度资本策略曾使赛维在硅片业务上取得了巨大成功。一位赛维的资深员工称：“2007 年到 2009 年，赛维能够一直在硅片业务上保持领先，最重要的原因是拥有设备。我们买断了供应商 70%的产能，这就意味着，别的企业想进入这个行业，最多只能拿到另外 30%的产能。也就是说，这一年，它永远也赶不上赛维。”

2007 年 6 月，成功登陆纽交所的赛维更加坚定了高强度的资本扩张道路，启动了“全产业链扩张”战略。而在此过程中，它投入资金最多的多晶硅硅料项目也成为将赛维推入财务困境的罪魁祸首。

2007 年 8 月，赛维宣布建设两个总产能 1.6 万吨、固定资产投资高达 130 亿元的多晶硅硅料项目。当时，多晶硅价格已经从 2005 年的 40 美元/千克一路攀升至 300 美元/千克，并在 2008 年 9 月达到 475 美元/千克的历史高点。但之后，由于全球金融危机爆发，光伏发电的主要市场的增速放缓，加上多晶硅产能不断释放，至 2009 年 9 月，赛维的第一条年产 5 000 吨多晶硅的生产线投产时，多晶硅价格已经跌至 60 美元/千克左右。

2012 年 7 月，多晶硅的价格进一步下滑至 22 美元/千克左右，而赛维当时的多晶硅生产成本却高达 38 美元/千克，因为它的产能几乎是在多晶硅价格最高的时期建成的。当时，每生产一千克硅料，赛维就亏十几美元。可以说，它在多晶硅项目上的 130 亿元人民币的投资已几乎相当于无效资产，而赛维当时的净资产也不过 42 亿元人民币左右。

《赛维年报》的统计数据显示，2007 年至 2011 年年末，其固定资产规模持续大幅增长，分别为 3.37 亿美元、16.97 亿美元、26.09 亿美元、29.93 亿美元和 38.72 亿美元，与此同时，其资产负债率也在不断提高，分别为47.09%、76.58%、80%、81.43%和87.68%。上述商业银行风险控制部门负责人指出："赛维玩钱玩得太狠了。行情这么差，投了这么多固定资产进去，哪有现金回来？这是它面临债务危机的最根本的原因。"[9]

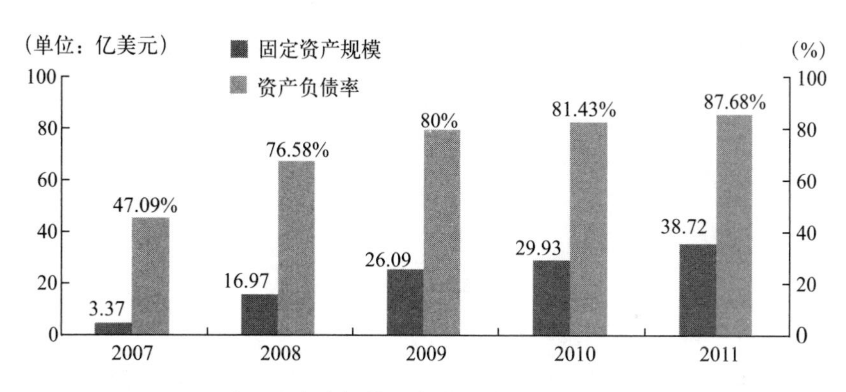

图4–7　赛维固定资产规模及资产负债率（2007~2011年）

资料来源：《赛维年报》。

2011年以来，在中国光伏企业中普遍存在的资金危机，不仅可以帮助我们从偶发事件中吸取教训，还使我们加深了对光伏产业的认识。光伏产业不仅是技术密集型行业，同时也是资本密集型行业；不仅前期投入大，而且资金回收期较长。

光伏企业的"资金链危机"从两个方面向我们提出了问题：一方面，光伏企业要认识自身的特点，在实际经营中认真规避资金链断裂的风险；另一方面，金融机构也要理解光伏产业的特点，在给予信贷支持的时候，不要把它当成"短线产品"来要求，而要将其当作"长线绩优股"加以对待。只有这样，这个利国利民的新兴产业才能真正兴盛起来。

上兵伐谋

今天，对于每一个普通的中国人来说，全球化已经是一个熟悉得不能再熟悉的字眼。但对于中国产业界来说，那曾是一道看似无法逾越的屏障。

从以市场换技术到成为“世界工厂”，这一历程，对很多中国企业家来说都是一段辛酸的回忆。然而，以光伏产业为先导的新能源革命有可能改写中国企业家参与全球化的方式。

为此，我们必须在思维层面进行一些革命：从“以人为本”、“天人合一”的高度出发，发展新能源尤其是光伏产业，践行“科学发展观”；只有用“创新思维”取代“惯性思维”，才能找到能源问题的解决之道；推进新能源革命，更多的是考虑战略利益，而不是眼前的直接效益；只要充分发挥后发优势，中国新能源产业就有机会实现赶超。

换一种方式实现“全球化”

所谓“战略眼光”就是“全局眼光”、“长远眼光”再加上“变化的眼光”。所谓洞察，就是不停留在表面现象，而深入到事物的本质。

用这样的眼光看世界经济全球化，我们首先看到了“资源整合全球化”，即任何一个国家、一个企业都可以在全球范围内整合自己所需要的资源。但如果只看到了这一点，那也相当于只看到了现象。它的实质则是，各国利用资源整合全球化去争取本国利益最大化。

用这样的眼光分析欧美的“双反”，就可以抓住实质了。欧美国家购买我们的晶硅电池，是因为我国产品成本低、价格低，整合后对它们有利。但随着事情的变化，或因它们的需求减少，或因财政困难，或因本国企业的反对，为了本国利益最大化，它们需要改变整合的条件。我们曾经在一个时期缺乏这种眼光，只用所谓“国际分工论”的眼光看待这种整合，而没有看到“争取本国利益最大化”的实质，没有对“变化”特别是“突变”做准备，自然就会陷入被动。所以，不能只责怪这些国家采取“保护主义”策略，也应该看到自己在战略眼光方面的缺失。

改革开放以来，我们就一直遇到这个问题。一位中央领导同志早就说过，“既要对外开放，又要发展民族经济”。但说起来很容易，做到很难。改革开放以来，由于战略不同，我国不同产业的发展走过了不同的轨迹，为我们提供了不同的经验教训。

可以拿两个产业进行对比，比如家电产业和汽车产业。粗看起来，这两个产业都发展得不错，但其内在品质却大不相同。家电产业发展得比较健康，中国的自主品牌不仅主导了本土市场，而且在国际市场上也占据了越来越大的份额。汽车产业的发展则呈现出巨大的缺憾。外国品牌几乎垄断了中国的高中档汽车市场，而中国的自主品牌却举步维艰。现在，中国的汽车年销量已经达到2 000万台，但在排量超过2.0、效益好的中高档汽车中，自主品牌大约只占2%。表面看来红红火火的中国汽车市场实际上是外国企业的盛宴。

我们曾尝试着“用市场换技术”，这似乎是一个不错的战略。但最后，市场放开了，技术并没有如愿地换回来。为什么会这样？因为缺乏战略眼光，未能弄清楚“资本、技术、品牌”这三个最关键因素的实质。

可以毫不夸张地说，技术是命根子。西方发达国家的大企业希望占领我们的市场，但绝对不会为此放弃技术领先地位。日本经济学家赤松要曾经提出“雁行战略”：日本是头雁，中国是尾雁。它们只会把自己用过的、即将过时的技术廉价卖给你，甚至无偿送给你，目的就是让你放弃自主研发，不去争取自主知识产权。20世纪90年代经历了国际产业调整，跨国公司纷纷把低附加值的加工、组装产业向发展中国家转移，以降低成本，而中国则是其最理想的承接地。当时，中国一些经济学者运用自由贸易理论解释中国的经济走向。他们认为，从比较优势看，中国本就应该成为“世界工厂”。于是，众多的中国企业都忙于组装和加工，放弃了拥有自主知识产权的努力。

资本是控制权。我们可以清楚地看到，外国大企业在中国组建合资企业时，能够控股的一定会控股。从抽象的角度看，是我们在利用外资，但从实际运行的角度看，是外资在利用内资，因为中国的资本被外资支配了。

品牌是市场。消灭了你的品牌就是消除了你的市场，树立了我的品牌就是我占有了市场，而且是永久的市场。以汽车产业为例，在中国，消费者已经被外国汽车品牌征服，同样质量的汽车，中国消费者只有在本土品牌价格低于外国品牌30%以上的情况下才会购买。在这样的环境中，中国的品牌将怎样发展？

中国的光伏产业绝不能重蹈汽车产业的覆辙。2012年，中国政府在“光伏政策”上的大转折已经给了世界一个清晰而强烈的信号：中国国内的光伏市场一定会有一个大发展，中国政府对光伏产业一定会有政策上的倾斜。对中国光伏企业来说，这无疑是一个利好消息。同样，这对外国光伏企业也是一个绝佳的机会。在这样一个关键时刻，我们必须首先从战略上弄清楚问题。也就是说，中国的光伏产业将会以怎样的方式参与全球竞争？

> **“资本、技术、品牌”是参与全球资源整合的三个最重要的因素。如果把握住这三个关键要素，中国光伏企业乃至所有的中国企业都可以以一种全新的方式参与到全球竞争中去。**

光伏产业的两个兼并收购案颇值得国人关注：一个是德国企业对中国企业的收购，另一个则是中国企业对德国企业的收购。

2012年12月21日，德国艾思玛太阳能技术股份公司（SMA Solar Technology Ag，以下简称SMA公司）完成了对江苏兆伏爱索新能源股份有限公司（以下简称兆伏爱索）72.5%股权的收购。SMA公司是全球逆变器巨头，巅峰时期曾占据全球逆变器市场70%的份额，目前依然占有40%的份额。而兆伏爱索则是中国逆变器厂家中排在前五名的企业。

光伏逆变器是太阳能电站的重要设备之一。太阳能通过光伏电池组件产生的直流电必须通过逆变器转化为交流电才可以上网。值得注意的是，在中国光伏产业，虽然电池组件的产量很大，但逆变器的产量却较小，只占10%的全球份额。

业内人士普遍认为，SMA公司的这次收购是一个具有长远战略意图的行动，而其出手时机也把握得相当精确。

对中国光伏产品发起“双反”申请的是德国的太阳能世界公司，但大家可能不知道的是，SMA公司是它的“铁哥们儿”。在某种意义上，“双反”给中国光伏企业造成的困境恰恰帮助SMA公司实现了对兆伏爱索的“低价收购”，并取得了绝对控股权。据专家估算，兆伏爱索的公允价值应该在6亿元人民币左右，但SMA公司出手时，对兆伏爱索的估值仅为2.2亿元人民币。也就是说，SMA公司获得兆伏爱索72.5%的股权，只花了1.6亿元人民币，差不多等于打了三折。

为什么说SMA公司的这次收购是一个“具有长远战略意图”的行动呢？在我看来，这家德国公司准确地预测到中国光伏市场将有一个巨大的发展，看准了中国光伏产业在“逆变器”这个产业环节的缺口。而通过收购中国本土企业控股权的方式进入中国市场，SMA公司不仅可以抓住中国即将出现的巨大的市场机会，而且可以从政府那里获得可观数额的政策补贴。

我们不能责怪外国公司的战略眼光，正像体育比赛中不能责怪对手太强一样。我们只能提高自己，包括向对手学习。

而我们要说的另一个兼并案——汉能并购美国薄膜太阳能企业MiaSole——与SMA公司收购兆伏爱索有异曲同工之妙。

2013年1月10日，《证券日报》刊登了一篇报道——《瞄准国外领先技术，国内企业大举并购》。在前一天，汉能控股集团在北京总部正式宣布完成对MiaSole的并购。MiaSole是全球领先的铜铟镓硒薄膜太阳能组件制造商。该公司的薄膜光伏组件的量产转化率目前已达到15.5%，预计到2014年，其转化率将提高至17%以上，并在两年内将生产成本降低到0.5美元/瓦。此次并购使汉能获得了全球转化率最高的铜铟镓硒技术，成为"规模、技术皆领先全球"的薄膜太阳能企业。

如果说SMA公司收购兆伏爱索是基于"中国光伏市场即将迎来巨大发展"的战略判断，那么汉能的并购则更多地体现了"立足本土，整合全球资源的战略眼光"，以及"依托自主品牌，整合世界先进技术"的战略思想。

从"以人为本"到"天人合一"

作为一个新兴产业，光伏产业的变化日新月异，要想看清这个产业的未来并制定清晰的发展战略，就需要与其发展保持同步，也就是要"与时俱进"，甚至领先一步。这就意味着，许多过时的观念需要更新，很多片面的观念需要调整，很多错误的观念需要改变。

> **从根本上说，推进新能源革命就是落实科学发展观的一项重要举措。科学发展观的表述是，"以人为本，全面、协调、可持续发展"，实际就是"以人为本"和"天人合一"。**

提出"以人为本"，就是要纠正"以钱为本"的错误观念。社会要发展，国家要强大，当然要发展经济，要创造利润，要增加财富。但是，财富应该是为改善人的生活服务的。如果我们增加的财富对改善生活没有任何意义，甚至损害了生活，那就走偏了方向，那样的经济活动就不叫发展。

以城市建设为例，部分城市不按照规划而随意盖房子、建工厂，结果，城市布局极不合理，给人们的生活带来了极大不便。国内生产总值的确是增加了，但人们的幸福指数却降低了，这不叫“以人为本”。再如，有的企业排污严重却不治理，钱是赚到了，当地的生产总值也增加了，但环境被破坏了，公众的健康受到了严重影响，这更不是“以人为本”。如此种种早已屡见不鲜。可见，“以人为本”是我们搞经济、搞建设、构建和谐社会必须遵循的基本原则。

我之所以提出“天人合一”，是为了克服片面的“以人为本”思想。从全球角度看，人类只是地球上的一种高等动物。片面的“以人为本”就是认为人类既然是最伟大的动物，那么地球上的一切活动都只以“人类合适”为准，而不管其他生命和地球能否承受得住。“人定胜天”、“向大自然开战”、“征服大自然”等以往比较常见的口号已经过时了。在人口数量很少、能力很弱的情况下，这些口号可以帮助人类树立信心，向自然界索取维持生存和生活的必需品。但在世界人口已经达到70亿之多，工业现代化已经发展到如此程度，大量动物和植物已经灭绝，环境污染和地球气候变暖已经相当严重的今天，大自然已经向人类发出警告并开始进行惩罚了。片面的“以人为本”的思想必须改变。《易经》就提出过非常科学又非常“现代”的思想，那就是“天人合一”，其实质就是人和大自然的和谐。没有人和自然的和谐，人类的“可持续发展”是不可能实现的。只有树立了“以人为本”和“天人合一”的科学发展观，才能真正理解新能源革命、光伏革命的深刻意义。

用“创新”取代“惯性”

如果说是太阳能的自然属性奠定了“天人合一”的基础，那么当我们试图用商业方式将其变成“人人可用”的产品时，还必须解开几个认识上的“结”，因为在惯性思维下，太阳能（光伏）似乎并不是解决人类能源问题的第一选择。

所谓的“惯性思维”，就是按照过去的惯例思考问题并寻找解决问题的办法；而所谓的“创新思维”，就是突破习惯思维，另辟蹊径。

> **人类发展到今天，必须用“创新思维”解决能源问题。从这个意义上说，将光伏产业上升到国家战略层面就是一种“创新思维”的体现。这不仅能为中国乃至世界的能源问题找到解决之道，也将奠定中国“大国崛起”的重要基石。**

人们在谈到美国人和日本人的区别时常常会说，日本人的优点是善于学习，美国人的优点是善于创新。20 世纪 70 年代，日本人把美国传统产业方面的好东西都学到了手，甚至在许多方面还超过了美国。那时的日本收购了美国的许多资产，包括迪士尼。当传统优势丧失时，美国用创新精神来应对。美国人在信息化上找到了突破。他们把大型电脑延伸到个人电脑，由个人电脑延伸到互联网，由互联网延伸到庞大的信息技术产业……创新思维是美国始终能够站稳世界头号强国地位的重要保障。

如果用“惯性思维”思考能源问题，就会局限在原有的能源结构中。缺少煤炭，就去找煤炭；缺少石油，就去找石油；陆地找完了，到海上去找；自己的石油不够，就大量进口，或者到国外收购更多的油田；东部消费多，西部能源多，就搞“西气东输”、“西电东送”；化石能源造成严重的环境污染，就搞“节能减排”。

不能说这种思维方式不对，它甚至在一定时期内还取得了良好的效果。但这些举措并不能从根本上解决问题，因为化石能源固有的缺陷是不可改变的。只是在这个圈里打转，已经不能解决能源消费和能源储量之间、能源消费和能源分布之间、能源消费和环境保护之间的矛盾。

而一旦我们用“创新思维”思考能源问题，就能够打破原有的能源结构和困境，跳出原有的格局，找到新的解决办法。既然化石能源的弊端是无法克服的，那么我们就去寻求、利用新能源，并用新能源逐步替代传统的化石能源。

超越，而不是追赶

不过，中国目前的光伏产业还在成长之中，特别是光伏市场的建设，还需要向欧美学习。但是，对于未来中国在新能源革命中应该占据的位置，我们信心十足：中国会领先世界，只要我们始终保持积极心态去超越。

综观世界历史，追随者超越先行者的事实屡见不鲜。实现这种超越当然有诸多条件和历史原因，但其中也包含规律性的东西。追随者可以利用先行者的成果，而成果的创造和利用所花费的力气相差悬殊。此外，追随者还可以借鉴先行者的教训，这往往能够让我们另辟蹊径。

对后发国家来说，实现超越的关键之一就是发挥后发优势，并以此为基础坚定地实施赶超战略。

“赶超战略”包括两步：一个是“追赶”，另一个是“超越”。落后了，不追赶，不是会越拉越远吗？但只追赶，不超越，还是永远落后。所以，追赶是手段，超越是目的。

但现实中，有人把赶超战略片面地理解为“追赶战略”，总是跟在人家的后面走。这样的战略从纵向看，即和过去的自己比，确实也在进步；但从横向看，即和先进国家比，仍然是落后，甚至会永远落后。

我们一定要有超越的雄心，即使一时难以全面超越，也可能在某些局部率先超越，并通过积累局部超越最终实现全面超越。

事实上，30多年来，中国一直在不断地超越。就产量而言，中国已经有170多种产品，产量位居世界第一位，这不是超越吗？产量的积累形成了经济总量的积累，就经济总量来说，中国已先后超越了俄、加、法、英、德等国，而后又超越了日本。现在，人们议论的是“中国经济总量何时超过美国”的问题。

有人认为超越没有可能，这是因为他们不懂得“尺有所短，寸有所长”的道理。在诸多指标中，虽然我们不能每个指标都超过对手，但可以用自己的优势指标去弥补劣势指标，最终实现超越。

> **今天，中国在很多领域的技术均处于劣势，但制造处于优势。而技术和制造是联系在一起的，不落实到制造的技术等于无用。中国企业完全可以用制造优势、规模优势弥补和换取技术优势。事实上，中国已经有一些行业和企业利用自己的制造和规模优势，以自我创新加技术引进的途径，很快掌握了世界领先的技术。**

中国的高速铁路技术便是实现这种超越的一个典型案例，全世界都为之震惊。而三一重工股份有限公司也是工程机械领域的后来居上者，目前，它所生产的混凝土输送机的喷射高度已超越世界其他所有厂家。在2011年的日本福岛救援中，三一重工股份有限公司已经向全世界展示了其实力。

在我看来，中国的光伏企业目前在全球产业链中所处的劣势只是暂时的。未来没有定数，关键并不是有没有超越的可能，而是有没有超越的意识和勇气。

政府的缺位、越位和到位

2001年至今，尚德电力大起大落的经历让人唏嘘不已。由政府孵化诞生，在政府的驱动下扩张，陷入绝境时由政府主导重组。这些描述可以简要地勾勒出尚德电力与地方政府的关系。

在总结2012年中国光伏产业发展的经验和教训时，产业内外议论颇多的正是政府的“角色”问题。在中国光伏产业当下这个阶段，如何让政府发挥恰到好处的作用，已经成为一个难以回避的话题。

想要使“有形的手”更有效地发挥作用，政府应该做到“四到位”：战略到位，规划到位，政策到位，措施到位。

政府“越位”

2013年3月，尚德电力这个昔日中国光伏业的领军企业最终走向了破产重组。在中国光伏产业的历史上，这将是永久的伤痛，但或许也是一个成长的新起点。

2010年之后，中国光伏业的产能实现大发展，除了行业领军企业基于抢占市场份额的目的而主动大举扩大产能外，在其背后，地方政府的驱动则是另一有力推手。以尚德电力为例，从2001年创立到2005年登陆纽约交易所，并将创始人施正荣推上“中国首富”宝座，再到2013年3月资不抵债、宣告破产重组，无锡市市政府始终在左右这个当地名片企业的命运。

2000年，施正荣回国创业。当时，他在国内辗转了七八个城市，每见到一个城市的主管负责人，他都会告诉对方自己的项目能赚多少钱，“给我800万美元，我给你做一个世界第一大企业”，但谁都不敢接，因为他们从来没有听说过太阳能这种产业。

但无锡市政府慧眼识珠，看好施正荣的项目。于是在政府的主导下，2001年9月，由8家地方国企共同融资600万美元，作为大股东，施正荣本人拥有技术股和40万美元的现金股共占25%的股份，尚德太阳能电力有限公司正式成立。[10]此前，无锡市给予的创业项目的最大扶持金额仅为800万元人民币。这不仅仅是施正荣财富之旅的发端，也是中国光伏产业发展历史上的标杆性事件。

2005年12月，成功登陆纽交所的尚德电力已经成为无锡的“城市名片”。2010年，在尚德电力的电池片产能已扩张至1.8GW并成为“全球最大光伏电池生产商”之后，无锡市政府依然不满足。

2011年年初，为了鼓励尚德电力继续扩张，无锡市还提出了“五年内再造一个尚德”的目标，为此专门为尚德电力划拨了数百亩土地，要求尚德电力在规定时间内再造一个5万人的工厂。不仅如此，无锡新区还与尚德电力共同投资建设了尚德光伏产业基地，计划在2012年实现1 000亿元光伏产品销售额。而2010年，尚德电力的主营业务收入也只不过29亿美元，约合人民币200亿元。

2.4GW是尚德电力2011年的电池片产能，较2010年的1.8GW又增加了1/3。当年，尚德电力的固定资产从2009年的7.776亿美元一举升至13.262亿美元，增幅高达70.55%。2011年，其固定资产进一步升至15.692亿美元。如此大手笔的固定资产投资，钱从哪里来？当然是银行贷款。2009年，尚德电力的银行借款为9.384亿美元，2010年一举增至15.641亿美元，2011年进一步升至17.067亿美元。而且，尚德电力的银行借款以短期借款为主。截至2011年年底，其短期借款为15.734亿美元，在17.067亿美元的银行借款中，占比高达92.2%。那么，银行为什么会如此信任尚德电力？除看好尚德电力本身外，更重要的当然是无锡市市政府甚至江苏省省政府的信用背书。

2011年，在产能大举扩张之后，虽然尚德电力的电池片出货量也攀升至2GW以上，较2010年的1.5GW增长了约1/3。不过，由于光伏产品价格在2011年的持续暴跌，尚德电力的主营收入较2010年仅增长了8.4%，为31.47亿美元。当年，尚德电力净亏损10.18亿美元，而2010年，它刚刚创纪录地赢利2.38亿美元。

2012年，尚德电力的出货量略有下滑，但依然高达1.8GW，不过，其营业收入却降至16.25亿美元，下滑幅度达48%。2011年的巨额亏损和2012年的经营持续恶化，最终使尚德电力此前高速扩张时期累积的财务风险暴露了出来。截至2012年3月底，总资产为43.786亿美元的尚德电力负债35.754亿美元，负债率高达81.66%，净资产进一步下降至8.032亿美元。

更麻烦的是，尚德电力持有的现金及现金等价物仅为4.737亿美元，而在尚德电力的总负债中，短期负债高达15.746亿美元，另有5.578亿美元的可转换债券，且已在3月15日逾期。尚德电力最终走到了资金链断裂的边缘。

2012年9月，尚德电力开始减产裁员，其电池片产能也从2011年的2.4GW削减到1.8GW。与此同时，各个债权银行一看大事不妙，纷纷开始“逼宫”。一时间，关于尚德电力破产的传言疯狂流传。

在这种危急情况下，当地政府再度出手。2012年9月底，无锡市市政府领导一度带队到尚德电力现场办公，对其进行全面扶持。甚至在无锡市市政府的努力下，中国银行还发放了2亿元贷款，向已经深陷巨大财务困境的尚德电力输血。不过，这只是杯水车薪。2013年3月，尚德电力旗下核心公司无锡尚德太阳能电力有限公司（简称“无锡尚德”）最终宣布破产重组。

事实上，在此之前，从2012年下半年无锡尚德陷入困境以来，无锡市国资委出资设立的国有独资企业——无锡市国联发展（集团）有限公司——就开始介入接盘工作。当时，外界一度认定，无锡市国联发展（集团）有限公司将成为无锡尚德的接盘者。

不过，2013年8月，无锡市委常委、常务副市长黄钦在接受媒体采访时表示：“无锡正在充分考虑（无锡尚德）破产重组的优化，找最有实力的战略投资者参与重整……现在接触的有5家企业。有3家民企、2家国企。未来，无锡尚德不会走向清算。”[11]

虽然无锡尚德的重组截至2013年8月仍未落定，但至少已经让人看到了一个相对清晰的市场化重组的方向。或许在那之后，尚德电力和地方政府之间会形成一种更健康的关系。对于已完成原始积累的尚德电力来说，这未必不是一件好事。

让政府“到位”

尚德电力的浮沉以及前文提到的赛维的起落并非特例。它们只是以一种极端的方式，集中反映了中国光伏企业在“野蛮生长”过程中的典型特征。如何评价政府尤其是地方政府在这一过程中所发挥的作用？这不是简单的是非问题。要解答这个问题，我们需要回到起点，即政府与市场的关系。

前文已讲过，政府和市场的正确关系是：在坚持让市场发挥决定作用的同时，也要善于利用政府的宏观调控去填补市场的盲区和弱项。但一旦政府介入经济活动，就会有一个“度”的问题，也就是“缺位、到位和越位”的区别。具体到中国光伏产业，业界的一个普遍判断是，2011 年之前，中国的地方政府对发展光伏产业热情很高，几乎是争先恐后地制定光伏产业规划，全力扶持本地企业发展，而中央政府则相对谨慎。

也正因如此，有人认为光伏产业产能过剩与一些地方政府“越位”有关。当地政府深度介入、过度扶持导致一哄而上，产能急剧扩张，并最终酿成危机。也有人认为问题与政府“缺位”有关：政府对于整个产业的发展缺乏相应的规划和引导；对于中国光伏产业“两头在外”潜伏的隐患和危机，政府应该及早给予指导和调整。

这些看似对立的观点都有道理，都是认为政府工作没有真正做“到位”。“缺位”是没有“到位”，“越位”是“到位”过了头。

政府到位与否对一个产业的发展是至关重要的。就微观来说，企业应该是自主经营、自负盈亏的，政府不应该越俎代庖或强行施加行政干预。但一个产业包括很多企业，还有这个产业和其他产业的关系，以及这个产业在整个国民经济中应该占据的位置和所起的作用等，这些宏观和中观层面的问题仅靠企业是无法解决的，需要政府加以调控。

光伏产业具有基础性、全局性、多关性、力量对比和利益关系的不对称性等特点，这类产业的发展仅仅靠企业或仅仅靠市场，许多问题是无法解决的。如果国家的能源战略是依托传统的化石能源，而不重视新能源，那么新能源可能会有用武之地吗？如果仅仅靠市场竞争，初出茅庐的光伏企业能够拼得过强大的传统能源企业吗？如果没有适当的产业扶持政策，仅凭价格竞争，光电市场能打开吗？一系列问题都是难以解决的，至少在相当长的时期内是难以解决的。

应该看到，前几年，我国光伏产业的发展主要是外国政府特别是欧洲政府推进新能源革命的"外溢效应"，并不是纯粹市场竞争的结果。为了改变能源结构，欧洲特别是德国政府大力发展以光伏为主体的新能源，对使用新能源者给予了相当高的补贴，这才激发了光伏产品的市场需求。中国的光伏产品在欧洲之所以有竞争力，当然是中国企业的低成本优势，但其前提是，当地政府对新能源实施了优惠政策。

就中国国内市场而言，由于政府的缺位，在2012年以前，国家对光伏产业没有恰当而明确的战略和政策，或者虽有一些，但推行不力，本土市场没有打开。在这种情况下，其他国家一搞"双反"，当然就把中国光伏产业逼到了生死边缘。

所以，无论从外国政府的作用看，还是从我国政府的作用看，两个方面都说明，政府“到位”与否对光伏产业的发展有着巨大的影响，甚至起着决定性作用。

对光伏产业发展过程中政府的缺位、越位问题，还可以做更深一层的分析。对于越位问题，我们应该理解和宽容。地方政府为了发展经济，极力促进光伏产业的发展，这是完全可以理解的，光伏产业今后的发展仍然需要它们的积极性。如果说在光伏产业起步时，中央政府可能存在“缺位”问题，那也是可以理解的。从全局来看，对于能源革命和光伏产业的认识都需要一个过程。而且，我国政府目前已经认识到了光伏产业的美好前景，并采取了不少扶持政策，比如2012年推出的一系列促进光伏产业发展的政策。

经过上述分析，我们的结论集中到一点：作为一个关乎全局的新兴产业，中国光伏产业的顺利发展关键在于“政府到位”，进而推动“看不见的手”发挥更强劲的作用。

让战略“到位”

想要使“有形的手”更正确地发挥作用，政府应该做到“四到位”，即战略到位、规划到位、政策到位、措施到位。

战略是方向，解决的是“要不要做，为什么要做”的问题。就光伏产业而言，国家一定要深入研究，制定更具远见的清晰的新能源战略，并把它作为关乎“国民经济持续健康发展”和“社会进步”的全局性战略。

而制定这个战略的前提是，要敏锐地预见世界第三次工业革命的大趋势，全面把握世界能源格局，深刻认识化石能源无法克服的弊端，着眼于突破中国经济持续发展的能源瓶颈，全面认识光伏，深刻理解发展光伏产业对当前和长远所具有的多方面的重大战略意义。

这个战略不是仅仅着眼于新能源数量的增长，更应该着眼于整个能源结构和能源体系的改变。所以，它应该是新能源革命战略、光伏革命战略。

基于这个战略，新能源革命的口号应该是“用新能源改变世界”，而新能源革命的战略则可以称为“新能源替代战略”。也就是说，我们之所以要发展新能源，就是为了用它来替代化石能源，进而改变世界。

这里的关键是“替代”二字。正确理解“替代”要抓住三点：一是谁替代谁，二是怎样才算替代，三是如何替代。

谁替代谁？当然是用新能源替代化石能源，而不是用一种化石能源替代另一种化石能源。由于弄不清楚这个界限，有人往往会把“新发现的能源”或者是“新受重视的能源”也看作“新能源”，比如页岩气。

那么，新能源要发展到什么状态，才算是替代了传统化石能源？很简单，就是通过“比重变化”，让新能源在能源结构中取得“主体地位”，而不是说绝对不用化石能源。

从目前的能源结构来看，化石能源是主体和主导能源，而新能源只是补充和辅助能源。新能源革命就是要改变这种结构，新能源要在替代化石能源的过程中，逐步增加比重，最后成为主导和主体能源。

现在，许多国家都把延续化石能源为主体这个现状，作为自己最大的任务和最重要的努力方向。只用把世界各国在寻找和开发石油的投入与新能源开发的投入做一个比较，就可以证明这个论断。石油纷争的热度从来没有减退，而现在，整个世界又在热炒一种新的化石能源——页岩气。美国在新能源上的投入有所减少就是其后果之一。

在现实条件下，我们不反对、也不应该反对“延续化石能源供应”的努力，但战略的重点应该放在哪里？是永远放在延续化石能源为主体的局面上，还是放在新能源的开发上，并逐步用新能源替代化石能源？

世界各国实际上早已提出“替代战略”思路。前文提到，美国总统奥巴马曾预测，到2025年，美国可再生能源将占全球能源利用总量的25%；联合国秘书长潘基文也曾预测，到2030年，世界可再生能源将占全球能源利用总量的30%；而我认为，到2035年，清洁能源将占全球一次能源利用总量的50%。这不是幻想，而是通过努力可以实现的目标。

当然，仅有目标是不行的。新能源如何替代传统化石能源？必须从实际出发，构思“新能源替代战略”。

我们必须清醒地认识到，新能源不可能一下子替代化石能源的主体地位。这种“替代”将会是一个相当长的历史过程。因此，在相当长的时期内，从绝对数量上看，化石能源和新能源这两类能源都会继续增长。

但在这个“历史过程”中，新能源和化石能源的“比重关系”会不断发生变化。新能源增长得快，化石能源增长得慢，因此，新能源所占比重将会逐渐增大，直至最终占据主体地位。之后，化石能源消费的“绝对数量”才会下降。

“新能源替代”大体会经历三个阶段：第一阶段是“增速替代”，化石能源和新能源绝对数量同时增长，但新能源增速远远大于化石能源。第二阶段是“增量替代”，在增长的绝对数量上，新能源高于化石能源。第三阶段是“主体替代”，不仅新能源消费比重超过化石能源，而且化石能源消费量逐步减少，新能源最终成为主体能源。

在这个“由量变到质变”的过程中，我们必须抓住几个关键点。

第一，新能源替代化石能源要靠增速。在未来相当长的时间内，替代不是靠化石能源做减法，而是靠新能源做加法。新能源的增速是关键。为提高增速，必须坚持“两手抓”：一手抓大型地面电站建设，一手抓分布式电站建设。虽然在未来的能源体系里，太阳能利用将会以“分布式电站”为主，但在初始阶段，大规模集中的光伏发电方式应该是开路先锋和主力军。其依据是，如果采用这种集中方式，在政策的支持下，电站半年就可以建成，对企业来说，操作简单，效益明显。

第二，新能源对化石能源的替代要从优势地区开始。中国对新能源的利用不能采取“平推”方式，而应该让具有优势的地方率先发展。青海省是国务院确定的实验基地，那里的光伏电站发展很快。2011 年，青海省新增光伏并网容量为 1.003GW，占全国装机容量的 50%，这个数目比 2010 年全国新增装机容量（0.53GW）几乎多出一倍。和青海一样重视光伏产业的，还有宁夏、江苏、甘肃、新疆、山东、内蒙古、河北、西藏和山西等 10 个省（自治区）。这些地方的发展步伐会快一些。

第三，替代要从中国目前最短缺的化石能源开始。众所周知，在化石能源中，我国最短缺的是石油。而随着每年汽车保有量的迅速增长，石油的短缺日益加剧。这个缺口需要更多地依靠新能源来解决。中国已经开始大规模推动电动车、电动汽车产业的发展，但这并没有突破传统能源的格局，因为如果电力来自燃煤发电，那仅仅是用煤炭替代石油而已。只有将电动汽车与新能源建设联动起来，才有可能从根本上突破传统能源的格局。

第四，要吸引更多的主体，特别是化石能源的用户加入进来，以自主发展新能源的方式替代化石能源。正因如此，我认为，分布式电站应该是新能源替代战略的主要实现形式。要发动各类主体，比如机关、企业、工厂、住户、军队以及各类公共设施，凡有能力建设太阳能发电设施的，都应该鼓励和支持它们加入这场能源革命。

但需要强调的是，在整个新能源替代化石能源的过程中，最基本的策略应该是“共同利益区策略”。新能源革命没有敌人，它是一个产业革命，将使社会各类主体都受益。它是国家、企业和人民群众的共同利益区。

从产业角度讲“替代”，新能源企业和化石能源企业似乎是对头。但这只是表面现象，实质是，在新能源革命中，它们是合作伙伴。因为替代的并不是企业，而是化石能源，再深入地说，替代的也不是化石能源自身，而是化石能源的消费和利用方式。化石能源是大自然为我们提供的宝贵资源，我们要以更有价值的方式利用它们。随着替代的推进，化石能源企业的供给压力将会大大减轻，节省下来的化石能源可以作为化工原料，企业可以获得更多效益。而通过新能源革命，提供二次能源的电力企业可以使自己建立在可再生能源的基础上，依托更有效、更安全的供电模式，运营效率也可以得到提升。更重要的是，通过能源替代，整个国民经济能够获得可持续发展，这也是企业可持续发展的基础。所以，新能源革命并不会导致企业对抗，而是“企业合作，产业更新，经济发展”。

认识到新能源革命是“共同利益区”，各类主体在实施新能源替代战略过程中才能更加协调，才能各就各位、各尽所能、各显其优、各得其所，才能形成合力，最终取得预期的效果。

当然，在战略明确之后，我们还必须制定清晰的规划。没有规划，战略就不能很好地落实。规划确立了落实战略的阶段性目标、基本途径和主要步骤。有了规划作为指引和参照，就可以更有效地协调各方面的力量和行动。

《太阳能光伏产业“十二五”发展规划》已经对新能源和光伏产业做出了一定的规划。但现在看来，我们可能还需要根据新情况和对光伏的新认识，重新修改这个规划。最重要的是，我们不能再仅仅把光伏作为辅助能源，而是要作为替代能源。也就是说，要在化石能源和新能源的关系上，重新做一番考虑，对光伏产业的重视程度、投入力度、推进速度等也要做出重大调整。

让政策“到位”

战略和规划解决了战略目标、路线、途径和步骤等问题，但要想真正把战略和规划变成现实，还必须解决动力问题，而政策就是动力。

前文提到，政策“到位”指的是建立起一个有内在联系的“政策系统”。而我们面临的第一个问题就是，如何全面使用三种政策杠杆：财政杠杆，税收杠杆，价格杠杆。财政杠杆是投入问题，投哪里，投多少，投多长时间；税收杠杆是减负的问题，为谁减负，减多少，减多长时间；而价格杠杆是和财税杠杆密切联系在一起的，全国统一定价，还是各地区别定价，如何从政府定价走到市场定价等，这些都是亟须解决的问题。

第二个问题是，如何确定政策导向的重点部位。对光伏产业来说，所谓的“政策到位”主要是扶持和优惠政策到位，但扶持和优惠有三个针对方向：一个是针对生产环节，例如，对光伏生产企业的免税、减税，贴息或低息贷款等；一个是针对建设环节，对投资建设光伏电站的单位（包括个人用户）进行财政补贴；一个是针对使用环节，主要是确定恰当的光伏发电的上网电价，提高光伏投资回报率，以调动各种主体投资光伏的积极性。

这些“优惠”的不同指向各有利弊。只刺激生产，不刺激建设，就会加剧产能过剩；只刺激建设，不刺激使用，就起不到能源替代的作用；只刺激使用，但使用过程产生的效益需要一个较长的周期，启动效应较差。三者应该以谁为主、怎样结合，这是需要政府综合考虑的问题。此外，优惠政策的力度、时间、差别、地区、对象也都需要全面权衡。

目前的关键是国内光伏应用的大规模启动，而这也应该成为政策导向的“重点部位”。

光伏产业确实需要国家的产业政策扶持，但补贴的目的是为了将来不用补贴，如果光伏市场永远靠补贴生存的话，那是没有前途的。补贴的目的是为了推动产业进步，提升技术水平，最后发展到平价上网，让老百姓用得起太阳能发电。

第三个问题是，如何解决发电和上网的关系问题。根据目前的情况，太阳能发电迅速扩展，最重要的条件就是能够顺利上网。大型太阳能发电站要靠顺利上网，千家万户的小型光伏电站更要靠顺利上网。否则，一切都谈不上。

而顺利上网并不仅仅是在技术上要做到光伏电站和电网顺利衔接的问题，更重要的是解决两者之间协调运行的问题。

顺利衔接和协调运行，需要太阳能电站和电网两个方面在互相适应对方的动态对接中实现。到目前为止，这在技术上和运营方式上都还有一些问题需要解决，因此也更需要利用“政策杠杆”来协调利益关系。例如，光伏电价就是一个典型的政策问题。光伏的上网电价定低了，光伏产业没有活力，发展不起来；定高了，电网贵买贱卖，上网越多，亏得越多，电网的积极性也会被打击。

第四个问题是，电力系统的深化改革。“平价上网”说的是光伏电价和现有电价的关系，而这个关系必须从两个方面考量：一方面要考量光伏电价，必须降低光伏发电的成本，使其下降到与现有电价靠近的水平；另一方面要考量现有电价是否合理，如果现有电价因政策原因而过低，两者不能实现平价，板子就不能只打在光伏发电的屁股上。

为了降低企业的生产成本和居民的生活成本，我国政府采取的是低电价政策。我国以火力发电为主，电价和煤价有直接的关系。为了压低电价，就必须压低煤炭价格。在全球范围内，主要能源煤、油、气、电的价格比例关系是51∶67∶77∶100，而在我国，其比例关系是7∶49∶37∶100。显而易见，中国的煤炭价格处于一个畸低的状态。不过，若煤炭价格上涨、电价不涨，就会造成发电企业和煤炭企业之间的矛盾。因此，过去一段时间一直用行政手段单独规定电煤价格，并以这种低价格的煤炭供应发电厂。在这种情况下，如果要求光电的市场价格与煤电的行政价格平价，那么是不太合情理的。虽然这是一个在短期内很难解决的问题，但在谈论“平价上网”时充分考量这种因素还是很有必要的。只有这样，才能让政府和全社会对光伏的看法更符合实际。

事实上，为解决煤电矛盾，国家已经开始实行“阶梯电价”，即超过了一定的用电量，电价就要向上浮动。不过，这项改革至今还没有完全到位。

同时，我们更要看到，推进新能源革命，光伏等新能源发电的大规模上网，特别是分布式电站的发展，必然引发电网的革命性变化。中国电力系统的改革已经迈出了不小的步伐，但仍然有诸多的矛盾和问题需要解决。而在电网今后的深化改革中，必须把新能源革命充分考虑进去，朝着“智能电网”的目标前进。

新能源政策不只是支持光伏产业发展的局部政策，而是关系能源全局和经济全局的政策体系，需要由国家职能部门专门负责，并与其他相关部门协调。这些部门通过实际调查，集思广益，进而研究、制定和实施相关政策。正因如此，在目前光伏政策“缺乏系统性和前瞻性”的情况下，可以由有关部门甚至国务院牵头成立专门的“光伏领导小组”，解决能源替代这个战略问题。

发展出题目，改革做文章。通过政策，以改革促发展。从某种意义上说，这是政府在领导新能源革命过程中最见功力、最见水平、最不可替代，也最显示领导艺术的领域。

当然，有了战略、规划、政策，还要有具体的措施。措施是落实战略、规划、政策的方式方法。措施又有总体措施、局部措施和个别措施之分。总体措施是推动全局的方式方法，局部和个别措施是针对某个局部问题或个别问题采取的方式方法。

在太阳能领域，中国政府已经采取了两项重要措施，即“金太阳示范工程”和“光伏建筑一体化工程”。为了推进这两项工程，国家已经拿出了上百亿元的财政补贴。

目前，国家也正在研究金融应该怎样支持光伏产业的发展。

我国薄膜太阳能产业虽然已占据规模和技术优势，但由于金融机构基于“多晶硅产能已明显过剩”的判断，在执行过程中把晶硅和薄膜混淆，一刀切地限制融资，拥有薄膜太阳能核心技术的企业也备受牵连。2013年7月，国务院发布《关于促进光伏产业健康发展的若干意见》后，融资环境虽有所改观，但从促进我国战略性新兴产业可持续发展的高度看，薄膜产业仍面临发展瓶颈，亟须相关政策特别是金融配套政策的支持：

一是希望大力扶持核心技术研发和核心装备产业化。针对符合战略性新兴产业发展方向的薄膜光伏产业，金融监管机构应研究制定积极的金融扶持政策，实施有区别的金融政策，对先进薄膜及类薄膜太阳能关键技术研发和核心装备产业化、高端装备国产化予以贷款和税收扶持，保持我们已经取得的领先地位，推动我国薄膜光伏产业健康发展。

二是希望扶持一批行业重点企业做强做大。选择一批代表太阳能发展趋势和方向、拥有自主知识产权和核心技术的太阳能企业，在金融、财税等方面给予重点支持，使中国企业在薄膜太阳能产业中始终保持领先地位，增强中国企业在全球清洁能源领域的话语权。否则，中国有可能在新能源革命中将丧失一次难得的发展机遇。如果国家能够重点支持一批优势企业加快产品开发，太阳能应用产品一定会遍布我们生活的各个角落，改变人们的生活方式，太阳能产业也将成为国家的重要支柱产业，并带动多个行业的发展。汉能目前已经带动了玻璃、钢铁、塑料、物流等 85 个行业、1 026 家中小企业的发展，创造了 20 万个就业岗位。

三是希望应该加大对光伏建筑一体化和应用产品开发的支持力度。从 2012 年下半年开始，国家发改委等部门陆续出台了一些政策，支持国内光伏市场，并且取得了一定的成效。但比起欧美，目前国内光伏发电占全社会用电总量的比例还不到 0.1%，远远落后于发达国家，主要采取的还是规模开发、集中送电的单一模式。我国目前 90%的光伏发电来源于大型地面电站。欧美的经验表明，合理的比重应该是：地面电站不超过 20%，光伏建筑一体化占到 80%以上。所以，国家扶持开发未来最重要的光伏建筑一体化和应用产品两大市场，有利于调整产业结构，转变经济发展方式，打造城镇化之外快速有效拉动国内经济增长的又一个新的经济增长极。

四是希望适当提高金融资源对民营经济的开放度。加大改革力度，进一步拓宽民营经济的发展空间。通过鼓励和扶持一些有规模、有技术和竞争力强的民营企业进入垄断领域，一方面可利用“鲶鱼效应”促进国有经济的巩固和可持续发展，另一方面可以给民营经济提供更广阔的发展平台，为国民经济发展注入新的活力。

德国的成功案例

2009 年以来，中国政府已经出台了一系列促进光伏产业健康发展的政策，2012 年以来尤其密集。那么，我们应该如何评估政府的这些努力？如果一定要为中国政府的光伏战略、规划、政策和措施寻找一个参照，那么最好的选择可能就是德国。

2013 年 2 月，中国商务部网站发布了这样一篇文章：《德国太阳能光伏产业发展概况与启示》。文章开头这样描述道：低碳经济近年来已成为全球经济发展的重要导航标，包括太阳能在内的可再生能源成为各主要经济体的重点发展方向。以德国为首的欧洲地区是全球光伏发电装机市场的主要引擎，研究该国太阳能光伏产业发展现状对我国相关产业的发展具有较大的借鉴意义。

截至目前，德国依然是全球最大的光伏市场，无论是新增装机容量还是累计装机容量。而过去 10 年中国光伏企业的快速发展，在很大程度上得益于以德国为代表的欧洲光伏应用市场的打开。以尚德电力为例，即便是在欧洲市场增速放缓的情况下，2011 年第一季度至 2012 年第一季度，尚德电力来自欧洲市场的收入在其总收入中的占比均高达 45% 左右。

事实上，德国不仅是全球最大的光伏市场，也曾是全球最重要的光伏制造国之一。Q-Cells、Scheuten Solar、Solar Hybird、Solon、Odersun 等德国本土光伏企业或全球知名企业在德国的分支机构使德国光伏制造业鼎盛一时。这种鼎盛不仅是产能、产量层面的，而且是技术和品牌层面的。事实上，时至今日，全球光伏产业的很多领先技术依然掌握在德国企业手中。2012 年 6 月被汉能控股集团 100% 收购的 Solibro 就拥有全球领先的铜铟镓硒薄膜技术研发能力。

而德国光伏产业之所以能够在全球占据领先地位，主要归功于过去 10 多年来德国政府清晰而有效的光伏产业扶持政策。

第一，德国政府的政策导向性明确，调整步伐有条不紊。2001 年，德国就提出太阳能补贴政策。过去 10 年，德国政府对太阳能光伏产业的补贴累计超过 1 000 亿欧元。其基本逻辑是，通过政策扶持扩大太阳能产业规模，以规模效应降低成本，提升产品技术含量，从而实现高速产业化。

第二，发挥行业协会的作用，切实反映业界诉求。德国太阳能产业协会（BSW）约有 800 家成员企业，扮演着业界和政府间桥梁的角色。其宗旨是将太阳能发展成为能源领域的永久支柱。在德国太阳能产业政策调整过程中，该协会代表企业利益，反映企业需求，推动补贴下调分步、稳健开展。而德国可再生能源理事会约有 100 家会员企业，该机构侧重可再生能源发电领域的信息沟通，致力于能源供应安全、创新、增加就业、增强出口潜力、降低成本、环保及资源节约等方面的工作。

第三，引导民意，鼓励居民参与太阳能发展。为调动民众参与太阳能共建项目的积极性，德国在资金投入门槛上面的限制非常宽松。约2/3的项目允许居民资金投入在500欧元以下，有些项目甚至以100欧元作为最低投资门槛。近年来，有民众参与的新建太阳能合作项目达500个，投入资金约8亿欧元。截至2012年上半年，共有约8万德国居民以参股等方式支持太阳能项目，其中发电项目占90%以上。德国可再生能源理事会认为，合作共建太阳能项目既有利于增加太阳能开发利用的效率和效果，繁荣当地经济，也有利于提高民众的绿色环保意识，帮助居民尽早享受到可再生能源发展的成果。

第四，以展会为平台，以技术为先导。慕尼黑国际太阳能光伏展，以及两年一度在汉堡举办的欧洲太阳能光伏展一直是全球太阳能产业发展的重要风向标。展会已成为了解行业最新动态、开拓业务范围、抢占国际市场及新技术、新产品展示的重要平台。德国太阳能产业发展重视技术创新，以技术提升整体竞争力。比如，德国弗劳恩霍夫太阳能系统研究所是欧洲最大的太阳能研究机构，其研制的多晶硅光伏电池不断刷新转化率纪录，其超薄特性也有利于节约多晶硅用量。此外，德国还积极推动空间太阳能发电技术的发展，始终走在太阳能发电领域的最前沿。

当然，德国光伏产业目前也处于一个相当艰难的阶段。近年来，全球经济运行不佳，欧债危机蔓延，再加上全球光伏组件产能过剩，价格下滑，德国光伏产业已无法独善其身。2012年上半年，破产企业数量骤增，曾是全球最大光伏电池制造商之一的Q-Cells也在其中。

2012年3月，德国政府补贴的下调更是使德国乃至全球光伏产业的发展雪上加霜。这一方面是由于欧债危机的持续深入的发展，欧元区各国赤字压力增大；另一方面，这也可以理解为是为了促进德国光伏产业的“健康发展”——调控光伏产业规模及市场增速，将每年的新增装机容量控制在相对合理的水平。对于补贴的削减，德国光伏业界总体上是支持的，认为稳妥、渐进的补贴削减计划在当前情况下有其必要性。[12]

未来，鉴于德国“弃核政策”造成的电力市场缺口始终存在，其在新能源领域的努力不会减弱。为摆脱目前的困境，德国一方面会在国内市场推动企业的破产重组，优胜劣汰；另一方面，也会把发展的目光投向海外和新一代光伏技术。

值得注意的是，在补贴整体削减的大背景下，德国政府的扶持重心正在不断向薄膜光伏转移。如第二章所述，薄膜光伏的效率在过去5年里已快速提升，它在欧盟的市场份额也在不断扩大。可以这么说，在新一代薄膜光伏领域，德国正在试图重建其全球领导地位，而这一点常常是我们忽略的。

中国政府在行动

从中国光伏产业诞生之日起，“两头在外”便成为它无法摆脱的困境。全球已经安装的光伏电站系统约有50%产自中国，但中国自己建设的光伏电站却很少。

当中国光伏企业以一种“自下而上”的方式发展壮大后，它们却不得不接受这样一个现实：在这场全球性的竞争中，“世界工厂”的宿命正离它越来越近。

世界光伏产业的发展历程显示，没有哪个国家的光伏产业可以不依靠政府的力量发展壮大，更不用说领先全球了。而中国光伏企业从来不缺少地方政府支持，但在当下以及更长远的未来，它最需要的是国家层面的战略性支持。值得高兴的是，中国政府已经在行动。而对分布式电站的大举推进，正使中国光伏产业的未来越来越清晰。

从“金太阳”到“分布式”

他山之石，可以攻玉。2012 年以来，我国政府对正在成长之中并暂时遭遇困境的中国光伏产业的扶持力度一直在不断加强。而在以政府之力推动光伏产业发展方面，德国无疑是最好的榜样。

德国的光伏产业政策主要有三个清晰的方向。第一，通过补贴的方式启动国内市场，包括分布式电站和大型地面电站；第二，推动技术创新，提升行业整体竞争力；第三，发挥行业组织的作用，反映业界诉求。以之为参照，我们不难发现，中国的光伏产业扶持政策正表现出越来越清晰的方向。

对于中国光伏产业来说，“通过补贴的方式启动国内市场”无疑是长久以来最需要的政策支持。从近几年国内光伏市场的发展轨迹可以看出，虽然中国光伏市场的启动并不顺利，之前走了不少弯路，但目前已越来越接近正确的方向。

2009 年，由财政部、科技部、国家能源局共同启动的“金太阳示范工程”是一项对中国光伏产业有着影响深刻的政策。当时，由于恰逢光伏成本居高不下、电网对新能源支持乏力的阶段，“金太阳示范工程”的时代意义因此得以显现。它不仅率先启动了国内光伏应用市场，同时也撕开了光伏并网的一道口子——获得许可的工程项目原则上均可实现并网。

不过，相比中国光伏产业的巨大产能来说，“金太阳”的规模还是太小。以 2012 年为例，这一年，金太阳工程装机容量为 4.54GW，为其历史最高，但当年，中国的光伏产能是 40GW，大约是 1：10 的关系。

不过，这项示范工程历时4年，政策几经调整，在投入了上百亿的资金之后却不得不面对一个尴尬的事实——资金发放下去了，却没产生相应的发电量。相关数据显示，截至2012年年底，“金太阳”示范工程仅有装机总量40%的发电量实现并网，其他工程均因各种原因未完成并网。并且，“金太阳”事前补贴的方式也受到了各方质疑，多位专家呼吁采取“度电补贴”，即按照最终上网电量给予补贴。2013年6月，国家最终宣布取消“金太阳”示范项目。

“金太阳”示范项目之后，对中国光伏业整体影响更大的还是大型地面电站计划。虽然这种大型荒漠光伏电站在国外很少见，其科学性与持续性也仍有待验证，但在中国却一度成为主要的发展方式。

如果说国家能源局于2009年3月组织的招投标“10兆瓦敦煌”光伏发电项目缓缓拉开了大型光伏电站建设的序幕，那么，2011年8月国家发改委出台的光伏发电上网电价政策则直接刺激了光伏企业投身大型光伏电站建设的神经。根据这一政策，2011年7月1日以前核准建设、12月31日之前建成投产的电站，上网电价统一核定为每度1.15元；7月1日以后核准，以及7月1日之前核准但截至12月31日仍未建成投产的电站，上网电价均按每度1元执行（西藏除外）。

这一政策公布后，国内光伏应用市场迅速响应，呈现出爆发式增长态势。各省光伏企业开始不遗余力地抢建大型光伏电站项目。2011年年底，仅青海一个省份，光伏电站并网已达1.03GW，另有1GW在建光伏项目。至此，2011年全国光伏装机总量已达3.6GW，比2010年之前的光伏规模总和多了4倍。

但随之而来的却是突出的资源浪费问题。这些电站建成之后，由于电网基础设施无法及时满足新能源的发展速度，大量弃光现象出现。一段时间以来，在青海格尔木建成的几十家光伏电站被迫陷入“发二停四”的窘境，即建好的电站实施轮流发电、轮流并网，造成了能源的二次浪费。光伏电站业主也怨声载道，将矛头指向国家电网。但一位业内人士指出，大量光伏电站在抢装时刻忽略了电的特性，这也是造成弃光的主要因素。电作为一种特殊商品，不能被储存，所发电力需要及时输送。传统电站在建设之初，都会事先规划好与之配套的输配电设施。但一拥而上的光伏电站显然忽略了这一原则，当光伏电站建设速度远远大于电网配套设施的建设速度时，电网无力输送也是无奈之举，弃光的结果也必然出现。这也正是电网方面对不支持新能源并网的质疑喊冤的原因。

大型荒漠光伏电站的其他弊病也在不断显现。比如，占地量大、解决当地就业能力有限、远距离输送经济性差，再加上补贴款拖欠等现象，最终放缓了国内建设大型光伏电站的步伐。

接近负荷区、即发即用是开发光伏需要遵循的基本原则。这是由于光伏本身具有的“能量密度低、带有随机性和间歇性以及尚不能商业化储存”的特性。因此，靠近负荷区、采用“分布式发电”方式、实行就近发电就近利用更具科学性。事实也确实如此，欧美发达国家多采用此种发电供电模式：用户自建光伏电站，在满足自发自用之余，富余电量向电力市场出售，自用不足则由大系统补给。欧美模式的优势显而易见：不仅发电量得到充分利用，不会出现弃光，同时也节省了大量电网配套设施的投资，以及在输电过程中能源的损耗。[13]

国家层面对发展光伏产业有了更清晰的认识之后，便展开了“自上而下”的梳理。2012 年 9 月，国家能源局在光伏发展的关键节点上，推出了业界盼望已久的《太阳能发电发展“十二五”规划》，将国内的光伏发展之路首次引向“分布式”电站。按照这一规划，“十二五”期间，中国光伏的装机容量目标为21GW，其中分布式发电为10GW，与大型光伏电站相当。

在能源局明确方向之后，之前一度被质疑消极应对光伏等可再生能源并网的电网公司的态度也发生了重大变化，公开向社会承诺将全力支持国家分布式光伏电站的推广，并在2012年10月发布了《关于做好分布式光伏发电并网服务工作的意见》，至此光伏并网之路向前跨出了一大步，整个光伏产业为之振奋。2013年2月，国家电网又发布了《关于做好分布式电源并网服务工作的意见》，将服务范围由分布式光伏发电进一步扩大到所有类型的分布式电源。

目前看来，在国家层面，“大型地面电站”和“分布式电站”齐头并进的基本思路已经相当清晰。值得注意的是，对于光伏“十二五”规划的发展目标，国家能源局已经进行了多次调整。最初，决策层曾考虑将这一目标定为5GW，之后上调至10GW。2012年5月，目标再度上调至15GW。2012年7月，国家能源局将该目标调整为21GW，并在9月正式发布。不过，2013年1月，这一目标再次被上调至35GW。考虑到2012年中国的光伏发电装机总量仅为8.2GW，这也就意味着，未来3年，年均新增光伏发电装机容量将在10GW左右。

在中国可再生能源学会理事长石定寰看来，在短短一年时间内，国家多次上调光伏发电装机容量目标，这恰恰说明了国家对新能源产业战略的高度重视。

必须面对的问题

2013 年 7 月 15 日，在中国光伏产业最为低迷的时期，《国务院关于促进光伏产业健康发展的若干意见》（以下简称《意见》）的出台，再度激发了整个中国光伏产业的热情和希望。

《意见》清晰地描述了光伏产业的战略地位："发展光伏产业对调整能源结构、推进能源生产和消费革命、促进生态文明建设具有重要意义。"在这一前提下，《意见》也表述了"促进光伏产业健康发展"的必要性："在全球光伏市场需求增速减缓、产品出口阻力增大、光伏产业发展不协调等多重因素作用下，我国光伏企业普遍经营困难。同时，我国光伏产业存在产能严重过剩、市场无序竞争，产品市场过度依赖外需、国内应用市场开发不足，技术创新能力不强、关键技术装备和材料发展缓慢，财政资金支持需要加强、补贴机制有待完善，行业管理比较薄弱、应用市场环境亟待改善等突出问题，光伏产业发展面临严峻形势。"

实际上，《意见》的两大主题是"刺激需求"和"抑制产能"。

在刺激需求方面，《意见》将分布式电站的地位提高到了一个史无前例的高度。在积极开拓光伏应用市场的三大举措中，《意见》的表述分别为"大力开拓分布式光伏发电市场"、"有序推进光伏电站建设"以及"巩固和拓展国际市场"。显然，相比国际市场，中国光伏产业未来在国内市场将会获得更大的机会，而在国内市场，分布式电站未来的空间又要大于大型地面电站。

2013 年 8 月，国家能源局公布了第一批"分布式光伏发电示范区"名单，涉及 7 省 5 市共 18 个示范区项目。能源局发布的《关于开展分布式光伏发电应用示范区建设的通知》显示，2013~2015 年，这 18 个示范区项目的总装机容量将为1.823GW，其中，2013年开建749MW，剩余项目在2015年年底前完成。

不过，相比这些利好因素，我更感兴趣的则是抑制产能等可以使中国光伏产业更加健康发展的举措。它们指向的都是中国光伏产业目前不得不解决的问题，也是大多数中国光伏企业目前陷入困境的原因。

以淘汰落后产能为例，申银万国证券股份有限公司的一位分析师指出，从《意见》中可以看出，政府并不主张光伏产业继续扩产，《意见》指出：新上光伏制造项目应满足单晶硅光伏电池转换效率不低于20%、多晶硅光伏电池转换效率不低于18%、薄膜光伏电池转换效率不低于12%，多晶硅生产综合电耗不高于100度/千克。对于中国目前的很多光伏企业来说，上述指标非常严格。现在，国内最好的多晶硅、单晶硅电池的转换效率都达不到18%和20%的要求，其中单晶硅电池转换效率多数为19%~19.5%。同时，多晶硅企业的平均生产电耗都在100度/千克以上。从上述政策思路可以看出，国家希望各大生产商尽快消化现有产能。

的确，该意见的目标就是优胜劣汰，正如《意见》所说："加快企业兼并重组，淘汰产品质量差、技术落后的生产企业，培育一批具有较强技术研发能力和市场竞争力的龙头企业。"

而加速推进企业兼并重组则是调整产业机构的另一重要举措。《意见》明确提出，要"利用'市场倒逼'机制，鼓励企业兼并重组"。从这个意义上说，赛维已经完成第一步并将继续推进的重组，以及无锡尚德正在推进的破产重整，恰恰是整个中国光伏行业以一种更加健康的方式重新出发的起点。

和德国一样，中国政府也将推动技术创新、提升行业整体竞争力作为推动光伏产业发展的重要手段。《意见》称，要"加快提高技术和装备水平。通过实施新能源集成应用工程，支持高效率晶硅电池及新型薄膜电池、电子级多晶硅、四氯化硅闭环循环装置、高端切割机、全自动丝网印刷机、平板式镀膜工艺、高纯度关键材料等的研发和产业化。提高光伏逆变器、跟踪系统、功率预测、集中监控以及智能电网等技术和装备水平，提高光伏发电的系统集成技术能力。支持企业开发硅材料生产新工艺和光伏新产品、新技术，支持骨干企业建设光伏发电工程技术研发和试验平台。支持高等院校和企业培养光伏产业相关专业人才”。

在我看来，对于光伏产业的战略意义，中国政府毫无疑问是高度重视的。对于促进光伏产业健康发展这一总体目标，中国政府也非常清晰。唯一的遗憾在于，虽然国家明确表示支持新型薄膜电池的研发和产业化，但仍缺少配套的规划、政策和措施。

事实上，薄膜电池才是中国光伏产业领先全球的真正机会。并且，在薄膜光伏领域，中国事实上已经拥有了技术、品牌和资本基础。比如，汉能目前已经拥有 7 项薄膜技术，其中，3 项达到世界先进水平，4 项超越世界所有光伏企业。并且，汉能已经建成 9 个薄膜电池生产基地，产能达到 3GW，超过美国第一太阳能公司（2.5GW），已经是全球最大的薄膜太阳能企业。

当然，时间最终会使中国光伏产业的前景越来越清晰。而在既定的战略方向之下，我们可以期待的就是，国家出台更为具体的规划、政策和措施，并把它们落到实处。

光伏产业的发展方向

> 你可以设想一下这样一种未来场景：每个人都拥有一座自己的光伏电站，并且这些电站通过线路联结成一个网络。你的电站所发的电可以用来满足自己的需要，也可以通过网络出售给他人，反之，如果你自己的电量不够，也可以购买他人的富余部分，甚至连价格也可以由你们自行协商。
>
> 这是不是像极了你已经非常熟悉的互联网？是的，这就是未来的智能电网和分布式光伏电站。而这些电站可能在你的屋顶，也可能在你家的外墙或者防晒篷上，甚至有可能被你穿在身上。
>
> 这一切，并不是空想。

“一体化”方案

在世界太阳能发展史上，建筑物和建筑业始终是太阳能最好的盟友。太阳能的热应用便是如此。如今，在许多住宅的屋顶上，都可以看到一排一排的太阳能热水器，这已经成为了一道节能风景线。光伏产业的发展也是如此。《全球新能源发展报告》（2013）显示，目前日本光伏建筑一体化在太阳能发电中所占的比重已经超过了80%。在德国，这一比重也达到了67%。而中国，在现有的光伏装机容量当中，大型地面电站仍占据主导地位。

从中国政府近期密集发布的一系列规划、政策中不难看出，大力发展光伏建筑一体化，应该也是中国落实新能源战略的一个最重要的措施。

美国、欧洲都推行过“阳光屋顶计划”。2009年3月，为了应对金融危机，中国政府也迅速推出了“太阳能屋顶计划”，7月份又出台了“金太阳示范工程”。

过去人们常常说，光伏的希望不仅在西部，更在屋顶。但现在，可以把这句话再延伸一步：光伏的希望不仅在“屋顶”，更在建筑物表面。

> **随着第二代和第三代光伏技术的发展，薄膜电池不仅可以用在屋顶上，而且可以用在建筑物的各个表面上，这就大大拓展了光电和建筑结合的容量。建筑物采光的面积可以成倍地增加，而且操作方便。在高层建筑比较多的城市，这一点尤其重要。**

前面已提到，目前我国建筑面积接近500亿平方米，每年新增的建筑面积等于欧洲和美国的总和。到2020年，我国建筑面积将接近900亿平方米，其中的厂房建筑尤其便于为光伏所用。如果将其中10%的屋顶和15%的侧立面安装上太阳能电池（10%的转化率），全国就可装机10亿千瓦。

2012年以来，中国政府已经把“发展分布式电站”提升到了一个非常高的战略地位。但我认为，在分布式电站当中，还有必要进一步把基于薄膜技术的光伏建筑一体化单列出来，将其作为新能源革命的战略性措施予以认真实施。

凤凰落在梧桐树上

光电好比凤凰，建筑物好比梧桐树，光伏建筑一体化就是“凤凰落在梧桐树上”。两者结合可以带来九大好处。

> **除了在沙漠和石漠化地区建设太阳能发电站外，薄膜电池的重要应用形式就是“光伏建筑一体化”。**

第一，为太阳能这种新能源的落地找到了最好的载体。煤炭、石油埋在地下，而太阳能来自天上。化石能源利用需要挖出来，太阳能利用则需要落下来。装有光伏电池的建筑物便是最理想的落脚点。

第二，光伏建筑一体化不像新建一个电站那样，需要投入建筑费用。如果全国普及光伏建筑一体化，那么节省下来的建筑费用将是一个巨大的数字。除了节省新建费用外，电站还能给原有建筑增值，这也是不可忽略的经济效益。

第三，改善了电能供应和电能消费。实现光伏建筑一体化，把各种建筑物都变成光伏发电站，建立“自发自用，多余上网”的分布式电源体系，改变现在的“集中发电，统一送电”的供电体系，可以使能源利用更便捷、更经济。

汉能正与国内一些知名房地产开发商谋划合作，兴建光伏建筑一体化的住房，这既可以提高房屋的附加值，又可以使住户获得投资收益，宏观上减少化石能源的消费，可谓一举多得。甚至连网络电商也开始瞄准这个市场。京东商城已经推出“零碳馆 2.0”，建筑面积 40 平方米，售价 120 万。也就是说，这样一种智能房间，每平方米售价为 3 万元，在北京、上海、深圳这种房价较高的城市，人们还是能够接受的。

第四，充分发挥光伏新技术的作用。目前，随着中国光伏技术的快速发展，特别是第二代薄膜技术的出现，“光电”与“建筑”的结合可以在各种建筑物上普及。以汉能为例，我们提供的柔性、轻质、环保的薄膜产品，已经可以方便地应用于建筑物的外墙和防晒篷。

第五，可造就一个巨大的内需市场。到 2020 年，按照 10 亿千瓦的装机容量计算，光伏产业的市场规模将达到 10 万亿元人民币，同时，它可以带动的上下游配套产业将是 2~3 倍的市场规模。两项相加，可达 30 万亿元，可以累积创造税收 4 万亿元，能够解决千万以上人口的就业问题。

第六，可以同时提升两个重要产业：能源产业和建筑产业。二者都是中国实体经济的支柱产业，两个产业的结合将大大推动其转型和提升。目前，建筑能耗大约占到全球总能耗的 1/3，节能减排的任务很重。而光伏建筑一体化可以同时为能源和建筑两个方面提供提升的可能性。在能源方面，我们依托建筑，广泛利用太阳能，可以更多地发展新能源；而在建筑方面，不仅建筑自身是节能的，而且能够利用无处不在的太阳能发电，提高效益。两者结合，两全其美。考虑到中国正处在城镇化的高潮期，每年都会有大量的新建筑建成，在我看来，这是发展光伏建筑一体化不可错失的大好机遇。

第七，光伏建筑一体化将改变能源投资的格局。过去，能源投资主要是国家和国有企业投入，能源工程往往是大工程，论证时间长，建设周期长，收回投资的周期也很长。与化石能源不同，推进光伏建筑一体化工程，所有类型的企业都可以投资，甚至所有单位、所有住户、所有个人都可以投资。由于都是自己需要的工程，都是中小工程，投资少，建设周期短，收回投资快，基本没有风险。分布式的能源体系必然引发分布式投资，建设者与使用者合一的融合性投资。在我看来，这种融合了投资、消费甚至生活态度的产品的潜力是无穷的。

第八，建立分布式电源体系必然促进能源的有效利用和节约。统一发电，统一供电的传统体系存在一个两难问题：电价高，生产成本和生活费用会受影响；电价低，一方面会影响电力企业的效益，另一方面又会助长过度的电力消费。而在分布式电力供应体系下，众多的光伏电站的建设者本身就是电能的使用者，实行“自发自用，多余上网”。在我看来，这本身就是一个控制阀，每个使用者都会自觉地高效用电、节约用电，并努力通过“多余上网”获得效益。

第九，为农村现代化和农业现代化提供了一条重要途径。特别在农网改造、解决无电地区人口用电问题方面，将会取得突破性进展。在中国广大的农村，建筑物的特点是房屋楼层少，屋顶面积大，而且几乎全部是独家独院，不少农村地区还有很多种植蔬果和花木的大棚。与城市建筑相比，农村建筑更便于实现与光电的结合。近年来，农村光热利用的飞速发展恰恰说明了这个问题。而对光伏的利用，成本和投入虽然会比光热设备高一些，但随着薄膜产品的技术提升和成本下降，它总有一天会占领农村市场。

以上九个方面的好处足以证明光伏建筑一体化工程的重要地位和重要作用。虽然我们不能放弃在一些适当的地方建设大型光伏电站的努力，但就全国和全局来讲，我们必须把光伏建筑一体化作为落实“新能源替代战略”的主攻方向。

第五章

光伏：未来的展望

导 读

从后羿射日到阳燧取火，中国人带着几千年的追日梦想历经时空穿梭，终于迎来了太阳能大放异彩的21世纪。对能源行业来说，光伏革命意味着不可逆转的终极替代；对环保生态来说，光伏能源意味着终极解决方案；对汽车、飞机、住宅等关联行业来说，光伏能源意味着源源不断的动力和温暖。

光伏对于人类的意义也是如此。从此，人类将告别“黑金文化”，迎来“太阳文化”，阳光下的地球人将不再因为煤炭和石油而流血争斗；工业生产由集约走向分散，社会组织由集中走向扁平，人们的观念更加开放和包容，对资源强调“为我所用”而不是“为我所有”，对财富强调“共享”而不是“独享”。

太阳能让人类变成高度文明的“光伏人”，头顶是蓝天白云，脚下是青山绿水，居所的能源自给自足，汽车、飞机、轮船拥有清洁永续的动力。这就是中国人的“光伏梦”。

光伏的世纪

> 为什么美国人敢预言说，到 2050 年，太阳能将为美国提供 69%的电力和 35%的总能量？为什么随着光伏的崛起，煤炭、石油行将末路，页岩气、核能、生物质能、潮汐能等将不再是新能源的方向？为什么太阳能将是人类唯一的、不可逆转的能源替代方向？这是因为，21 世纪将是太阳能的世纪，太阳能的世纪将是光伏的世纪。这就是光伏产业对能源业的影响。

技术进步日新月异

在技术变革与光伏发展的关系上，总结以往的经验，我们可以得出如下结论：

一是技术进步将继续推动太阳能光伏行业发展。太阳能光伏产业已经拥有 40 余年的技术积累。早在 1969 年，世界上第一座太阳能发电站就在法国建成，确立了光伏产业的雏形。随后，光伏技术不断突破。值得一提的是，继法国之后，德国在太阳能技术上也取得了突破。2011 年 4 月，博世太阳能公司研制的大面积PERC（钝化发射极背场点接触）太阳能光伏电池的能量转化率达到了 19.6%，成为当时世界上效率最高的电池。在以法德为代表的欧洲大陆之外，美洲大陆也取得了新技术的突破。2011 年 7 月，美国第一太阳能公司生产的碲化镉电池的能量转化率已达 17.3%。

伴随着欧美各国太阳能科学实验的发展，太阳能利用技术进步之快超乎大众的想象。我们于 2006 年创建全国工商联新能源商会的时候，太阳能的发电成本大概是每度电 3~4 元。到 2009 年，只用了不到 3 年时间，太阳能的发电成本就已经降到 1 元以下，目前已降至 0.5 元左右。

当今世界的太阳能光伏技术处于一个技术日益成熟、发展日新月异的阶段。无论从单晶硅、多晶硅技术，还是从薄膜技术的路线来看；无论是太阳能电池的转化率，还是太阳能设备制造技术、系统集成技术，在未来都会有更大程度的突破。可以乐观地预见，在未来有限的时间内，这一指标还会有突破；而装备制造、系统集成方面，产业化技术不断改进，商业化应用也迅速普及，这将会大幅降低光伏发电的成本，使太阳能光伏行业获得长足进步。

二是新技术催生大公司，大公司带动新技术。在薄膜技术大发展的背景下，美国、韩国、日本、欧洲各国出现了大量依托薄膜太阳能技术的大公司。

在一个行业崛起之时，新技术催生了大公司，大公司往往又催生新技术。比如，新型计算机技术的发展曾经催生了IBM这样的一流商用机器企业，而IBM在个人电脑领域的大笔投资、大力研发，又使家用电脑普及世界的每一个个人用户。

如果与新技术背道而驰，则有可能终结大公司的前途。通信领域的摩托罗拉正是一个发生在你我身边的反面案例。在 20 世纪 90 年代之前，摩托罗拉一直扮演着拓荒者的角色。1969 年 7 月，人类从月球传回来的第一句话就是通过摩托罗拉的无线设备实现的。而到了 90 年代，在通信领域由模拟通信向数字通信转化的大潮中，摩托罗拉并未跟上技术进步的步伐，从而导致如今被谷歌收购并边缘化的后果。

化石能源面临窘境

新技术革命、新工业革命的到来，一方面宣告了太阳能的崛起、光伏世纪的到来，另一方面也预示着化石能源日渐式微。

也就是说，化石能源的窘境一方面是由于自身的原因——随着全球工业化的大发展，化石能源面临资源枯竭，同时，因为化石能源大部分通过燃烧产生能量，燃烧方式产生的气体排放造成了大面积、全球性的环境危害；另一方面则是由于新能源对化石能源的替代——新能源尤其是可再生能源的大发展，为替代化石能源提供了可行性，太阳能光伏的发展则将这种替代推向了肯定的、不可逆转的方向。

化石能源枯竭问题已经迫在眉睫，最具代表性的案例就是“二战”后的两次大型石油危机。发生在 1973~1974 年、1979~1980 年的这两次石油危机导致国际市场上原油价格暴涨（比如，油价从 1979 年的每桶 13 美元猛增至 1981 年的 34 美元），给西方国家的经济带来了沉重打击。

与此同时，化石能源大面积使用带来的环境问题也越来越突出：在全球范围内，全球变暖、温室效应、海平面上升等气候反常现象都与此有关。

在化石能源即将枯竭、副作用加剧的情况下，可再生清洁能源的发展为人类探索能源结构优化和改良提供了可能。根据英国石油公司发布的2013年《BP世界能源统计年鉴》，2012年可再生能源的发电量增长了15.2%，在全球发电总量增速放缓的背景下，水电之外的可再生能源在全球发电总量中的比例上升至4.7%；同年，全球因能源使用而产生的二氧化碳排放量增速低于2011年的水平，美国煤炭消费的减少则帮助美国将二氧化碳排放量降低到1994年的水平。

而光伏太阳能的发展加快了新能源对化石能源的替代趋势。这种加快的趋势主要表现在两个方面：一是部分国家已经明确提出了光伏能源对化石能源的替代计划；二是消费者愿意以稍高的代价接受光伏能源的价格。

世界上已经有多个国家确定了光伏能源对化石能源的替代计划，比较有代表性的是美国。2008年，美国的肯·茨魏贝尔等三位学者制订了一个宏伟的计划：到2050年，太阳能将为美国提供69%的电力和35%的总能量（包括交通工具在内的能耗）。同时，三位学者预计，届时，电力价格将达到5美分/度，这与当时美国的电力价格相当。如果风能、生物质能等能源都得到开发的话，到2100年，美国电力供应和能耗的90%将被清洁能源替代。目前，美国对页岩气进行的大开发可能延缓了这一进程，但美国仍然是重要的太阳能开发和利用大国。

在消费者的接受方面，2009年，国际环境保护组织协会宣布，该机构委托益普索集团在中国10个城市进行的一次抽样调查显示，接近80%的受访者非常认同煤炭污染空气的看法，他们同时表示，愿意为太阳能、风能等清洁能源支付 19%的价格增长。

做出以上判断的前提是光伏产业处在常规发展状况下。如果光伏产业的发展真正演化成一场“革命”，那么光伏太阳能对化石能源的大面积替代将不是美国学者所预测的 40 年时间，而是 35 年、30 年甚至更短。

> **我国光伏产业在资本、人才、技术、市场等方面已经取得了一定的国际竞争优势，但也暴露出了四大问题：一是产业发展无序，多晶硅产能扩张过快，供需失衡问题突出；二是市场对外依存度高，国内应用政策体系亟待健全；三是技术基础及创新不足，后续发展面临挑战；四是国际贸易保护主义抬头，产业发展外部环境恶化。**

“终极替代”不可逆转

尽管当下煤炭、石油等化石能源仍然占据人类能源消费结构的大半河山，但是切实的数据已经告诉我们，可再生能源对化石能源的替代的确是不可逆转地发生了。

核能、风能、生物质能、潮汐能等能源类型正在优化人类能源利用的结构。2013 年《BP 世界能源统计年鉴》显示，石油仍是全球主导性燃料，约占全球能源消费的 1/3，但是从英国石油公司 1965 年第一次统计能源数据以来，石油目前所占的份额是历史最低值；煤炭仍是增长最快的化石燃料，但与历史平均水平相比，煤炭也是增幅下降最大的化石燃料。

可再生能源对化石能源的替代速度正在加快。仅仅用了10年时间（2002~2012年），水电之外的可再生能源占全球能源消费的比例已经从0.8%上升到2.4%。这一替代速度从总量上看并不明显，但从增幅数值上看，趋势极其明显。

不过，相较于太阳能，核能、生物质能等可再生能源则缺乏明确的前景。2013年《BP世界能源统计年鉴》显示，全球核能发电量下降6.9%，是有记录以来连续第二年的最大降幅。受美国生物燃料产量下降4.3%的影响，全球生物燃料生产出现了2000年以来的首次下滑。此外，由于发电时间不稳定、风力资源分布不均衡等因素，风能近几年的发展也受到了一些限制。

核能依赖于铀的开发，而地球上的铀储量是有限的；生物燃料依赖于大量农作物的种植，也是一个不划算的能源方式；潮汐能同样需要付出较大的环境、资源代价，也不是最佳选择；而美国人鼓吹的页岩气从根本上说还是化石能源，并非可再生、清洁能源。

综合来看，只有同时符合如下特征，这种新能源才能成为人类能源的最终解决之道：第一，终极替代能源必须是新能源里的可再生、清洁能源，页岩气被排除；第二，终极替代能源必须具备时空分布均衡的特点，潮汐、风力被排除；第三，终极替代能源生产、利用时必须具备安全可控的操作工艺，核能显然不具备；第四，终极替代能源必须是成本可控、价格低廉的能源，而煤炭、石油无法满足这一点。

而光伏能源符合上述所有特征。第一，太阳能光伏能源本身取自太阳，不存在地质开发以及不可替代开发的问题，因此，光伏确实是一种可再生的新能源；第二，光伏具备时空分布均衡的特点，这样避免了不必要的设备闲置和区域发展不均衡的问题；第三，光伏不存在核泄漏等大面积生产性危害，属于生产环节相对绿色的能源类型；第四，光伏产业的大发展时间不长，产业基础并不完善，但光伏产业的发电效率已经具有一定的优势。

由此判断，太阳能替代化石能源并不是多选题中可选的项目之一，而是唯一选择。从现实可行、长远发展的角度看，它也是无可回避的必然趋势。至于化石能源何时寿终正寝、光伏技术何时能被应用于全世界，只是时间、技术、地域、政治等问题。

目前，由于技术不断进步，太阳能发电成本不断下降，而传统化石能源的发电成本却在不断上升，一个在降，一个在升，其交点就是大规模替代的战略转折点。

太阳能光伏替代化石能源也具备可行的现实基础。前面提到，现在的光伏度电成本已经下降到了 0.5 元，这是一个具有里程碑意义的数字，如果把化石能源对环境破坏的成本计算在内，其发电成本应在 0.5 元/度以上，因此，大规模替代已经来临！

需要注意的是，这一次的替代将不是阶段性的替代，而是终极替代。也就是说，当太阳能完成了对化石能源的替代之后，不会再有新的能源形式替代太阳能。从此以后，人类将告别石油和煤炭开采、石油战争、核泄漏危机，进入永久的太阳能时代。

源源不断的动力

说到太阳能，人们的第一反应往往是安装在自家屋顶上的太阳能热水器。太阳能对人类建筑的影响难道仅限于此?

为什么我和吉利控股集团董事长李书福共同决定，在汽车上加装一个可以发电的采光帆? 为什么将来的飞机不用太阳能做动力呢?

光伏对于关联行业的影响包括上面的问题，又不限于上面的问题。它会影响到地面电站、建筑物、交通工具，甚至可以延伸到台灯、帐篷等具有快速消费品属性的行业。

光伏电站如火如荼

1893 年，美国芝加哥正在筹备一场世界博览会。这一世界商贸活动兴起于 19 世纪 20 年代，在 19 世纪中期伴随着工业的发展，逐步增加了科学、艺术、生活等元素。当时，美国两位针锋相对的科学奇才爱迪生和特斯拉将目光瞄准了世界博览会的舞台，准备在全世界人民的注视下一决高下。

他们较量的起因是：主办方希望找到一套可以照亮整个会场的照明设备，可用的解决方案之一是爱迪生提供的直流电解决方案，方案之二是特斯拉提供的交流电解决方案。最终结果是，1893 年 1 月，博览会开幕了，9 万多盏由特斯拉的交流电支撑的电灯照亮了整个会场。

1895 年，利用特斯拉的交流电技术，世界上第一座水力发电站在尼亚加拉大瀑布上建成。发电站可以将电流传输到距离发电站 35 公里的法布罗市。这一事件宣告交流电彻底战胜了直流电，而爱迪生的直流电瞬间就成了一种过时的技术。

直流电和交流电技术开启了第二次工业革命的前奏，对交流电技术的应用则开启了地面电站从无到有的历史。站在第三次工业革命的前沿，光伏革命对地面电站的影响将更进一步。

光伏革命对地面电站的影响主要分为两个方面：一方面，以光伏为代表的清洁能源电站将逐步取代化石能源为主的传统电站；另一方面，由于太阳能具有广泛和分散的特点，因此未来的电站将由集中走向分散。

从当前的结构看，传统电站仍然是电力供给的主力。彭博新能源财经的数据显示，尽管发电量的地域分布有所变化，化石燃料发电仍是全球发电量的主要来源。得益于欧洲、美国以及最近中国实施的鼓励政策，除核电外的可再生能源在 2006~2012 年增长了 64%。其中，风能和太阳能增长最快，太阳能发电建设在成本大幅降低后，也得到了快速发展。

与此同时，从投资趋势来看，以太阳能为代表的新型电站的投资，已经如火如荼地展开。彭博新能源财经的数据显示，由于对光伏等可再生资源的关注，2006~2012年全球对清洁能源的投资保持着17%的年复合增长率，投资趋势代表了行业未来的发展方向。

从成本角度讲，光伏等新能源电站已经具备了对传统电站的价格优势。目前，从绝对数值来看，如果简单地比较价格，光伏电站的优势还不明显。不过，由于光伏系统成本急剧下降，所以如果将碳排放费用考虑在内，太阳能发电价格已经能够与煤炭发电价格进行竞争。随着光伏技术的日新月异，光伏电站价格将不断下降，光伏电站相对于传统电站的价格优势将更加突出。

从趋势的角度分析，2020年将可能是新能源电站替代传统电站的分水岭。预计到2020年，太阳能发电将成为除风能之外的第二大增长点，届时太阳能发电将新增427GW。值得注意的是，这一判断是在光伏革命稳步推进之下做出的判断，而非超前判断。

另一方面，由于太阳能具有广泛和分散的特点，因此未来的电站将由集中走向分散。分布式发电通常是指发电功率在几千瓦至数百兆瓦（也有人将范围限制在30~50MW以下）的小型模块化、分散式、布置在用户附近的高效、可靠的发电单元。

光伏分布式发电的优势在于投资少、见效快。传统电站的一次性投资为数十亿元，建设周期为5~15年，资金风险较大。而分布式电站的投资很小，而且很快就可以投入运营。光伏电站替代传统电站可以为用户提供高质量、可靠的电力，避免了传统电站结构复杂的问题。同时，光伏分布式电站可以打破垄断，引入竞争，提高能源利用率。当然，风能和生物质能也可以采取分布式发电模式。

光伏建筑一体化

讨论过光伏对发电站的影响之后，我们再来探讨一下光伏革命对建筑业的影响。

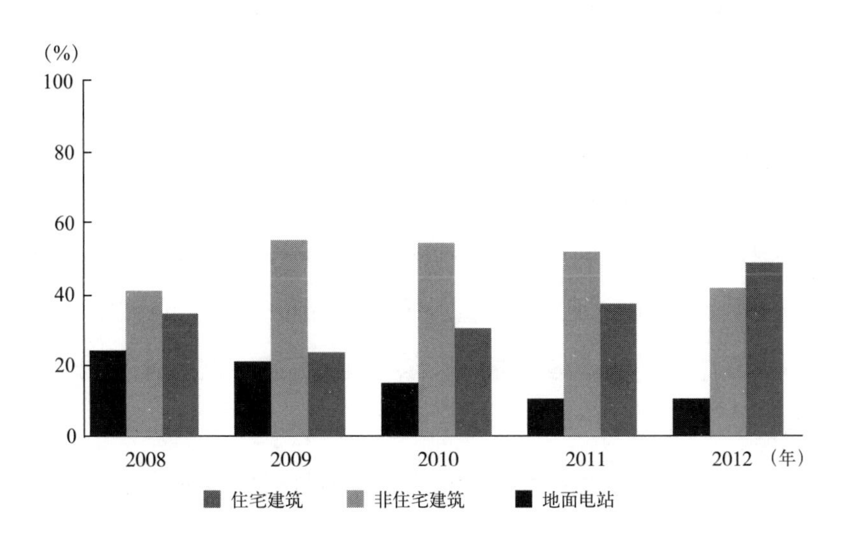

图 5–1　2008~2012 年全球光伏市场应用细分

资料来源：《全球新能源发展报告》(2013 年)。

对大众来说，一讲到太阳能对于建筑物的影响，大家的第一印象就是在屋顶上加装一个太阳能热水器。这是普通大众在认识上的一个误区，事实上这只是利用了太阳能的光热效应，而不是光伏应用。就光伏对建筑物的影响而言，如今已经形成了固定模式，即光伏建筑一体化。

光伏建筑一体化把建筑、技术和美学融为一体，相互间有机结合，从而避免太阳能热水器式结构对建筑物外观形象造成的影响。

2012 年 6 月，宜家宣布与汉能建立战略合作关系。合作的内容是，在宜家所有的中国门店安装太阳能光伏电池板，共同推进宜家集团的节能减排项目。目前在全球范围内，宜家建筑物所使用的能源有一半以上来自风能和太阳能等清洁型新能源。宜家全球的建筑物已经安装了25万块太阳能电池板，同时，它还拥有并维护着80台风机的运营。以北京宜家卖场为例，已安装的屋顶太阳能电池板的装机容量达到416.24KW，年均碳排放量将减少426吨左右。

国际性非营利机构“气候组织”大中华区总裁吴昌华曾说：“中国处在一个特定而特殊的发展时期，面临不平衡但又急需发展的挑战与机遇，能源的清洁化、节能减排指标的实现是当务之急，迫切需要领袖型企业的榜样作用与引领。我们赞赏宜家和汉能及时而到位的合作，同时，我们期待更多企业与社会各界的积极参与，共同实现以清洁、低碳、绿色为特征的美丽中国梦。”

对于光伏建筑一体化产业的发展，我国可根据当前的实际情况，采取先试点后大范围推广的做法，对已建和在建的工商业及居民建筑，凡是经过光伏建筑一体化改造的，分别实施较大力度的契税、房产税等相关税费的减征和免征政策，并将光伏建筑一体化改造作为新建筑审批的先决条件，鼓励自发自用和上网，与电网实行净电量结算。同时，通过信贷优先、利率优惠等专项政策，鼓励光伏建筑一体化生产企业的发展。

交通工具光伏化

光伏革命对汽车等交通工具造成的影响也将是颠覆性的。

汽车被称为“改变世界的机器”，它的出现和发展造就了汽车工业，振兴了石油产业，改变了人们的工作方式和生活方式，使整个社会在车轮上前进。2011 年，全球汽车产量为 8 010 万辆，同比增长 3%，全球汽车保有量为 10 亿辆。同时，汽车行业是美国、日本、德国等发达国家的重要支柱行业。汽车行驶和停放在全球各个角落，如今的地球是一个汽车的世界。

汽车数量的逐步增多造成了两个后果。后果之一是，随着汽车产量的扩大，对石油的消费量不断增大，2011 年全球石油消费达到 8 800 万桶/天。后果之二是，汽车的石油消耗量越来越大，汽车尾气的污染越来越严重。全球碳排放量的 35% 来自石油消费，而汽车是石油消费的最主要渠道。在肯定汽车为人类生活带来方便的同时，如何解决汽车行业的燃料问题、破解汽车能耗带来的污染问题，早已经成为人类需要解决的重大课题。

用电能替代石油能源驱动汽车，一直是人们努力的方向。事实上，电动汽车发明的时间早于内燃机动力汽车发明的时间。1886 年，被誉为“汽车之父”的德国人卡尔 · 本茨发明了以内燃机为动力的汽车。1834 年，美国人托马斯 · 达文波特制造出第一辆直流电机驱动的电动车，这是世界上第一辆真正意义上的电动车。电动汽车凭借其快速和便于驾驶的特点，很快替代了蒸汽汽车。但是，由于电动汽车的电池储电量问题始终没有突破，所以最终没能得到普及。1908 年，美国亨利 · 福特发明了可以普及的内燃机汽车，并迅速占领了市场。内燃机汽车的普及促进了石油工业的发展，石油价格的降低又促进了内燃机汽车的普及。于是，伴随着内燃机汽车的普及，电动车被放在了被遗忘的角落。

时隔 60 余年之后，在 1973~1979 年的两次“石油危机”爆发时，电动车趁机发起了两次革命性的挑战。但是，电动汽车的痼疾仍然存在。因为性价比偏低、充电不方便和连续行驶时间比较短等劣势，第二次对汽油动力汽车发起挑战的电动汽车并未获得最终的成功。

今天，光伏革命的发生和展开为电动车的发展提供了新机遇。在这里，我想和大家分享一个小故事。

最近，我作为企业家代表随同国家领导人出访，在回国的飞机上，恰巧与李书福坐在一起。在交谈中，我们从对方那里了解到此前彼此都不了解的信息，当然聊天的话题是李书福关心的汽车。李书福介绍说："电动车每消耗一度电，可以走 8~10 公里。"对于这一消息，我意识到这是一个意外收获，我没有想到的是，驱动偌大的汽车竟然只需要这样少的电量。于是，结合汉能的技术优势，我告诉他："用光伏薄膜覆盖车身可以形成一个 2~3KW的太阳能发电系统，这一发电系统所发出的电量至少可以支持电动车行驶 100 公里以上的路程。"听了我的讲述，李书福也感到收获了意外惊喜，他没想到的是，光伏薄膜技术已经进步到这种程度。

两个"没想到"碰撞出了创新的火花。我俩当即决定合作研发这种太阳能汽车。同时，我们还有一个很有趣的创意，即在这种汽车上安装一个可以升降的采光帆，根据需要去加大采光面积，以增加电动车的发电量，从而满足更远距离的行驶。目前，我们设想的这种汽车已经开始了前期研发工作。

在研发和推广电动车方面，有业内人士依据电动汽车的经济指标算过这样一笔账：一辆燃油汽车百公里油耗为 10 升，按照 8 元/升的单价计算，百公里燃油汽车的成本为 80 元；在同等路况和内外部环境趋同的状态下，一辆电动汽车每百公里耗电量为 12 度，按照 0.5 元/度的价格计算，电动汽车的百公里成本仅为6元。同样是百公里的路程，电动汽车的成本不到燃油汽车的1/10。不过，上述经济账是在“插电式”取电的状态下计算的，在当前的光伏技术水平下，我们可以完全依赖车身覆盖光伏薄膜的方式发电。光伏汽车如果能够得到大面积推广应用，那将是电动原理的汽车对燃油（燃料）汽车的第三次挑战。

我相信，光伏汽车对抗燃油汽车的情形可以描述为：“且看今日之域中，竟是谁家之天下？”两种技术路线较量的结果显而易见，而整个传统汽车工业将被颠覆，那将是一场牵动数万亿元产值的产业大变革。

有了光伏革命在汽车业上的实践这一基础，能源替代在交通工具上的设想难道不可以在火车、飞机、轮船上实现吗？这个想法听起来似乎像是一个童话，但是，在日新月异的科学世界，我们已经看到了这个童话的现实开头。

2010年7月8日，瑞士探险家安德烈·勃希伯格驾驶的“太阳驱动”号太阳能飞机首次试飞成功，创造了26小时零9分钟的不间断飞行记录。瑞士探险家拉法埃尔·多米扬联合瑞士和德国制造商，于2009年制造出了太阳能动力双体船。该船2009年9月从摩纳哥出发，历时一年半航行6万公里，于2011年5月5日返回摩纳哥。2011年6月6日，全球第一列太阳能火车投入运营。

家用电器与光伏同行

光伏革命对工业的影响不限于电力工业、建筑业和交通运输业。随着光伏革命的深入，其影响也将深入到与人类经济生活密切相关的日用消费品领域，其中，最显著的是家用电器领域。

电力在人类生活相关领域的广泛应用是第二次工业革命的重要特征。电力在消费品领域的广泛应用则催生了人类工业结构中的家用电器领域。

目前，应用广泛的家用电器包括冰箱、洗衣机、空调、电视、电话、电脑、电灯、电饭锅等。这些家用电器构成了人类现代生活的物质要件。很难想象，如果缺少了这些家用电器，人类的生活将如何开展？

家用电器行业已经颇具规模。以中国市场为例，第三方调研机构中怡康时代市场研究有限公司预计，2013 年，中国家电市场总规模将达到 11 880 亿元，同比增长 3.2%。该预计数据中并不包含对电脑、电话等广义上的电器的统计，如果加上，国内家用电器市场的规模将更大。

光伏革命的深入发展将对家用电器领域产生深远的影响。这种影响趋势并不缺乏旁证支持。

事实上，在第三次工业革命到来的过程中，同样作为第三次工业革命标志的互联网技术已经对家电行业产生了一定的影响。目前，依托互联网技术的家电工业正在发生深刻的变化，“云家电”的概念应运而生。“云家电”概念在冰箱、洗衣机、空调等领域都有诸多成功实践。同时，依靠互联网技术，国内家电巨头如美的、海尔等已经实现了对所有家用电器的移动互联。

光伏革命对家用电器的影响将更加全面。一方面，光伏革命将使原来需要通过插电方式才能应用的家用电器，通过直接的太阳能发电就能够应用，例如太阳能手机、太阳能电脑、太阳能打印机、太阳能灯具、太阳能电磁炉、太阳能烤箱等。另一方面，光伏革命将有效延展家用电器的范围，使传统概念中不属于家电领域的产品电器化，例如太阳能帐篷、太阳能手表、太阳能桌子、太阳能茶具等。

多年来，由于家电工业的迅猛发展，能源消耗和污染问题日益严重。为了应对家电工业发展的相关问题，我国政府相关部门一直以制定能耗标准的方式鼓励行业节能减排，提升竞争力。尚普信息咨询有限公司家电行业分析师认为：新能效标准的提高将淘汰不少产品，生产企业的数量也将减少，行业将迎来新一轮的洗牌。

光伏革命对家用电器业的深入影响将从根本上解决能耗问题和污染问题，也将使家电企业有更多技术投入资金，实现家用电器在智能和3D等领域的全面技术升级。

太阳能产业是实体经济，对经济结构调整意义重大，会带动包括高端装备制造等在内的多个产业。太阳能产业一定会成为国家的重要支柱产业，是城镇化以外，快速、有效拉动国内经济增长的又一个新的经济增长极。

绿色家园不是梦

> 中国曾经错过了第一次工业革命的机遇，在第二次工业革命的百年进程中，也只是最近的30年才参与其中，这是不幸，又是万幸。
>
> 不幸毋庸赘言，万幸指的是：化石能源带动的两次工业革命带来了严峻的生态危机，而我们涉入尚浅，我们赶上了以清洁能源为特征的第三次工业革命，可以以太阳能光伏技术为契机，实现我们的“绿色家园梦”。

生态危机离我们很近

“文明如果是自发地发展，而不是自觉地发展，则留给自己的是荒漠。”130多年前，马克思对人类突飞猛进的工业文明曾发出这样的忠告。令人遗憾的是，虽然这句话被编入《马克思恩格斯选集》（第一卷）很显眼的位置，但是，工业革命的先行者们并未留意它的深层内涵。于是，人类在生态“荒漠化”的道路上越走越远，生态平衡遭到严重破坏。

人类生产、生活带来的负面影响是生态问题的主要诱因。其中，破坏性最大的是对化石能源的过量和不当利用。

以温室效应为例，公认的科学观点认为，大量的化石能源消费引起温室气体排放，使大气中温室气体浓度增加、温室效应增强，进而导致全球气候变暖。1860 年以来，全球平均气温提高了 0.4℃ ~0.8℃。政府间气候变化专门委员会（IPCC）所做的气候变化预估报告的结论是，二氧化碳是温室气体的主要成分，其中约 90%以上的人为二氧化碳排放是化石能源消费活动产生的。

中国的发展经验也具有教育意义。中国改革开放 30 余年，走完了发达资本主义国家两三百年才走完的工业化道路。但是，我们也付出了高昂的代价。我国能源先天不足，重要资源对国际市场的依存度逐步提高。

在这种状态下，中国的环境问题堪忧。截至目前，我国温室气体排放总量大、增速快，应对气候变化的压力不断加大。从历史上看，我国 1850~1990 年的累计二氧化碳排放量只占全球排放量的 5%左右，当时我国的环境压力很小。但当下，我国二氧化碳排放总量已居世界第一位，约占全球排放量的 24%。根据国际能源署的推算，到 2035 年，我国累计排放量将超过欧盟，成为世界第二大累计排放国。

环境问题引出众多宏大命题，例如经济发展速度、能源利用、国际竞争、国民利益和人类命运……

将污染严重的制造业外迁是发达资本主义国家惯用的手段。具体而言，在 20 世纪最后的 40 年里，经济迅速崛起之后，出于成本控制、劳动力缺乏、治理本国环境问题等方面的考虑，日本对外转移了 60%以上的高污染产业。在这一被称为产业梯度大转移的过程中，美国也从国内转移出去 40%的高污染产业。

50 年前，发达国家可以用“祸水东引”的方式向世界转嫁环境危机。在互联网科技发达以及人人关注环保的今天，中国似乎无法复制美国和日本的老路。

在无法向国外转移的情况下，我国治理环境的任务艰巨。2012 年，中国共产党第十八次全国代表大会对生态文明建设做了全面部署，并将生态文明写入党章。这种举动在世界政党发展史和执政史上还是第一次。学界认为，中国共产党的这一举措是人类认识史上的重大飞跃、理论上的重大创新、实践上的重大举措，建立了人类建设生态文明的里程碑，开启了中华民族永续发展的新征程。从实际的角度出发，这也是中国环境治理严峻形势之下的明智之举。

中国的环境治理可能会成为一代人的事业和梦想。行业估算的数据显示，中国水环境治理的总花费将达 2 万亿元，而空气环境治理的花费也与之相当。治理两项环境污染共计需要 4 万亿左右的花费，而我国政府 2012 年的财政总收入才 11.72 万亿。具体切实的经济花费可以计算，但时间成本这种无形价值可能是中国一代人需要付出的代价。

光伏革命是解决方案

作为错过了第一次工业革命、赶上了第二次工业革命尾巴的后发国家，在旧能源污染治理上，中国或许不用走发达国家那样漫长的“先污染，后治理”的道路。我们只经历了 30 年的第二次工业革命，虽然生态问题也比较突出，但还不至于越陷越深。如果我们能有效利用第三次工业革命的机遇，迅速进入新能源时代，或许在经济发展、能源利用、环境保护等三方面会比欧美少付出一些代价，就可以抹平过去两次工业革命对人类生态带来的创伤。

更值得庆幸的是，我们生活在一个科技不断进步的时代。得益于光伏科技的发展，中国人也许不需要花费美国那么长的时间，在相对较短的时间内就可能重见碧水蓝天。

光伏革命对于环境治理是一大利好因素。第一，光伏太阳能属于清洁可再生能源，不会产生有害气体，也不会产生废渣等有害物质排放。第二，太阳能发电具有分布式特点，从而避免了大型工程建设带来的水质污染、噪音污染等。第三，我国城镇化建设正在如火如荼地进行，城镇化建设与光伏革命历史性的结合能够防止城镇化走过去“先破坏再修复”的老路。

当然，光伏革命带来的能源替代只是物质化层面杜绝生态环境破坏的手段，要想从根本上扭转环境问题，马克思所说的“自觉发展”，即所谓人类的环境自觉意识才是关键中的关键。在这方面，国外开展的“零碳屋”和“零碳社区”实践倒是一种不错的环境自觉意识的产物，例如英国伦敦南部萨顿区的“零碳生态社区”。

这片建立在污物回填地上的社区由英国著名生态设计师比尔·邓斯特“主刀”，所有的设计都围绕着对阳光、废水、空气和木材的循环利用。伦敦的贝丁顿生态村是一处占地 1 公顷，拥有近百套房屋、千余平方米办公区及一个展览中心、一家幼儿园、一家社区俱乐部和一个足球场的社区。在零碳屋里用餐时，可以看到吃剩下的饭菜转眼间变成发电供暖的原料。“零碳社区”的大坡屋顶如海浪般起伏。南面安置有太阳能板，这是零碳馆能源的主要来源。建筑外表皮的构造由外至内分别为干挂水泥纤维板面层、天然保温材料层、外墙体支撑结构及内饰面高密度石膏抹灰。于是，阳光、雨水等自然资源照单全收，变成了能够为我所用的电能、饮用水、浇花水。

零碳社区的理念就是，以光伏太阳能为能源载体，通过与之相关的一整套设计、建设解决方案，最终将人类活动造成的环境危害降至最低点。在实际运用中，零碳社区的理念可以拆解为水利用、太阳能利用、生活垃圾利用等各种单独的解决方案。在条件不成熟的时候，单独的解决方案也可以为环境保护做出贡献。当然，给人类现代生活带来最大污染的能源消耗被太阳能光伏发电替代，在更大程度上缓解了环境压力。从综合意义上讲，因为有了光伏太阳能对高污染能源的替代，有了因为能源革命带来的“零碳社区”实践，我国实现生态文明建设将指日可待。

光伏助力“中国梦”

何以说光伏革命符合“中国梦”的价值观？回答了这个问题，也就回应了光伏之于中国的意义——中国的光伏产业恰逢其时，中国的光伏企业有梦想、有奋斗。中国人的“光伏梦”不仅是“圆梦中国”的重要内容，更是“圆梦中国”的强大支撑。

光伏支撑“中国梦”

从属性上看，光伏革命是“中国梦”实现道路上的重要内容；从功能上看，光伏革命将是“圆梦中国”的强大物质支撑。

经过改革开放30多年的发展，中国经济目前处于转型期。过去，中国主要是靠大量投资和出口拉动经济增长；现在，逐渐向以内需为主转变，从粗放型经济增长方式向集约型增长方式转变，这一转变的终极目标是实现中国经济的可持续发展。

近年来，中国经济确实存在诸多问题，粗放型经济发展方式的诸多弊端不断暴露，主要包括经济发展重规模不重质量、以牺牲环境为代价、缺乏核心技术竞争力、地方政府债务危机严重等。这种状况的持续发展势必会影响我国经济的健康发展，进而影响到“中国梦”的顺利实现。

为了杜绝这种情况的恶化，国务院总理李克强对中国经济提出挤水分、调结构、简政放权、布局城镇化、力促发展模式转型等要求。

具体而言，“挤水分”是指挤掉经济增长中的外延水分、内涵水分。所谓的外延水分指的是超额供给，内涵水分指的是微观效率。这里的效率就是投入产出比率。目前，中国经济的产出很高，但是投入也相当高，浪费非常严重。这种低效率的损失被视作增长的内涵水分。挤水分的手段很多，最重要的手段是依靠科技进步。

以光伏技术为驱动的能源革命正好符合李克强总理提出的“挤水分”的要求。

从光伏电站的建设来看，它具备不受区域环境限制的特点；从投资规模上看，它不像传统电站那样投资巨大，而且一经投资很快见效，因此，不存在传统模式的水分问题；从光伏革命能够带动的工业发展来看，光伏革命影响下的工业发展趋势代表着未来的发展方向。以汽车行业为例，化石能源汽车终将被新能源汽车替代，这已经成为业内共识。在诸多新能源汽车解决方案中，光伏汽车凭借其理念的先进性和节能的高效性，无疑会成为未来的一个发展趋势。光伏革命及其影响下的能源革命和工业革命，必将在我国经济“挤水分”的过程中发挥重要作用。

所谓“调结构”，就是要进一步优化三大产业比例，优化农业产业结构，优化工业支柱结构，优化传统服务业与现代服务业结构，优化财税结构。

光伏革命将在“调结构”的过程中发挥积极作用。以科技为先导的光伏革命首先会在能源行业诱发一批以光伏技术及其配套技术为基础的能源企业，从而促进我国能源结构的优化。同时，如果光伏革命得以大范围开展，将缓解我国工业企业中高耗能企业的能耗问题。同时，光伏革命带动的工业转型升级将诱发一批产业升级。以建筑业为例，国外正在推行的“零碳社区”将带来建筑理念和建筑业的巨变。

所谓城镇化，是指农村人口转化为城镇人口的过程。反映城镇化水平的一个重要指标是城镇化率，即一个地区常住人口占该地区总人口的比例。当前，世界城镇化水平已超过50%，即有一半以上的人口居住在城市。早在《国家“十一五”规划纲要》中，我国就已经明确“要把城市群作为推进城镇化的主体形态”，“十二五”规划再次强调，以大城市为依托，以中小城市为重点，逐步形成辐射作用大的城市群，促进大中小城市和小城镇协调发展。

在城镇化的发展过程中，有一项最重要的共识就是，城镇化一定要与生态文明相结合。从现阶段科技发展的水平来看，生态文明本身除了是一种观念外，它的主要实施手段就是依托光伏革命带来的技术进步，解决能源利用带来的污染问题。因此，光伏革命与城镇化将是一种伴生关系。

所谓“发展模式转型”，就是指中国经济的转型升级。近年来，中国经济增速很快，同时也面临内外压力。从外部发展环境看，全球经济结构加速调整，新格局正在形成。发达国家重新重视发展实体经济，加快布局新能源、新材料等领域，抢占未来科技和产业发展的制高点。从内部发展环境看，我国工业的深层次矛盾和问题更加突出。主要表现为：产业结构不合理，部分行业产能严重过剩，过度依赖投资和出口，自主创新能力不强，缺乏核心技术和品牌，能源瓶颈凸显。中国经济结构亟待调整，产业亟待转型升级。

在中国经济“升级”的迫切要求下，作为经济“骨骼”的企业必须自主创新，对自身提出更高的要求，打造中国企业的“升级版”，有望占据世界领先地位的光伏企业更应如此。当前，国际金融危机加快了科技进步和创新的步伐，推动着世界产业变革与结构调整。发达国家加快调整科技和产业发展战略，把绿色、低碳技术及其产业化作为突破口。美国于2012年推出绿色经济复苏计划、欧盟实行绿色技术研发计划等，都是为了打造新的竞争优势，抢占新的制高点。中国的薄膜光伏技术虽然已经领先全球，但从总体上看，仍有大量晶硅产能。我国的光伏产业已经到了只有转型升级才能持续发展的关键阶段。中国光伏企业“升级版”需要同步甚至领先于中国经济“升级版”的发展，只有这样，“光伏梦”才能照亮“中国梦”。

除在经济领域对“中国梦”的实现发挥重大作用外，光伏革命本身也会产生精神层面的诸多价值。光伏革命所倡导的“分享”、“和谐”等价值观将取代前两次工业革命中形成的“占有”、“控制”等价值观。依托光伏革命带来的第三次工业革命，在中国经济腾飞、社会和谐发展的过程中，延续了数千年的中华文明必将以其谦和、公正等诸多闪光点，影响世界文明的进程。

光伏行业要想崛起，本身必须进行产业结构升级：一是明确我国太阳能产业的技术发展方向，产业的技术方向决定了中国的光伏产业能否实现结构调整和可持续发展；二是要加大对光伏建筑一体化建设和光伏应用产品开发的支持力度。

光伏点亮新农村

2013 年 7 月 11 日，湖北省随州市新街镇凤凰寨村迎来了一个特殊的日子。湖北省首批新农村发电示范项目落户凤凰寨村，并成功实现并网发电。在未来的每一年，该村 20 户家庭屋顶将共能发出 6 万度的电力，可节约标准煤约 20 吨，按照 0.87 元/度的电价计算，每年可产生经济效益 52 200 元。

除了在我国中部地区农村展开应用外，光伏的应用在偏远地区也颇为广泛。以西藏农村为例。由于能源极其匮乏，大中型电站主要集中在城市人口集中的地、市，县乡电站数量较少而且规模较小。长期以来，百姓的日常生活以畜粪、木柴、草皮等为燃料，对本就十分脆弱的生态环境造成了不小的压力。突出的电力瓶颈成为新农村建设的主要障碍。

利用太阳能光伏发电，西藏部分农村地区解决了上述问题。截至目前，西藏利用太阳能光伏发电在解决通信、广播、电视电源和无电人口用电等方面取得了显著成效，曾成功地实施了"科学之光"、"阳光计划"、"阿里光电计划"等太阳能专项计划，成为全国第一个也是规模最大的实施太阳能专项计划的省级行政区域。

宁夏回族自治区的广大农村也是光伏太阳能利用的先行地区，其中中卫市沙坡头区永康镇的案例颇具代表性。2011 年 6 月，中卫市沙坡头区永康镇选取 1 000 户农民，每户安装 3.2KW 的太阳能发电装置，在自家屋顶上装备完全自主产权的太阳能电池板，通过中卫市西台镇 35 千伏变电站的 511 西光线与中卫电网并网运行。该项目在实施过程中先后攻克了并网运行、设备配置、电网改造、电价测算、建筑一体化施工等难关。项目建成后，当地农民过上了使用太阳能照明、做饭、烧水、洗浴的日子。

除了通过建设光伏电站等太阳能发电装置改善居民用电条件外，光伏革命对新农村建设过程中的生产方式也产生了积极影响。

2013 年 3 月 1 日，山东省寿光市稻田镇张家营前村占地 8.4 公顷的太阳能光伏蔬菜大棚一体化示范园区完成了所有并网审批手续，成功并入国家电网，该园区每年将产生 150 万度电力。除钢化玻璃和太阳能光伏发电板外，这个蔬菜大棚的棚顶还配有不吸水透光保温被。光伏发电板作为蔬菜大棚的屋面系统，能防止紫外线对植物的破坏，减少病虫害，有助于提高农产品的品质和产量。光伏发电板在发电的同时，还能保证植物的光合作用，有效促进农作物对阳光的利用。

山东寿光的光伏蔬菜大棚并非个案，光伏技术在农村生产中的应用还包括村庄照明、杀虫和抽水系统等。以广西壮族自治区桂林市兴安县为例，截至目前，该县 105 个自然村已经安装了 1 558 盏太阳能路灯，在太阳能杀虫灯和太阳能抽水泵等利用上也取得了众多突破。

综上所述，光伏革命对于改善农村生产、生活方式，推进新农村基础设施建设及可持续利用，保护新农村环境和生态等方面，都具有重要意义。

“太阳文化”重塑世界

> 以煤炭和石油为标志的第二次工业革命是“黑金文化”，而以光伏为标志的第三次工业革命则是“太阳文化”。
>
> 在太阳文化时代，人类的工业方式将由集中走向分散；人类的组织形式将从集约走向扁平；对于资源，人类的观念不再重视“为我所有”，而是重视“为我所用”；对于财富，将会由“独享”转向“共享”。
>
> 太阳能光伏带给人类的将是从观念到行动的翻天覆地的变化。

从对立到和谐

谈到光伏革命对文化和政治的影响，我想起了一部电影——《黑金》。该影片讲述的是20世纪30年代发生在阿拉伯的一个故事，故事的导火索是美国人在两大部落的中间地带发现了石油，对于是否进行开采，两个部落酋长的意见不一。于是，影片中出现了这样一段对话：

反对者：“《古兰经》没有提到让我们用石油，让我们用汽车！”

赞成者：“如果安拉不准我们用石油，他为什么把石油埋在我们的脚下？”

反对者：“你到底想要什么？”

赞成者：“我要御黄地带（储藏丰富石油的地方）。”

反对者：“绝对不行，我已经许下诺言……”

赞成者：“你无权许诺任何事，它根本不属于你。”

反对者：“难道是你的？”

赞成者：“他们的（指阿拉伯各部族）。”

反对者：“你会用它来做什么？”

赞成者：“我要建医院、学校……”

两个部族的意见最终没能统一，冲突升级为一场悲剧。两个部族声音的对立可以说就是传统的阿拉伯文化和“黑金文化”之间的对立。电影是杜撰的，但在海湾地区，石油产业的发展史却比电影中的故事更加跌宕起伏。

20 世纪 30 年代初，阿卜杜·阿齐兹经过 20 多年的征战之后，建立了沙特阿拉伯王国，但国库空虚。英国顾问哈利·费比尔对这位国王说：“你是躺在宝藏上哭穷啊！你的国家的地下到处都埋藏着石油和黄金，你自己无法开采，却又不让别人开采！”

国王被说动了，于是在 1933 年，沙特阿拉伯和美国标准石油公司签署了协定，给予该公司大片土地作为石油租借地，期限为 60 年。这份协定从此打开了西方国家开采中东石油的大门，“黑金文化”也随着数以万计的钻探机器一起被输送到了这个地区。

在阿拉伯人眼中，“黑金”的含义就是贪婪。这个词语在“黑金文化”的诞生地——美国——也有着同样的文化含义。最早进入沙特阿拉伯的是美国标准石油公司的石油大亨洛克菲勒，他在给儿子的信中写道：“冷静地回顾历史，审视人类的脚印，我们就能得出这样的结论：没有一个社会不是建立在贪心之上。”

我想，洛克菲勒对于人类天性“贪婪”的解读应该只限于第二次工业革命。对于我们这一代人而言，一只脚留在第二次工业革命末期，另一只脚已经迈入第三次工业革命的初期。在文化诉求上，我们也必将告别第二次工业革命时期的“黑金文化”，去迎接第三次工业革命的“太阳文化”。

太阳文化是和谐文化，这种和谐包括两层含义：第一层含义是人和自然的和谐。“向大自然开战”、“人定胜天”的“天人对立”文化已经使人类受到了大自然的惩罚。太阳能的广泛利用，发展“叶绿素经济”，过“绿色生活”，实现“天人合一”，才是人类长久生存和发展之道。第二层含义是人与人的和谐，包括一国之内人与人之间的和谐，也包括全球范围内国与国之间的和谐。

“人类只有一个地球。”这句话在以化石能源为主体的时候是纷争的理由。但在以无限的太阳能为主体的时候，在人类共同面对地球变暖的全球课题的时候，在共享经济充分发展成果的时候，就成了合作代替纷争、和谐代替对立的最现实的理由。

重塑经济规模

从对立到和谐，我们探讨的是光伏革命对人类政治和文化的影响。在经济领域，光伏革命将重塑世界经济规模。

杰里米·里夫金先生在他的《第三次工业革命》中，对世界经济趋势做了概括。他认为，世界经济走向扁平化是第三次工业革命的趋势。具体而言，太阳能对化石能源的替代将使“规模经济”纷纷由“集中式”向“分散式”转变。过去的集中发电、集中供电形成的集中规模将被分布式发电形成的分散规模替代。同时，随着电能生产、供应、消费方式的改变，用电者也成为发电者和供电者，这三者之间的关系必然发生改变。整个能源系统必然由一家垄断的局面变成多家协作的局面。制造业也将由集中型规模向分散型规模转变，随之，制造商、供应商、消费者之间的关系也将发生变化。

互联网的发展已经让我们看到了这种转变。信息传播最早是个体行为，根本无所谓“规模”，后来传播发展成为专业行为，专业媒体的发展体现在集中规模的增大。互联网和经济的结合促成了“互联网经济”，互联网经济促进了分散型规模的形成。1999 年，耐克推出网上定做业务。每个用户可以根据网站提供的搭配方案，选择不同的鞋底和色彩，甚至可以打上不超过 8 个字母的名字。同时，像淘宝网这样的平台也逐渐形成。据淘宝网统计，截至 2012 年上半年，淘宝网的注册用户数达到 4.7 亿，2012 年的网购交易额高达 8 000 亿元。

以上列举耐克、淘宝网的例子，目的是为了从不同行业角度出发，论证世界经济即将发生的巨大变化。从现实和趋势判断，光伏革命带来的对世界经济的重塑重点，将落在对大公司的淘汰和重塑上面。

从历次工业革命的经验中，我们可以得出一个结论：能源革命带来工业革命，工业革命也带来大公司的崛起。在过去长期盘踞在世界500强名单上的大企业中，很多是能源公司，还有一些是与能源密切相关的企业。由于能源结构发生变化，经济模式也随之改变，光伏革命将为这些大公司带来变革。

除了宏观经济和大公司将发生变化外，人类经济社会的生产方式也将发生变化。之前我们经历了工业对手工业的替代。工业实质上是用统一规格形成规模，用严密组织形成效率，然后用规模和效率形成高效益，从而战胜了个性产品、自主劳动、效益低下的手工业。

第三次工业革命将颠覆这种替代。它实质上是把手工业所具有的个体行为自由、个性产品享受等元素重新注入工业，以克服传统工业的弊端。从这种意义上说，这是手工业对大工业的否定，是个性化对共性化的否定。柔性制造的发展、3D打印机的出现，更在这方面拓展了人们对未来新经济体系的展望和想象。

其实，大规模生产和个性定制是一对很难调和的矛盾。之所以要保留大规模，目的是获得大规模制造的边际成本递减优势。但是，如果要保留大规模制造，那么可定制的部分就可能引发高昂的成本。

调和大规模生产和个性定制间矛盾的关键是柔性制造系统。柔性制造系统由三个子系统组成，即信息控制系统、物料储运系统和一组数字控制加工设备。它的基础是成组技术，其研究的问题就是如何改善多品种、小批量生产的组织管理，以获得如同大批量那样高的经济效益。

成组技术的基本原则是，根据零件的结构形状特点、工艺过程和加工方法的相似性，打破多品种界限，对所有产品零件进行系统分组，将类似的零件汇集成一组，再针对不同零件的特点组织相应的机床，形成不同的加工单元，对其进行加工。经过这样的重新组合，就可以变小批量生产为大批量生产，提高生产效率。

通过扁平化再造方式，光伏革命将引发世界经济领域的一系列变革。在这一变革之下，旧有的公司体制和大公司的垄断地位将被打破，大公司将推陈出新，生产方式将更加灵活，进而重塑世界经济规模与结构。

“为我所有”到“为我所用”

光伏革命也将使思想基础产生变化。太阳文化使人们从重视“为我所有”到更重视“为我所用”。有限的东西必然导致争夺，作为黑金，煤炭、石油会勾起人们的贪婪和欲望，引起掠夺和战争。但对于无限的东西，追求“所有”已经没有意义，而更好地利用的重要性则大大提高。太阳能既不需要为谁所有，也不能够仅仅为谁所有。

在《第三次工业革命》一书中，杰里米 · 里夫金也将汽车租赁、在线音乐服务、分时度假等经济现象称作第三次工业革命的“共享”并加以推崇，认为这些“正在改变我们对经济理论和时间的定位与思考”。

里夫金认为，在传统的资本主义市场中，利润是在交易成本的差额中产生的，也就是说，在价值链中的每一个环节，销售者都要向购买者提高价格以获取利润。商品或服务的终端价格反映出了这种加价。而第三次工业革命在信息和能源方面的交易成本几乎为零，保持差额盈利几乎是不可能的，因此必须重新定义盈利的概念。

持类似观点的人很多，比如康腾兹·雷切尔·波特斯曼在《我的就是你的：合作消费的崛起》一书中，对“235个国家的300万人尝试通过‘沙发客’网站（Couchsurfing）寻找短期住宿”这一现象发表评论说：“它让人们重新思考私有财产，在某些方面，这可能是一场意义不亚于工业革命的变革。”

不过，在我看来，以上观点所说的“共享”并不是真正意义上的“免费共享”。比如，里夫金提到的“音乐和电子书的免费下载”是一个很大的误区，是互联网侵犯私有产权的一大证据。一些大的搜索引擎提供了上传的功能，网友可以上传他人的作品，搜索引擎网站由此形成巨大的资料库。未经著作权人许可上传他人作品的行为毫无疑问是违反法律规定的，属于侵权行为。这种建立在违反法律基础上的所谓的新商业模式是一种可持续的模式吗？

《长尾理论》作者克里斯·安德森曾经写过一本叫作《免费》的书。他认为，互联网上免费的商业模式正在崛起。他列举了两种免费的模式：一种是享用者完全免费，比如网站新闻；另一种是部分享用者免费，部分享用者付费，付费者享用更多或更好的信息或服务。第二种免费模式比如即时通聊天软件，这些功能是免费使用的，但经营该软件的公司依旧把积聚人气作为经营的第一步，然后提供增值服务项目，卖给其中的一小部分免费使用者，使之转变为有偿使用者，他们缴纳的费用支持了经营成本和利润。

从以上分析中我们看到，利益链条贯穿始终，即使“免费”享用者也是付出成本的一方，尽管这种成本与享用合为一体不易被分辨出来。而真正的“共享”则是不要回报，我这里所说的“不要回报”不是指实际上得不到回报，而是指没有获得回报的动机。

随着太阳能推动的经济体系的改变，“所有”带来的“独享”会降低它的重要性，而“共享”将变得越来越重要。这倒不是说“独享”越来越少，任何享用最终都归结为个体的享用。这里说的是“独享”越来越与“共享”融合。“共享”不妨碍“独享”，你可以自由地选择你需要的信息。

互联网和新能源相结合的新能源革命，将造就依托无所不在的太阳能形成的分布式电站——“智能互联电网”，它必将促进“共享”文化的进一步发展。在我看来，共享制并不是一种商业模式，而是一种社会理想，是第三次工业革命经济理论的基石。

“光伏人”的生活

在前面五章的篇幅中，我通过自己的切身体验、观察和思考，通过自己收集到的资料和案例，希望与您分享这样的结论：

> **人类历史上的每一次工业革命的核心动力其实都是能源革命：第一次工业革命是煤炭替代木柴，第二次工业革命是石油替代煤炭，而我们正在迎接的第三次工业革命将是太阳能替代化石能源，实现人类能源史上的“终极替代”。**
>
> **每一次工业革命都会同步催生新的大国崛起：第一次工业革命使英国崛起，第二次工业革命使美国崛起，它们分别抓住了煤炭替代木柴、石油替代煤炭的历史机遇。伴随着第三次工业革命的到来，中国最有可能实现大国崛起，那么中国能不**

能抓住新能源革命的历史机遇，实现我们的“中国梦”呢？

回答是肯定的：以太阳能为代表的新能源的核心竞争方式与传统能源相反，即不是资源竞争，而是核心技术竞争。谁掌握了核心技术，谁就掌握了能源。第三次工业革命的核心是新能源革命，新能源革命的核心是太阳能利用，而太阳能利用的核心又将是光伏革命，光伏革命的战略方向是薄膜化、柔性化。在这个方面，中国的光伏技术、光伏企业、国家战略都已经领先世界，“光伏梦”将成为“中国梦”的有力引擎。

那么，“光伏梦”、“中国梦”实现以后，我们的生活会是怎样的呢？接下来，让我们畅想一下不久以后，我们作为“光伏人”的生活场景。

“光伏人”住的房子就是一个太阳能发电站。屋顶上安装了一组太阳能电池，房屋三面墙都贴上了太阳能薄膜。向阳面是明亮的大型玻璃窗，站在屋内，光线充足但并不刺眼。当然，玻璃窗是由薄膜制成的，因此也能够发电。但是如果你不仔细看，也许你只觉得比平常的房子更漂亮，却并不了解其中的奥妙。其实，太阳能已经和建筑有机而巧妙地结合在一起了。

打开窗户，一股清新的空气扑面而来。外面的世界，蓝天白云，鸟语花香。自然界不再遭受火电厂和其他企业燃烧化石能源排放的废气的污染，因此，窗外的景色十分宜人。这时，一阵强风吹过，“光伏人”并不急于关窗户：由于环境的改善，再也没有沙尘、雾霾等将人和自然界隔离开来。

“光伏人”家里所有的家用电器使用的电，都是自己居住的房子发出的。他不用担心使用现代化电器带来的生活成本增加，也不用交纳电费。

不过每月月初，他会收到一张来自电网的结账单，上面会写明他家多余电量上网的收益。看着结账单，他微微一笑，顿时觉得人生真美好。尽管多余电量获得的收益可能不大，但对家庭生活来说，总算是一种补益。

对于“朝九晚五”的上班族来说，值得一提的是，“光伏人”不用早早起床，冒着堵车的风险去上班。他在家里办公。

突然，电话铃响了。“光伏人”接通电话，原来是一个朋友约他见面。于是，他走进车库，选择了一辆车，看了看车里表盘上的电量指针。“光伏人”得意地开车离开，因为100公里以内的路程，现有电量已经足够了。而且，光伏汽车本身就是一个太阳能发电系统，在阳光下行驶时随时可以补充电量。

在路上，他想和朋友通话，但手机的电量不够了。这时，他不慌不忙地拿起太阳能充电器为手机充电。

见到朋友后，两人约好进行一次长途旅游。按照约定，两人按时赶到了一个专用机场。他们坐上太阳能飞机直飞海南三亚。玩了3天后，他们乘坐太阳能火车，由三亚到广州再返回“光伏人”居住的城市——北京。

两人意犹未尽，决定再冒一次险——攀登珠穆朗玛峰。然而登山前，“光伏人”忘了带氧气瓶，但他并不着急。他利用太阳能发电分解高山积雪，从而产生氧气……

将“光伏人”投身到第三次工业革命的背景下，他的状况又将出现新的变化。我们经常能够看到的关于第三次工业革命的讨论中，个体生活的状况基本上是这样描述的：

早晨8点30分，硅谷，尼尔·格伦弗洛已在忙着分享了。他将

15个月大的儿子交给了一位他和邻居共用的保姆。格伦弗洛居住的山景镇距离加州火车站只有几个街区。在一家咖啡馆，他打开了银行网站Cending Club（借钱俱乐部），发放了几笔小额贷款：一个借款人需要钱筹备婚礼；另一个借款人打算开一家宠物商店；第三位借款人正准备搬家。骑单车来到火车站后，他跳上一辆Prius（普锐斯）电动车，他从汽车共享公司预订了这辆车几个小时的使用时间。驾车到伯克利大学、参观一个住宅合作社后，格伦弗洛来到一间分享办公室。他每周在此工作一次。“当人们开始一种分享行为后，他们立刻开始思考，下一步是什么？”格伦弗洛说，“这些小变化最终导致大变革。”

这是《读者》杂志上刊登的一篇题为“分享时代”的文章的开头。在几乎所有关于第三次工业革命的言论中，都会指出这是一种基于新文化的新型商业模式。《纽约时报》记者马克·莱文认为，“共享与所有权之间的关系就像iPod（苹果公司推出的便携式多功能数字多媒体播放器）与磁带、太阳能电池与煤炭的关系一样。共享是清洁的、新奇的、城市化的、后现代的，而私有则是萧条的、自私的、胆怯的、落后的”。

有了光伏技术支撑的今天，这些美好的生活并不遥远，我们每个人都可以过上这样的生活，只要我们心中有梦想。

总之，在21世纪的今天，在第三次工业革命、中国崛起的大背景下，阳光普照世界，我们用阳光编织梦想。

党的十八大为我们描绘了美好的“中国梦”。光伏革命既是“圆梦中国”的重要内容，又是“圆梦中国”的强大支撑。习近平总书记说，有梦想，有机遇，有奋斗。光伏革命应该是我们的梦想、我们的机遇，也是我们的奋斗目标。

未来的中国必定是阳光更加明媚的中国，通过我们的努力实现了“光伏中国”，我们的国家才能真正实现“科学发展”、“和平崛起”之梦，才能成为引领世界文明、承载太阳文化的“文明大国”。

注释

前言

1. 1 美元约合 6.05 元人民币（2014 年 1 月汇率）。

2. GW 为十亿瓦特，1GW=1 000MW（兆瓦）=1×10^6 KW（千瓦）。

第一章

1. 1 欧元约合 8.21 元人民币（2014 年 1 月汇率）。

2. 1 度=1 千瓦时。

3.《世界石油资源何时会枯竭》，载于新加坡《联合早报》，2009 年 10 月 25 日。

4. 国家环保总局中国环境规划院课题组、中国环境规划院总工程师王金南等:《2020 年中国能源与环境面临的挑战与对策》，载于《经济参考报》，2005 年 11 月。

第二章

1. 吴云：《页岩气开发：讲述怎样的“美国故事”》，载于《人民日报》，2013 年 4 月 2 日。

2. 庞氏骗局是指骗人向虚设的企业投资，以后来投资者的钱作为快速盈利付给最初投资者以诱使更多人上当。庞氏骗局是一种最古老和最常见的投资诈骗，是金字塔骗局的变体。

3. 查尔斯 · 曼：《如果石油是用不完的？》，载于《大西洋月刊》。

4. 众石：《中国应冷静对待页岩气革命》，载于《中国青年报》，2013 年 1 月 7 日。

5.（美）丹尼尔 · 波特金、（美）戴安娜 · 佩雷茨著，草沐译：《大国能源的未来》，电子工业出版社，2012 年版。

6.（美）弗雷德 · 克鲁普、（美）米丽亚姆 · 霍恩著 陈茂云等译：《决战新能源》，东方出版社，2010 年版。

7.《日本的光伏野心》，OFweek太阳能光伏网，http://solar.ofweek.com/2012-09/ART-260006-8500-28641131.html。

8.《日本光伏市场对我国光伏企业意义分析》，中国行业研究网，http://www.chinairn.com/news/20121212/468105.html。

9.《2013 年韩国光伏产业市场大观察》，载于《光伏产业观察》。

10. 中国半导体行业协会：《日本光伏产业两大困境：核心技术和产业链》。

11. 郭丽琴:《中欧光伏价格承诺今起实施 李克强督战三月解困局》，载于《第一财经日报》，2013 年 8 月 6 日。

12.《欧盟在光伏贸易战中落了下风》，载于《华尔街日报》。

第三章

1.《新中国 60 周年：经济社会发展成就》，中央政府门户网站，www.gov.cn。

2. 采购经理指数是一套月度发布的、综合性的经济监测指标体系，分为制造业PMI、服务业PMI，也有一些国家建立了建筑业PMI。它反映了经济的变化趋势，当PMI大于 50 时，说明经济在发展；当PMI小于 50 时，说明经济在衰退。

3. 引自德国弗劳恩霍夫协会太阳能系统研究所研究报告、第一太阳能公司公司财务报告。

第四章

1.《赛维迷途》，载于《二十一世纪商业评论》，2012 年 8 月。

2.《如果赛维倒了，新余经济将倒退 10 年》，载于《中国经营报》，2013 年 1 月。

3.《光伏产业“两头在外”陷产业链尴尬》，载于《能源杂志》，2010 年 10 月。

4.《光伏巨头齐聚上海抗美双反调查，无锡尚德损失最大》，载于《21

世纪经济报道》，2012 年 5 月。

5. 同 4。

6.《光伏电站接入难题》，载于《能源》，2013 年 3 月。

7.《国家电网出手拯救光伏业》，载于《新金融观察报》,2012 年 10 月。

8.《光伏市场薄膜电池与多晶硅优势比较》，载于《中国产经新闻报》，2011 年 9 月。

9. 同 1。

10.《从首富到零》，载于《理财周报》，2013 年 3 月。

11.《尚德破产重整曙光在前》，载于《经济日报》，2013 年 8 月。

12.《德国太阳能光伏产业发展概况与启示》，中国商务部网站，2013 年 2 月。

13.《光伏政策需要实践总结的智慧》，载于《中国能源报》，2012 年 11 月。

参考文献

1. 丹尼尔 · 波特金，戴安娜 · 佩雷茨. 见：大国能源的未来.草沐译.北京：电子工业出版社，2012.

2. 刘汉元，刘建生. 见：能源革命改变21世纪.北京：中国言实出版社，2010.

3. 张钦，周德群，等. 见：中国新能源产业发展研究.北京：科学出版社，2013.

4. 国网能源研究院. 见：2012中国新能源发电分析报告.北京：中国电力出版社，2012.

5. 胡孝红. 见：各国能源法新发展.厦门：厦门大学出版社，2012.

6. 弗雷德 · 克鲁普，米丽亚姆 · 霍恩. 见：决战新能源.陈茂云，等译.北京：东方出版社，2010年.

7. 安迪 · 斯特恩. 见：石油阴谋.石晓燕译.北京：中信出版社，2010.

8. 姚晓宏. 见：大国博弈与产业战争.北京：新华出版社，2012.

9. 张帅，邢志刚，姚遥. 见：解密新能源. 上海：文汇出版社，2011.

10. 杰夫 · 鲁宾. 见：为什么你的世界会越来越小——石油和全球化的终结. 曾贤明译. 北京：中信出版社，2011.

11. 博锋，池小红. 见：绿色资本——中国新能源行业透视. 北京：人民邮电出版社，2013.

12. 凯特琳 · M · 纳什. 见：页岩气开发技术. 汪丽华，周靖译. 上海：上海科学技术出版社，2013.

13. 中国科学院能源领域战略研究组. 见：中国至 2050 年能源科技发展路线图. 北京：科学出版社，2009.

14. 段光复，段伦. 见：薄膜太阳电池及其光伏电站. 北京：机械工业出版社，2013.

15. 杰里米 · 里夫金. 见：第三次工业革命. 张体伟，孙豫宁译. 北京：中信出版社，2012.

16. 众石. 中国应冷静对待“页岩气革命”. 中国青年报. 2013 年 01 月 07 日.

17. 王宗凯、阳建. 美国光伏产业前景存忧　贸易保护主义或成阻碍. 新华网，2012 年 09 月 07 日.

18. 曹石亚. 德国光伏上网电价模式分析. 中国电力报，2012 年 03 月 07 日.

19. 佚名. 2013 年韩国光伏产业市场大观察. 光伏产业观察，2013 年 04 月 22 日.

20. 中投顾问. 日本光伏企业的优势. 凤凰网，2010 年 12 月 06 日.

21. 中国半导体行业协会. 日本光伏产业两大困境：核心技术和产业

链，2012 年 04 月 18 日 .

22. 李田玉 . 太阳能光伏产业发展报告，2011 年 09 月 01 日 .

23. SEMI 光伏顾问委员会 . 2013 中国光伏产业发展报告，2013 年 03 月 27 日 .

24. 佚名 . 2011 年中国及海外太阳能光伏产业发展报告，2011 年 11 月 1 日 .

25. 汉能控股集团 . 全球新能源发展报告，2013 年 6 月 .

26. 中研普华 . 我国光伏产业将加速整合，2013 年 7 月 31 日 .

27. 社评 . 欧盟在光伏贸易战中落了下风 . 华尔街日报，2013 年 08 月 02 日 .

28. 陈刚详 . 薄膜太阳能电池的研究与发展现状， 2012 年 5 月 13 日 .

29. 郭丽琴 . 中欧光伏价格承诺今起实施　李克强督战三月解困局 . 第一财经日报，2013 年 8 月 6 日 .

30. 佚名 . 油企吹捧页岩气，质疑前景被高估 . 香港经济日报，2012 年 8 月 5 日 .